W9-DAD-636

MELHOR QUE
CHOCOLATE
UMA HISTÓRIA SOBRE AMOR,
PARIS E TEIMOSIA

LAURA FLORAND

TRADUÇÃO:
Marsely De Marco Martins Dantas

Diretora
Rosely Boschini

Gerente Editorial
Marília Chaves

Assistente Editorial
Carolina Pereira da Rocha

Produtora Editorial
Rosângela de Araujo Pinheiro Barbosa

Controle de Produção
Fábio Esteves

Tradução
Marsely De Marco Martins Dantas

Projeto gráfico e Diagramação
Balão Editorial

Revisão
Vero Verbo Serviços Editoriais

Capa
Aila Regina

Imagem de capa
Zoom Team/Shutterstock

Impressão
Assahí Gráfica

Única é um selo da Editora Gente.

Título original: *The chocolate thief*

Rua Pedro Soares de Almeida, 114,
São Paulo, SP – CEP 05029-030
Telefone: (11) 3670-2500
Site: http://www.editoragente.com.br
E-mail: gente@editoragente.com.br

Dados Internacionais de Catalogação na Publicação (CIP)
(Câmara Brasileira do Livro, SP, Brasil)

Florand, Laura
Melhor que chocolate : uma história sobre amor, Paris e teimosia / Laura Florand; tradução Marsely De Marco Martins Dantas. – São Paulo: Única Editora, 2015.

Título original: The chocolate thief.
ISBN 978-85-67028-55-2

1. Ficção norte-americana I. Título.

14-13209 CDD-813.5

Índice para catálogo sistemático:
1. Ficção : Literatura norte-americana 813.5

Com *mille mercies* a Jacques Genin e Michel Chaudun, dois mestres *chocolatiers* em Paris que tão gentilmente permitiram-me entrar em seus *laboratories* e pacientemente responderam a todas as minhas perguntas.

Obrigada também a Sophie Vidal, *chef chocolatier* da Jacques Genin, por ser a personificação da paciência.

Capítulo I

Sylvain Marquis sabia o que as mulheres desejavam: chocolate. E foi assim que ele aprendeu, ao entrar na vida adulta, a se tornar um especialista nesse desejo feminino.

Novembro havia transformado as ruas de Paris em lugares frios e cinzentos. Mas no *laboratoire* dele, a temperatura do chocolate havia atingido o grau exato, com suavidade e exuberância. Ele o espalhou sobre o balcão de mármore. Com um hábil toque das mãos, deu uma batidinha de leve e espalhou a massa novamente, que ficou brilhante e escura.

Na loja, uma loira elegante cujos movimentos indicavam riqueza e privilégio estava comprando uma caixa dos chocolates feitos por ele, incapaz de resistir a uma mordida em um deles antes de sair da loja. Ele conseguia vê-la pela vitrine que permitia que os visitantes dessem uma olhadinha na maneira como o chocolate artesanal era feito. Viu os dentes perfeitos engolirem o chocolate do tamanho de um polegar, sabendo exatamente a maneira como a casca fornecia uma delicada resistência, a maneira como o *ganache* interno derretia na língua dela, o prazer que percorria seu corpo.

Ele sorriu um pouco, inclinando a cabeça para concentrar-se no chocolate novamente. E não viu a outra mulher que entrou na loja.

No entanto, ela não ia deixá-lo esquecê-la.

O aroma do chocolate invadia a rua chuvosa. Os saltos das botas, protegidos por longos casacos, quebravam o ritmo acelerado, os transeuntes olhavam para o local de onde vinha tal aroma e hesitavam. Alguns paravam. Outros continuavam. Uma força interior em Cade a levou para dentro da loja.

A teobromina a envolvia como um cobertor aconchegante, protegendo-a do frio. O cacau inundava seus sentidos.

Abraçou a si mesma. O aroma a levou para casa, enganando os próprios olhos que lhe diziam que não poderia estar tão longe dos barris de aço da fábrica, pois os rios de chocolate lançavam-se, sem interrupção de ritmo, das calhas para os moldes, tornando-se os bilhões de barras perfeitamente idênticas e embalagens sem rótulos que formaram sua vida.

Ela sentia alguma coisa, alguma tensão que afrouxava os músculos dos ombros, e um calafrio percorreu toda a extensão de seu corpo.

Alguém havia moldado chocolate em metades gigantescas de sementes de cacau que adornavam as vitrines, acrescentando um efeito dramático aos cantinhos da loja. Conseguia imaginar a mão que lhes tinha dado forma — mão masculina, forte, simétrica, com dedos alongados, capaz da mais delicada precisão. Ela tinha uma foto dessa mão no papel de parede do seu laptop.

Do lado externo de cada semente, ele havia pintado um cenário de diferentes países produtores de cacau. E na superfície horizontal das sementes havia colocado um chocolate do tamanho de um polegar.

Ela olhou ao redor da loja. Em determinados pontos havia marcas de chocolate amargo e engradados indicando terras distantes. Sementes de cacau verdadeiras espalhavam-se pelos engradados, lembrando aos clientes que o chocolate era algo exótico, trazido de outro mundo. Cade estivera nestas terras. As marcas de chocolate amargo traziam seus aromas e locais de volta à mente dela, as pessoas de lugares distantes que conhecera, os sons dos machados nos cacaueiros, o perfume das cascas de cacau fermentando.

Ele havia espalhado lascas de cacau em alguns lugares da loja, da mesma maneira como um *chef* decora o prato com algumas gotas de molho. Havia derramado sementes de baunilha e canela em pau em diferentes superfícies da loja, intencionalmente, uma *débauche* de luxúria rústica.

Cada elemento da decoração enfatizava a natureza simples e bela do chocolate até o triunfo de seu último refinamento: os quadradinhos minúsculos, os *chocolats* no valor de 150 euros cada meio quilo, feitos pelas mãos de Sylvain Marquis.

Sylvain Marquis. Alguns diziam que ele era o principal *chocolatier* de Paris. *Ele também disse isso,* ela pensou. Conhecia esse tipo de autoconfiança dele. Ela sabia disso pela foto da mão dele que estava em seu laptop. Caixas de madeira crua, amarradas com fitas para despacho e com o nome carimbado nelas — SYLVAIN MARQUIS — as dominavam, eram da cor do chocolate amargo com o escrito em negrito.

Cade respirou fundo procurando coragem nos aromas e em tudo que via. Uma excitação estonteante a segurava, mas também, em estranha oposição, medo, como se ela estivesse prestes a andar nua sobre um palco na frente de cem pessoas. Chocolate era o negócio dela, sua herança. O pai dela sempre brincava que em suas veias corria chocolate. Uma porção significativa da economia global realmente vinha do chocolate produzido por sua família. Ela poderia oferecer a Sylvain Marquis uma oportunidade incrível.

E, mesmo assim, sentia tanto medo de tentar que mal conseguia engolir.

Não conseguia deixar de ver a barra de chocolate ao leite mais famosa da família embalada em papel alumínio estampado com o *seu* sobrenome — à venda por 33 centavos no Walmart. Essas barras de 33 centavos colocaram mais dinheiro nas contas bancárias de sua família do que a maioria das pessoas podia imaginar. Certamente mais do que *ele* podia imaginar. Contudo, sua alma se contraía ao pensar em tirar uma delas de sua bolsa para apresentá-la naquele lugar.

— *Bonjour* — disse ao atendente mais próximo, e a excitação começou a correr por sua cabeça novamente, mandando embora todo o restante. Ela havia conseguido. Tinha falado a primeira palavra em francês a um parisiense de verdade, buscando atingir seu objetivo. Estudara espanhol e francês em vários momentos da vida para que pudesse comunicar-se com facilidade ao visitar as plantações de cacau. No ano anterior também pagara a alguns falantes nativos de francês para orientá-la em seu objetivo, uma hora por dia e lições de casa todas as noites, concentrando-se nas palavras que iria usar no dia de hoje — *amostras, marketing, linha de produtos*. E *chocolat*.

E, agora, finalmente, lá estava ela. Falando. Prestes a colocar *la cerise sur le gâteau* de toda a nova linha que ela estava planejando para a empresa. *A cereja no bolo*... Talvez pudessem fazer algo com *La Cerise* como uma das novas linhas de produtos ...

— *Je m'appelle* Cade Corey. Vou levar cinco amostras de tudo daqui, uma de cada tipo, por favor — apenas uma daquelas caixas era para ela. As outras seriam enviadas para a matriz da Corey Chocolate em Corey, Maryland. — Estarei em reunião com Sylvain Marquis enquanto você embala tudo isso.

Seu francês era tão bonito! Não dava para evitar um leve sorriso de orgulho. As palavras fluíam de sua boca com a sugestão de um leve tremor. Toda aquela lição de casa havia valido a pena.

— Sim, *madame* — o rapaz uniformizado respondeu em inglês de maneira tão precisa e fria quanto um alfinete.

Ela piscou longamente, seu balão de alegria murchara; humilhada por uma única palavra em sua própria língua.

— O senhor Marquis está com os chocolates, *madame* — ele disse, ainda em inglês, fazendo os dentes dela baterem. Mas o francês dela era *muito melhor* que o inglês dele, obrigada. Ou *merci*.

Uma jovem começou a completar as caixas com os chocolates de Cade enquanto o jovem a levava ao fundo da loja.

Ela entrou em um mundo mágico e quase conseguiu esquecer o tapa de inglês em seu rosto conforme seu balão de felicidade começou a crescer novamente. Num canto, um homem magro, usando óculos, com o rosto fino de um poeta ou de um nerd, derramava generosas conchas de chocolate sobre os moldes. Em outro, uma mulher com o cabelo coberto por um chapéu de abas de papel usava um pincel para retocar corujas de chocolate. Duas outras mulheres estavam completando caixas de bombons. Outras mulheres estavam sobrepondo finas folhas sobre dúzias de bombons, embalando-os gentilmente, completando a decoração.

Na mesa central de mármore cor-de-rosa, um homem pegava um batedor grande que estava em banho-maria, e que parecia pesar uns vinte quilos, um leve pó branco elevava-se pelo ar ao redor dele. Na frente dele havia mais um homem magro, que tinha uma pequena barba negra, e usava um bico de confeiteiro para encher os moldes de onde saíam cabos de pirulitos.

Eram todos magros, na verdade. Surpreendentemente magros para pessoas que trabalham o dia todo com chocolate, a apenas uma mordida de distância. Somente um homem, alto e corpulento, chamava atenção pelo tamanho da pança, e ele parecia inteiramente feliz com seu peso. Todos vestiam branco, e todos tinham um chapéu de papel cujo estilo variava de acordo com a função exercida.

Sobre as pias havia pincéis, espátulas e batedores. No balcão de mármore havia uma balança grande e uma enorme batedeira. Num dos lados de um balcão havia todos os tipos de recipientes e tigelas cheios de uvas passas, laranjas cristalizadas e açúcar, que rodeavam os que trabalhavam na imensa ilha de mármore.

Assim que entrou, todos olharam para ela, mas logo concentraram-se em seu trabalho novamente. Somente um homem, que batia o chocolate sobre o mármore com muita habilidade, olhou para ela de modo prolongado, demonstrando grande autoridade, e talvez algum repúdio.

Alto e magro, tinha cabelos negros que caíam em cachos com leve ondulação na altura do queixo. Ele os havia ajeitado descuidadamente atrás de uma das orelhas deixando expostas as feições fortes e uniformes. O chapéu branco de papel minimizava o risco de qualquer tipo de queda de cabelo no chocolate do cliente. Havia manchas de chocolate na parte da frente do jaleco branco do *chef*.

Ele era bonito.

Ela engoliu em seco, sentiu a boca sedenta. Todos os aromas, a atividade, a percepção de que o melhor *chocolatier* de Paris era, pessoalmente, ainda mais atraente do que nas fotos, tudo isso girava ao redor dela, trazendo à tona uma elevada onda de excitação. Ela estava ali. Vivendo seu sonho. Aquilo ia ser muito divertido.

Sylvain Marquis era mesmo atraente.

Talvez ela estivesse excitada demais. Ele não era tão maravilhoso assim, era? Tudo bem, ele parecia sexy nas fotos, e aquela fotografia da mão dele havia dominado seus sonhos por noites sem fim, mas ela tentava lidar com aquilo tudo com certo ceticismo.

Mas ali, pessoalmente, ela sentia nele a energia e o controle, a paixão e a disciplina. Isso alimentava sua excitação provocando-lhe uma exagerada sensibilidade. Sentia-se como uma garrafa de Coca-Cola sendo chacoalhada, efervescendo além dos limites.

— *Bonjour, monsieur* — ela disse, da maneira que seus professores de francês a haviam ensinado, e caminhou confiantemente na direção dele para um aperto de mão.

Ele ergueu as sobrancelhas, o suficiente para fazê-la sentir-se abruptamente sem entender o que estava acontecendo. — *Hygiéne* — ele disse. — *Je travaille le chocolat. Comment pius-je vous aider, Mademoiselle, Co-ree?*

Ela traduziu tudo mentalmente, ficando cada vez mais excitada ao perceber que *conseguia*, que essa coisa da língua estava funcionando. "Higiene. Estou trabalhando com o chocolate. Como posso ajudá-la, senhorita Corey?" Ele pareceu tão elegante, que ela queria até abraçar a voz dele, se pudesse. Em vez disso, viu-se acariciando o cotovelo dele de maneira estranha, enrubescendo. Como é que alguém cumprimenta com o cotovelo?

Ele afastou-se dela. Tocou o chocolate que estava enrijecendo no mármore com a parte de trás do dedo mínimo, concentrando-se. E seu foco não tinha nada a ver com ela.

Aquilo não fazia sentido. Ele sabia quem ela era. Não era uma visita surpresa. Ele devia saber que ela poderia acrescentar milhões à sua renda. Como é que ele podia não se concentrar nela?

E, ainda assim, ele parecia considerá-la menos importante do que uma porção de chocolate. Lutou contra o pressentimento de que, talvez, tivesse de manter toda a sua animação no freezer.

— Há algum lugar em que possamos conversar em particular? — Ela perguntou a ele.

Ele contraiu as sobrancelhas e disse:

— Isso aqui é importante — salientando que o importante era o chocolate e não ela.

Será que ele pensava que ela estava ali apenas como uma turista? — Estou interessada em encontrar alguém para desenhar uma nova linha de produtos de chocolate para nós — ela disse calmamente. — *O que é mais importante agora, Sylvain Marquis?* Ela havia praticado aquela fala pelo menos cinquenta vezes com seu professor de francês, e, na verdade, dizê-la em voz alta naquele lugar e a razão pela qual havia praticado a frase a deixavam gananciosa pelo sucesso. — Temos interesse em entrar na linha de chocolates *premium* e estamos pensando em algo muito elegante, muito parisiense, talvez com seu nome no produto.

Agora sim, *isso* havia chamado a atenção dele, ela pensou com orgulho, ao vê-lo olhando para ela com sua longa espátula fina no chocolate. Quase dava para ver os cifrões de euros saltando de sua cabeça. Será que ele havia acabado de acrescentar alguns zeros a mais no balanço anual da sua conta-corrente?

— *Pardon* — ele disse de maneira lenta e cuidadosa. — Você quer colocar o *meu* nome em um dos *seus* produtos?

Ela assentiu satisfeita por, finalmente, ter causado impacto. A excitação ressurgiu como um gêiser dentro dela. Esse seria seu presente à sua família, a linha *gourmet*. Ela ficaria encarregada disso, o que envolveria todo o prazer em desenvolver chocolate de alta qualidade e Paris, o que mais ela poderia querer? — Talvez, e é isso que gostaria de discutir com o senhor.

A boca de Sylvain abriu-se e fechou-se. Ele sorriu para ela de maneira triunfante. Como seria o toque de suas mãos quando eles se cumprimentassem ao fechar o acordo?

Quente talvez. Forte. Com certeza. Cheio de energia e do poder de transformar matéria-prima em algo sensual e extraordinário.

E lá estava ela efervescendo novamente. Olhou ao redor do pequeno *laboratoire*, um milagre de intimidade e de criação, tão diferente das fábricas de chocolate nas quais ela havia crescido.

— *Vous*... — Sylvain Marquis desistiu de continuar o que havia começado a dizer, fechando a boca com firmeza novamente. Algo parecia impregnar seus olhos, minando o autocontrole.

Raiva.

— Você quer colocar meu nome no seu chocolate? — Ele repetiu, se esforçando para manter o controle da voz, da expressão, mas seus olhos estavam completamente incandescentes. — Meu nome? — Ele apontou a mão para o local em que caixas atrás de caixas, estampadas com o nome dele, estavam sendo completadas com chocolate, fechadas e amarradas, a alguns balcões de distância. — Sylvain Marquis?

— Eu...

— Em barras de chocolate Corey?

Trinta e três centavos no Walmart. Sentiu o rubor tomar conta do seu corpo e levou a mão à bolsa para segurar a embalagem retangular dourada e marrom que usava como um talismã para lhe dar forças e esconder a vergonha ao mesmo tempo. — Seria uma linha diferente. Uma linha *gourmet*...

— *Mademoiselle*... — disse com uma expressão endurecida, congelando a efervescência de sua garrafa de Coca-Cola interna tão rapidamente que dava para sentir a explosão crescendo dentro dela. — Você está desperdiçando o meu tempo. E eu estou desperdiçando o seu. Jamais concordarei em trabalhar com *Barras Corey*.

— Mas apenas ouça ...

— *Au revoir* — ele não saiu do lugar. Nem se mexeu. Ficou ali com o chocolate que enrijecia e a alfinetou com os olhos da cor de sementes de cacau, fazendo *com que ela mudasse de ideia*, somente pelo olhar. Ela deu meia-volta e saiu de lá.

Ela tremia de vergonha e de raiva no momento em que percebeu que dera cinco passos na direção da porta da loja, assim que percebeu que tinha *deixado* que ele fizesse aquilo. Ela o deixou manter o controle daquele mundo mandando-a para fora dele. Mas ela não era o tipo de pessoa que se deixava dominar: devia ter ficado lá para defender o que queria.

Tentou voltar e encarar a humilhação novamente, mas a porta estava apenas a três passos. Cerrou a mão com força ao redor da Barra Corey na sua bolsa e tentou dar esses três passos com desdém. Mas não se pode ser desdenhoso ao bater em retirada. Ninguém se deixa enganar por uma imitação de desdém.

Vá para o inferno, Sylvain Marquis. Há outros chocolatiers *em Paris que provavelmente são melhores que você. Você é apenas a novidade do momento. Você vai se arrepender.*

Ela deixou a porta entre o *laboratoire* e a loja bater atrás dela, recebendo múltiplos olhares desaprovadores dos clientes e empregados, todos demonstrando sua opinião sobre os bárbaros americanos por meio de um simples torcer dos lábios.

A América podia comprá-los e vendê-los em qualquer dia da semana. *Maldição*. Se ao menos eles se dessem um preço e aceitassem o dinheiro.

Foi em direção à porta de vidro que dava para a rua.

— *Madame* — disse uma jovem perto dela, uma sacola grande da cor de madeira natural estava ao seu lado, junto da caixa registradora, com o nome SYLVAIN MARQUIS estampado. A expressão dela — neutralidade protegida por uma convicção adjacente de superioridade — fez com que Cade quisesse beijá-la... — Seus chocolates.

Cade hesitou. Seu cartão de crédito parecia ser de arame farpado, doeu tanto pegá-lo e entregá-lo à vendedora.

Ao olhar para trás, viu Sylvain Marquis observando-a pela vitrine, um canto de seus lábios finos contorcia-se de diversão, perturbação e reprovação.

Apertou os dentes com tanta força que se surpreendeu por não quebrá-los. Ele voltou ao trabalho, esquecendo-a.

Sentiu a própria raiva incandescer.

Assinou o recibo de pagamento, deduzindo quase mil dólares por cinco míseras caixas de chocolate e foi para a rua.

Queria desesperadamente entrar de modo dramático em uma limusine, ou pelo menos caminhar em direção ao pôr do sol parisiense. Em vez disso, deu dez passos em direção à rua passando por uma porta verde-escura e entrando em um elevador tão pequeno que finalmente entendeu a *verdadeira* razão pela qual as mulheres francesas não engordavam.

A sacola de chocolates ficou apertada entre as pernas. O elevador rangeu ao subir seis andares. Ela entrou em um apartamento menor do que a metade do banheiro de sua casa, jogou a caixa de chocolates na cama e olhou para baixo, para a loja de Sylvain Marquis. Tinha ficado tão animada ao encontrar aquele pequeno apartamento para alugar bem acima da *chocolaterie* dele. Pareceu tão mais real, tão mais o que ela queria fazer do que um hotel luxuoso na Champs-Élysées. Podia ter vindo com alguns sacrifícios, como ter de descobrir como usar uma máquina de lavar, mas isso parecia um preço razoável a ser pago. Até agora. E agora estava ali, presa bem acima da *chocolaterie* de um verdadeiro cretino.

Ela ainda podia ir a um hotel, talvez. Mas, então, qual o sentido de estar ali se fosse se hospedar em um hotel como fazia em todas as viagens de negócios?

Olhou para a sacola de chocolates sobre a cama. *Não*, disse a si mesma com firmeza.

Voltou a olhar para a placa da loja que exibia o nome SYLVAIN MARQUIS.

O aroma de chocolate exalava das caixas. Sua cidade natal tinha aroma de chocolate o tempo todo. Não daquele tipo de chocolate. Não daquela refinada qualidade, não do trabalho da imaginação e das mãos de uma pessoa.

Talvez devesse experimentar apenas um. Para provar como ele estava superfaturando o produto.

Enquanto um sabor puro como o pecado invadiu sua boca, e seu corpo todo se derreteu em resposta, pressionou a testa sobre a janela, sentindo-se indefesa, tentando manter uma careta. O que era difícil de conseguir com todo aquele chocolate derretido.

Ele era tão delicioso.

Que pena que era um cretino.

Capítulo 2

Ela era *gonflée*, Sylvain pensou, demonstrando indiferença com os lábios, jogando todo o chocolate de volta ao banho-maria para reaquecê-lo. *Complétement gonflée*. Na verdade, a opinião que ela tinha de si mesma era *tão* inflada que ele queria imensamente um alfinete. Esperava que a maneira como havia olhado para ela *tivesse sido* o alfinete. Crescera praticando aquele tipo de olhar que podia desinflar o ego de alguém. Era algo praticado em seu país por séculos.

Ele despejou uma terceira porção de chocolate no mármore frio e o alisou novamente, correndo uma longa espátula flexível por baixo para raspar, dobrar e alisá-lo novamente, enrijecendo-o com primor. Ficou irritado por ter de refazer aquela etapa. Geralmente não se permitia que uma mínima distração como uma bilionária arrogante o deixasse estragar seu trabalho.

Sem mais nem menos, enquanto batia o chocolate, ele imaginou o casaco e a caxemira caindo do ombro da visitante e sua mão acariciando-o, como quando está dando o ponto de maneira primorosa.

Enrubesceu um pouco. Costumava ficar bem vermelho na adolescência, quando, nos momentos mais inoportunos, imaginava mulheres nuas. Algumas lembranças de rubores ao falar com professoras ou amigas bonitas estavam sedimentadas de maneira aterrorizante. Mas agora ele havia entendido o modo como sua mente trabalhava. Na verdade, parecia que a mente da maioria dos homens funcionava desse jeito.

Estranho e verdadeiramente infeliz que a mente das mulheres não funcionasse dessa maneira — tangenciando a sexualidade diretamente o tempo todo.

É bem provável que a visitante americana não o tenha imaginado nu. Ela somente imaginara comprar todo o trabalho e as realizações da vida dele como se fosse tudo um par de sapatos em uma vitrine, como se pudesse levar tudo para casa como lembrança de sua viagem a Paris.

Rangeu os dentes ao sentir uma onda de raiva.

O que realmente *ensinavam às pessoas daquele país?*

— Falei para você que era um país de bárbaros — o avô de Cade, James Corey, mais conhecido como vovô Jack, disse ao telefone. — Já lhe contei sobre a vez que tentei ser contratado pela Lindt para fazer aquelas bolinhas deles? Lá estava eu, achando que comandaria a maior empresa de chocolate da América — não que eu tenha falado isso para eles, claro — paguei um rapaz da cidade para me ajudar a fazer um bom currículo, mas não consegui nem mesmo ser empregado para assar sementes de cacau por lá. Suíços esnobes — ele dizia com prazer, pois ser antissuíço era o passatempo dele.

— Eu me lembro — disse Cade.

Tinham comemorado o octogésimo aniversário do avô havia dois anos, uma enorme comemoração que se tornara uma cruzada de um mês entre um festival de chocolate e uma feira agrícola na cidade de Corey. Aos 82 anos, ele ainda era forte, mas começava a ficar repetindo as mesmas histórias. E o pai dela havia dedicado uma parte inteira da fábrica aos estranhos experimentos de sabor que o vovô Jack tinha resolvido fazer ultimamente. Ele estava tentando combinar espinafre com chocolate um pouco antes da partida de Cade. Como os empregados da fábrica tinham um senso de humor peculiar, eles não falaram nada para ela sobre isso quando ela entrou procurando por ele, e teve de experimentar.

Sua boca ainda se contraia ao lembrar.

— Acabei tendo de subornar um dos empregados de dentro da fábrica deles para conseguir os segredos — lamentou o avô. — Mas... — ele suspirou. — Teria adorado eu mesmo ter trabalhado lá. Só para colocar um *pé* dentro de uma daquelas fábricas suíças. Não por meio daquelas visitas idiotas para turistas em que eles escondem todos os segredos, mas entrar de verdade. Quase consegui comprar uma das pequenas uma vez, mas a Lindt ficou sabendo e passou a perna em mim só para ser teimosa.

— Sim, mas...

— E meu *pai* — seu bisavô, o querido Corey, as coisas pelas quais ele passou para tentar obter o segredo daquele chocolate ao leite. Disfarces, subornos, chantagem — não fui eu que lhe contei sobre a chantagem, Cade — infiltração. Foi uma época daquelas, isso eu digo a você.

— Mas dessa vez é diferente, vovô. Estou trabalhando com pequenos *chocolatiers* agora. Vou oferecer um acordo que vale milhões para um deles.

Dava praticamente para ouvir o avô recuar: — Veja bem, não vá jogando milhões por aí como se fossem trocados, Cade. Vocês, crianças! Eu sempre tive problemas para ensiná-las a apreciar o valor de um dólar.

— Vovô! O senhor atormentou o papai para que desse somente dez centavos por dia para a gente se mantivéssemos nossos quartos limpos. Isso nos acompanhou até a faculdade, saiba disso.

— Mimada — disse o avô com carinho. — Fez muito bem para você e sua irmã, isso *eu* falo com certeza.

— Não tínhamos dinheiro nem para comprar lanche, vovô!

— Vocês deviam ter levado barras de chocolate Corey! — Disse implacável. — Nenhuma neta minha precisa comprar aquele chocolate Mars na porcaria da máquina de lanches.

Ela revirou os olhos. Experimentou todos os produtos Mars em algum momento da vida, mas somente para fins de pesquisa, assim como fez com chocolates de outras marcas. Chegou até a sentir certa tristeza ao ver M&Ms nas máquinas de lanches sabendo que jamais poderia se permitir comprá-los. (A única vez em que quebrou o pacto durante uma viagem de trabalho que fez sozinha tornou-se o seu segredinho). Talvez tenha consumido uma dúzia de M&Ms durante toda a infância. Até mesmo seus amigos não podiam servi-los em festas de aniversário, pois os pais temiam estar sendo rudes com ela.

— Tudo o que estou dizendo é que com os milhões acho que ele poderia ter sido um pouco mais educado comigo.

— Ah, não! — O avô pareceu-lhe alarmado. — Um francês não vai ser educado com você sem mais nem menos, querida. Isso vai endurecer sua alma. Pode ser que você nunca se recupere. Os suíços são desajeitados para essas coisas — Às vezes até podem ser muito educados. Mas os franceses — eles são *bons* nisso, e você se vê prestes a pular daquela torre deles.

Cade bateu na testa de frustração. — Eu só... Eu só queria *estar aqui*, vovô. Sabe? Queria aprender a fazer como eles. Quero *pertencer* a Paris. Quero os chocolates deles.

— Ah, eu sei disso — suspirou o avô. — Acho que é a sua falha fatal. Mas como eu gostaria de poder fazer você desistir de gastar sua energia com esses esnobes. Eles vão magoá-la e fazer com que você se sinta mal consigo mesma.

— *Não* vou deixá-los me magoar — Cade mentiu.

— Hmm. Apenas se lembre de uma coisa, querida: eles podem agir da maneira mais esnobe que quiserem, mas em 1945 foram *nossas* barras de chocolate que nossos soldados ofereceram para *eles*. E eles aceitaram de bom grado.

Cade teve de rir. Haviam reproduzido uma grande fornada das velhas barras de chocolate racionadas como parte dos eventos em comemoração ao Dia D,[1] e elas não eram exatamente a melhor coisa já feita por eles — os militares insistiram em componentes nutricionais demais.

— Talvez fosse essa a fonte de todo o esnobismo?

Além da ideia do avô de colocar espinafre nas barras de chocolate.

O avô bufou.

— Bem, não foram nada orgulhosos ao recebê-las na época.

Cade tentou se envolver em todo aquele velho discurso estimulante sobre a Segunda Guerra Mundial: *eles não eram tão superiores* na época, *eram?* Mas não parava de ver aquele olhar de dispensa no rosto de Sylvain Marquis, e sentiu seus ombros estremecerem novamente. De alguma maneira, ela não acreditava que pudesse levar o crédito por algo que acontecera havia quase setenta anos e que transformaria a rejeição dele em aceitação entusiasmada que sonhara encontrar.

Cretino. *Maldito arrogante autocentrado.*

Meu Deus, mas como o chocolate dele era bom. Assim que começou a experimentá-lo, não conseguiu parar mais. Havia até sonhado com aquilo durante a noite, a rica seda do chocolate perfeito drogando seus pensamentos, os sabores sutis espalhando-se por ela como um ardiloso *striptease*, seduzindo-a cada vez mais até um misterioso depósito de ópio escondido atrás de uma cortina...

Ela bocejou para acordar e pulou da cama para o chuveiro com rapidez.

1. Dia D, 6 de junho de 1944, o dia em que a Batalha da Normandia iniciou a libertação do continente Europeu da ocupação Nazista durante a Segunda Guerra Mundial. (N.T.)

Infelizmente, o "banho rápido" tornou-se uma batalha em uma banheira minúscula. Quem foi que projetou aquele banheiro? Sem suporte para o bocal da ducha, e sem cortina, ela acabou ensopando o banheiro todo, além das roupas limpas que havia deixado ali. Olhou para o velho papel de parede molhado e florido e imaginou se aquilo era algum tipo de esquema para forçá-la a pagar pela nova pintura do apartamento transformando-o em algo um pouco mais... simples. Elegante. Talvez, originalmente, o banheiro tivesse uma cortina para o chuveiro, mas será que alguém havia pesquisado o nome dela no Google depois que ela alugou o apartamento e percebido ali uma oportunidade?

Gotas de água decoravam seu suéter preto e justo e as elegantes calças pretas quando ela as vestiu. Mal havia começado o dia e já estava ridícula.

Suas roupas vão secar, disse a si mesma. *Antes que qualquer parisiense a veja. Vamos trabalhar na maquiagem, certo?* Dramática, adorável, sutil — era disso que ela precisava. Afinal de contas, Paris era daquele jeito. E, no final do dia, ela seria apenas uma jovem comum com uma forte noção de si mesma. Forte o suficiente para, em geral, levar consigo seus lisos cabelos castanho-claro, suas feições equilibradas, mas notáveis, seus olhos azuis-claros acinzentados, e fazer de tudo isso alguém para ser lembrado.

Em geral. Em geral ela se sentia bastante confiante com sua habilidade em fazer isso. Havia feito por tanto tempo. Mas agora estava em Paris.

Podia ser a dona de sua pequena cidade natal, Corey. Podia ser dona de uma fatia significativa do mundo dos negócios, na verdade. Mas não era dona de Paris. Ainda não.

Ali, ela precisava competir com os parisienses e as ainda mais desafiadoras *parisiennes*; tinha de se sobressair contra o pano de fundo de uma cidade tão dramática e romântica que mantinha os olhos das pessoas grudados nela há séculos.

Ela pisou na calçada e sentiu o ar frio do outono, nervosa e com medo de outra falha como a do dia anterior. Algumas portas abaixo, o padeiro ajeitava sua placa na calçada, e o aroma dos bolos soprava pelo vento frio. Fora isso, a rua estava quieta. Era cedo naquele dia cinzento. Ela tinha uma hora para andar por Paris antes de encontrar com o segundo melhor *chocolatier* da cidade.

Talvez o *primeiro* de fato. Sylvain Marquis provavelmente tivera apenas um dia feliz quando a *maire de Paris*[2] lhe concedera o prêmio de *meilleur chocolatier* da cidade. E, afinal, do que o prefeito de Paris sabia, mesmo?

2. Prefeitura de Paris. (N.T.)

Ela chegou à padaria na mesma hora em que um homem estava saindo com um doce embrulhado em mãos. Seus olhos encontraram os de Sylvain Marquis, e ela ficou tensa.

Um vento remexeu seu cachecol vermelho naquele exato momento, soprando um cacho de cabelo em sua boca e prendendo-se ao brilho labial que ela havia acabado de colocar em um esforço para competir com as belas mulheres parisienses.

Prendeu como cola. Ela tentou tirá-lo do rosto com a mão que vestia uma luva. O brilho labial sujou a luva, mas o cabelo continuou preso e até entrou no meio dos dentes. Ela tirou a luva de pele de carneiro e puxou as mechas com os dedos nus, enquanto Sylvain Marquis a olhava de maneira perplexa. Todo elegante. Todo *composto* e pronto para mergulhar fundo, com toda a paixão contida dentro da sua elegante frieza, dentro do rico mundo do qual a excluíra. Ele trabalharia no coração do chocolate o dia todo, e ela ficaria andando pelas calçadas tentando encontrar alguém que a deixasse fazer a mesma coisa.

Ela poderia excluí-*lo* do mundo *dela* também, se quisesse. O mundo da riqueza e do poder.

Só que era duro excluir alguém que não queria entrar. Ela *podia*, mas isso acabava não fazendo sentido.

— A resposta ainda é a mesma hoje — ele disse, dando passagem para que ela entrasse na loja.

Se ela o estrangulasse ele continuaria com aquela expressão de desdém enquanto seu rosto ficava roxo?

— Não vou perguntar novamente, hoje — ela encostou-se nele e entrou na padaria. Entre seus dois casacos de lã, dois suéteres e duas camisas, o roçar enviou-lhe uma onda de vigor e calor pelo corpo. Ela se concentrou na seleção do padeiro, que era suficiente para manter o foco de qualquer um. Deus do céu, como os parisienses eram sortudos. Como eles conseguiam ser rudes e taciturnos quando em todo quarteirão podiam entrar em um refúgio de aconchego e ouro como aquele?

Doces dourados e fofinhos, em formato espiral, de lua crescente, circular, e de retângulos enchiam as caixas com pequenas amêndoas, açúcar em pó, uvas-passas e gotas de chocolate. Frutas vermelhas ficavam sobre coberturas crocantes e douradas, em perfeitos círculos do tamanho da palma da mão. Fatias de maçã espreitavam delicadamente em uma coisa chamada *tarte normande*. Pequenas *choux*[3] cobertas de chocolate estavam aninhadas em almofadas cobertas de chocolate em *choux* maiores, como se fossem gordos bonecos de neve vestidos de preto. Bombas de chocolate longas e fálicas em tons de café, chocolate e pistache alongavam-se em filas como uma espécie de sonho ninfomaníaco. Ela fez uma careta de canto de olho para Sylvain Marquis, cheia de desconfiança. Desde quando havia começado a ver símbolos fálicos em bombas de chocolate?

Se Marquis não estivesse ali, com sua infinita convicção sobre a inferioridade dela, ela poderia ter escolhido vários doces para devorar. Em vez disso, sentia-se envergonhada e moderada. O que iria escolher? Um *croissant* era enfadonho e faria com que ela parecesse turista. Um *pain au chocolat* — ela poderia levar para casa. Deu uma olhadinha no doce que ele tinha em mão. Um *croissant aux amandes*. Então, aquele ela não escolheria.

Ela não sabia o nome de nenhum outro, o que significava que ia parecer ignorante novamente. — Um... aquele ali — apontou para qualquer um e viu o dedo indicando uma delicada tortinha coberta com framboesas frescas.

Boa escolha. Ela precisava de mais frutas em sua dieta com aquele tempo frio.

— *Pour le petit-déjuener?* — Sylvain Marquis perguntou surpreso.

— Eu perguntei a você o que eu deveria comer no café da manhã? — Ela rebateu. O padeiro lançou-lhe um olhar ameaçador. Que foi, eram melhores amigos? Ótimo. Agora durante toda sua estada ela imaginaria que teriam cuspido e jogado suas *baguetes* e doces no chão a cada vez que comprasse ali. Talvez fosse melhor procurar outro apartamento.

Um que tivesse cortina no chuveiro.

Um que ficasse a vários *arrondissements*[4] de distância de Sylvain Marquis.

— *Américains* — Sylvain Marquis disse incrédulo, balançando a bela cabeleira negra. — Vocês comem qualquer coisa a qualquer hora, não é?

Ela cerrou o punho que estava sem a luva sob a sombra da manga do casaco envergonhada mais uma vez. Odiava-o pura e simplesmente. Graças a Deus que sabia quanto odiava bem antes de assinar um contrato com ele, permitindo-lhe ganhar milhões com sua fantasia cega sobre os *chocolatiers* parisienses.

3. Tipo de bolo francês recheado com frutas ou creme. (N.T.)
4. Bairros. (N.T.)

— O que você está fazendo aqui? — Perguntou o *chocolatier*, aparentemente esquecendo-se de que o comportamento dele não permitia que os dois se falassem normalmente. — Minha loja só abrirá mais tarde. Você veio roubar minhas receitas?

Será que ele havia lido a história da família dela? As acusações de roubo de receitas contra seu bisavô nunca foram provadas. Principalmente porque as fábricas suíças eram hipervigilantes quanto à segurança e ele não teve chance e teve de reinventar a roda do chocolate do jeito difícil: muitos experimentos, algumas explosões, e um celeiro queimado uma vez.

— Estou a caminho de uma conversa com Dominique Richard — ela disse friamente, aceitando a bela pequena mistura de framboesas do padeiro. — Por quê? Você achou que fosse o único "melhor *chocolatier* de Paris"?

Ele arqueou as sobrancelhas. Aquilo o havia irritado, não havia? *Bom*. Ela passou por ele e saiu da loja em direção à rua. Saiu rapidamente para que pudesse saborear apenas um ponto de vitória no encontro. Ela se esforçou para ser mais sarcástica dessa vez.

Contudo, ainda esperou até ter virado a esquina no final da rua, ficando fora do campo de visão dele, para dar uma mordida na *tartalette* de framboesa.

Era tão boa. Não era doce demais, era fresca e cheia de sabor, com uma fina camada de creme gentilmente adocicado. O que havia de errado em comer aquele tipo de torta no café da manhã? Era mais saudável do que o *croissant aux amandes* dele, isso ela queria que ele soubesse.

Só que não faria com que ele soubesse, pois, para fazê-lo, teria de dar meia-volta e subir a rua novamente para contar a ele.

E dar-lhe tanta atenção seria a vitória definitiva dele.

Capítulo 3

Sylvain sentiu-se desconfortável com aquela capitalista arrogante e *gonflée* andando por perto da sua *chocolaterie* às 7 da manhã como se fosse sua última aquisição, mas tentou afastar esse pensamento. Pelo menos, ela não tivera a ousadia de tentar falar com ele sobre vender seu nome novamente.

O que, na verdade, era bem irritante. Ela podia ser um pouco mais desejosa dele, não podia? Além disso, não havia nada melhor para abrilhantar um dia cinzento que contra-argumentar com uma bela mulher que tinha uma fraqueza por framboesas.

Ela *realmente* pareceu *mingnonne*[5] com suas framboesas também. Era um café da manhã ridículo, mas gostou da escolha dela. *Prove os sabores que quiser na vida* — era assim que ele pensava. Além do mais, imaginava os dentes dela penetrando na fina camada de creme, seus lábios se fechando sobre as framboesas vermelhas e o vento soprando seu cabelo pelo rosto todo ao mesmo tempo e deixando-a louca.

Ele se imaginava salvando-a de si mesma, rindo e colocando seus cabelos para trás com os dedos para que ela pudesse terminar de comer.

Que confusão! A imaginação dele iria colocá-lo em encrencas qualquer dia. Ele esperava que o vento a deixasse *realmente* louca. Dominique Richard? Dominique Richard podia muito bem matá-la quando ela sugerisse comprá-lo, para começo de conversa. E... Tenha paciência! Dominique Richard? Será que ela estava querendo dizer que Dominique Richard era tão bom quanto ele? Ou pelo menos quase tão bom? *Imbécile de capitaliste américaine. Putain de* raiva. Como se Dominique Richard já não fosse metido o suficiente sem que uma idiota viesse correndo alimentar seu ego...

5. Pequena.

A raiva abrandou quando entrou em seu *laboratoire*. Lá seu humor melhorava como sempre. Teobromina. A droga dos deuses. A teobromina *dele*, o chocolate dele, suas obras-primas pelas quais as pessoas faziam fila na calçada e lhe pagavam uma fortuna.

Foi um longo caminho para um rapaz que crescera em *banlieue*,[6] cujos pais caipiras o queriam como aprendiz de fazendeiro. Observar mulheres que pareciam um milhão de dólares — mulheres como a capitalista americana, na verdade — afundarem seus lindos dentes caros em minúsculos chocolates feitos por ele só aconteceu depois de longo caminho percorrido. Ele fora um adolescente esquisito e desengonçado, com cabelos despenteados, então foi uma coisa boa ter descoberto bem cedo, na adolescência, aquilo que as mulheres queriam.

Chocolat. Se você quer seduzir uma mulher que, de outra maneira, não teria olhado duas vezes para você, chocolate bom é melhor do que uma poção do amor. Quando era um adolescente esquisito, ele não teve necessariamente de transformar suas amigas-bonitas-seduzidas-por-chocolate em *namoradas*, mas pelo menos ganhou o direito de orbitar e se torturar pela proximidade delas, e dali, lentamente, aprendeu o processo. Ele as seduzia com chocolate e, em troca, ocasionalmente, uma delas o seduzia. Um flerte, em geral. Um prêmio de consolação para quando o namorado de verdade fosse cruel com ele, antes que voltasse direto para o *le bâtard*. Ele tinha 20 anos antes de se livrar dessa específica rotina sem esperanças.

Não lhe incomodou que o aprendizado intensamente físico na *chocolaterie* o ensinasse controle, poder e força, e ele não se cansou de tudo isso, ainda que a única resposta fosse mesmo o domínio de seu produto; e ele sabia disso. O caminho para o corpo de uma mulher era o prazer que ele lhe dava ao colocar seu chocolate em sua boca. Quando uma mulher permitia que o chocolate derretesse em sua língua, pensava que estava permitindo que um pedacinho dele também derretesse ali.

Ele sorriu de súbito. Então, quantos chocolates das cinco caixas que Cade Corey comprou ela teria comido? Quanto dele estava dentro dela? E lá estava ele, com a mão sobre o balcão de mármore, sozinho em seu *laboratoire*, bem cedo pela manhã, enquanto um calor percorria seu corpo.

6. Periferia.

Capítulo 4

As folhas voavam pelo cascalho dos Jardins de Luxemburgo. Cade deixou o vento soprar Sylvain Marquis para longe de sua cabeça e ergueu o queixo, emocionada pelo fato de estar caminhando ali.

Ondas se formavam no círculo perfeito da piscina em frente ao palácio do século XVII, mas não havia botes de crianças flutuando por lá naquele dia, como sempre havia nas fotos. O sol penetrava pelas nuvens, a luz vencia o cinza atrás das árvores e do palácio.

O parque estava quase vazio. As poucas pessoas que ali estavam pareciam estar usando o local como atalho, olhando para baixo, com as mãos nos bolsos dos casacos, com pressa de chegar a algum lugar cedo. Alguns corredores circulavam pela extensão do parque parecendo completamente deslocados naquela paisagem clássica e estranha para seus corpos atléticos.

Lá estava ela, Cade pensou, parando em frente à piscina para olhar ao redor. Mãos enfiadas nos bolsos em um impulso momentâneo, explorando aquela preciosidade. *Paris*.

Ela deixou para lá a recusa de Sylvain Marquis. Um obstáculo temporário. Manteria aquela cidade dentro dela assim que fosse bem-sucedida com sua linha de produtos. Sua vida guardaria a cidade em um *laboratoire*, uma oficina cheia da alquimia e do alvoroço do chocolate artesanal, mestres apaixonados por sua arte, produzindo algo magnífico. Tudo isso se tornaria parte dela.

Sua alma parecia extrapolar seu ser ao pensar nisso, cada vez maior, cada vez mais rica, ficando maior, tão rica quanto um *ganache* de chocolate amargo infundido em algum novo sabor desconhecido por ela, sendo mexido em fogo bem baixo.

Seus olhos ardiam, talvez fosse o vento frio ou a súbita beleza do momento. Ela poderia ficar horas ali, exceto pelo odor de urina que invadia o lugar. Um homem com a barba por fazer, de roupas manchadas, olhava para ela, resmungando alguma coisa, as mãos na lateral do corpo com as palmas para cima.

Ela deu 20 euros para ele e, num momento de capricho, a Barra Corey que era seu talismã. Ela tinha uma caixa grande de barras e podia encher o estoque em seu apartamento alugado, e ela gostava de dar Barras Corey quando dava dinheiro a alguém na rua. Sempre imaginava que isso trazia um brilho de prazer à pessoa que as recebia.

Continuou passeando, sentindo-se mais forte, mais corajosa, mais livre, a ofensa de Sylvain Marquis e a superioridade do seu chocolate foram ficando para trás em sua mente. A felicidade tomou conta dela, mesmo quando teve de desviar de um homem que jogava uma bituca de cigarro na calçada depois que seu cachorro terminou de fazer cocô no meio dela.

Paris. Ela estava em Paris. A cidade era dela.

Capítulo 5

Dominique Richard também não gostou da ideia. Ele não era tão desagradável quanto Sylvain Marquis — ou, por outro lado, não era tão intensamente atraente, ele não a fez fantasiar que ela era o chocolate sobre o balcão sendo enrijecido pelas mãos dele, e ele não tinha o mesmo dom para o minimalismo, como se ela não valesse nem o seu desprezo, em sua rejeição inicial à proposta dela. Dominique era bronco, agressivo, sua recusa foi brusca apesar de ele ter olhado para ela quando recusou. Como se mesmo que sua proposta não fosse digna de ser considerada ele estivesse disposto a transar com ela em seu escritório, se ela estivesse interessada.

Aquele tipo de insulto era, de alguma maneira, mais fácil de lidar do que o de Sylvain. Não a deixou profundamente irritada fazendo-a arder como um fogo que não conseguia apagar.

Mas, por outro lado, foi a segunda rejeição para a sua ideia brilhante em menos de 24 horas. Ela começara esse sonho na mesma época em que entrou para o ensino médio, continuou amadurecendo-o por toda a faculdade e o manteve perto do coração desde que se formara, havia quatro anos, enquanto construía respeito por suas ideias e seu trabalho na empresa, até decidir "sair correndo para criar a nova linha", como seu pai gostava de dizer. Há dez anos pelo menos ela esperava por isso.

Ela sempre pensou que as únicas coisas que ficavam em seu caminho eram sua família, a empresa e ela mesma. Nunca lhe ocorreu que o próprio sonho a estivesse rejeitando.

E os parisienses tinham uma maneira de dizer que não era realmente desencorajadora. Será que eles podiam pelo menos sorrir e fingir que sentiam muito por recusá-la? Eles não precisavam agir como se ela tivesse adquirido um certo fedor assim que resolvera lhes fazer a pergunta.

Caminhou pelos Jardins de Luxemburgo com as mãos enfiadas no fundo do bolso, tentando manter a cabeça e a coragem erguidas, tentando focar na beleza dos jardins, no prazer de observar as pessoas. Uma mulher tentou fazer o filho desistir de entrar em um enorme lago redondo, enquanto a brisa fria agitava-se na superfície. Um casal parou outro transeunte na frente dela para pedir a ele que tirasse uma foto deles.

Ela cumprimentou o mendigo que já tinha visto antes, e que já estava quase acabando com a barra Corey.

— *C'est de la merde* — ele disse para ela. — Você acha que só porque eu vivo nas ruas como qualquer coisa?

Ela apressou o passo. Não tinha nada para segurar pois havia doado seu talismã a um francês que, apesar de não ter onde morar, achava que podia desprezá-la. Concentrou-se em voltar ao apartamento, reorganizar-se — ou se esconder — com seu laptop, onde podia descobrir o terceiro — dentre dez — melhor *chocolatier* de Paris e elaborar um plano.

Sentiu o calor ao seu redor ao entrar no elevador apertado. O lugar mal era aquecido, mas não havia corrente de vento por lá. A gigantesca caixa de Barras Corey, que sempre a seguia em suas viagens estava no balcão laminado da pequena quitinete, em meio ao velho papel de parede florido em seu minúsculo apartamento.

Tirou um punhado da caixa, sentou-se na pequena cama perto da janela, espalhou as barras ao seu redor e começou a chorar.

O telefone interrompeu suas lágrimas. — Cade — seu pai disse abruptamente, enquanto ela lutava com todas as forças para certificar-se de que nenhum soluço escapasse. — Você pode dar uma olhada nos memorandos que a Jennie e o Russel mandaram para você? Verifique seu e-mail. Não tenho informações sobre as conversas que você vêm tendo com as lojas de conveniência e não tenho certeza se eles estão tomando a decisão certa.

— Eles não conseguem cuidar disso sozinhos? Isso podia ser um bom treino para eles.

— Sim, mas... Íamos nos sentir melhor se você nos desse a sua avaliação. Deve ter mais outros encaminhamentos em sua caixa de entrada também. Ficaria grato se você pudesse dar uma olhada neles. Como vai você, querida? Se divertindo?

— Sim! — Ela mentiu de maneira entusiasmada. — É fascinante fazer contato com esses pequenos artesãos do chocolate. Há tanto a aprender.

— Mmm... — disse o pai, consideravelmente mais tépido em relação ao lançamento de uma nova linha *gourmet* do que ela. — A cidade é bonita, não é? Sua mãe e eu passamos nossa primeira lua-de-mel aí.

Julie Corey, *née*[7] Julie Cade, e Mack Corey passavam por uma "lua-de--mel" a cada ano para comemorar seu aniversário de casamento até a morte da mãe de Cade.

— Sim — disse Cade.

— Ela sempre gostou. Você se lembra de quando nós a levamos conosco algumas vezes quando criança? Ela gostava de apenas andar por toda a cidade. Nunca via uma rua de paralelepípedos nem um edifício antigo do qual não gostasse.

Cade sorriu, pensando em sua mãe. Aquilo tudo era muito verdadeiro sobre ela.

— Bem, estamos sentindo sua falta por aqui, docinho. Não vejo a hora de tê-la de volta. Veja se não fica no fim do mundo como a sua irmã gostaria. Mas aproveite cada minuto enquanto estiver por aí, certo?

— Sim — disse Cade definitivamente. — Vou me divertir — principalmente porque esses momentos podem ser contados nos dedos. A irmã mais nova, Jaime, parecia determinada a deixar de lado todas as responsabilidades da família para salvar o mundo, então Cade não poderia fazer o mesmo. Ela voltaria para Corey, Maryland, logo.

Vinte minutos mais tarde já estava recomposta, arrumando o cabelo e a maquiagem para ficar digna de Paris e pensar qual *chocolatier* tentaria em seguida.

Olhou com dúvida para os saltos das botas, pois seus pés já estavam um pouco doloridos por causa do passeio pela manhã. Mas seu primeiro dia inteiro na cidade não era a ocasião para desabar e colocar rasteirinhas. Se as mulheres parisienses conseguiam, ela também conseguiria.

Ela andou e andou e andou.

Andar era muito bom.

Seus pés, porém, doíam muito.

7. Nascida. (N.T.)

E teve a vez em que ela pisou num cocô de cachorro.

E a vez em que outro pedestre esticou as mãos subitamente para pegar em seus seios.

E a vez em que roçou em alguém na calçada e o cigarro da pessoa queimou as costas de sua mão. Pelo menos, *este* não sorriu para ela, mas tentou segurar sua mão para curá-la, desculpando-se de maneira apressadamente rápida e sincera. Ela olhou para ele conforme ele se distanciava, perguntando-se se não seria um sinal do abuso excessivo de Paris ela querer agarrá-lo e convidá-lo para sair só porque ele fora gentil o suficiente para não olhar com desprezo para ela depois de tê-la queimado.

Sentou-se em um café, frustrada, flexionando os dedos doloridos do pé, e pediu uma xícara de chocolate quente. A bebida mostrou-se surpreendentemente intensa e amarga, nada parecida com o ritual de cacau Corey da sua infância, com os adoráveis bonecos de neve de *marshmallow*. Um fino cilindro de açúcar estava sobre o pires ao lado da xícara, mas será que ela deveria mergulhá-lo no chocolate? Ou será que aquilo faria com que parecesse turista? Talvez o garçom tivesse trazido por já ter adivinhado que era turista. Era bem provável que começasse a falar com ela em inglês a qualquer minuto. Todo mundo começava a falar inglês com ela. Ela estudou francês durante todo o ensino fundamental, o ensino médio e na faculdade, e pagou anos de aulas particulares de francês, e todos insistiam em falar com ela em péssimo inglês.

Pessoas aqui e ali conversavam nas mesas, chacoalhando seus cigarros sobre xícaras e copos de café. Talvez ela devesse vender pacotes de cigarros falsos com guias de Paris aos turistas para que eles pudessem se dar ao luxo de se encaixar. Não deveria ser contra a lei fumar em cafés agora, em Paris? Colocou o casaco e as luvas no assento ao lado e segurou o chocolate com ambas as mãos sentindo o calor; seus pés doíam ainda mais depois que tirara a pressão de cima deles.

A exaustão a pressionava. Era assim que um fracassado se sentia? Ela jamais havia se sentido dessa maneira antes e não estava disposta a admitir que estivesse vivendo isso agora. Estava só se reorganizando, só isso.

Havia caminhado o dia todo. Passado por fontes muito bonitas, vislumbrado pátios escondidos, vitrines de lojas que eram trabalhos de arte. Os edifícios, as ruas, os paralelepípedos, onde os saltos de suas botas afundaram... Era tudo tão, tão... *Paris*. Havia caminhado ao longo do Sena, e ele era frio, marrom e *maravilhoso*. E a catedral de Notre Dame se elevava diante dele e, e...

... Ela chegaria ao próximo *chocolatier* em sua lista. E ia se envolver ao máximo, cada vez mais, e entraria de cabeça. E o aroma e a visão do chocolate a embalariam de modo tão elegante e extraordinário, e...

... E o *chocolatier* diria não. Simon Casset lançou-lhe um olhar rápido, penetrante e azul como o aço e recomendou que ela falasse com Sylvain Marquis. Contudo, a pequena contração nos lábios rígidos deixou claro que ele só estava dizendo aquilo para dificultar as coisas para Sylvain e *não* por demonstrar um esforço sincero em ajudá-la. Philippe Lyonnais ficou olhando para ela com olhos que rapidamente passaram de azuis escuros para cor de mar tempestuoso, e ele de fato *rosnou* para ela. Um rugido como o de Aslan, o leão de Nárnia. Ainda sentia um zumbido no ouvido ao sair da loja.

Às vezes, o "não" vinha de maneira mais gentil, como se ela fosse uma jovem ingênua que não entendesse coisa nenhuma. Às vezes, era rejeitada com um olhar perplexo, como se a pessoa ficasse imaginando de onde os americanos tiravam aquelas ideias insanas. Às vezes, eram impacientes, como se estivessem bem sem paciência com os americanos e suas ideias loucas. Um rejeitou sua oferta flertando com ela, como se ela fosse capaz de convencê-lo caso seguisse o caminho certo.

Ela manteve o *chocolatier* galanteador na lista de possibilidades. Ele tinha 60 anos e ela tinha certeza de que ele só estava tentando seduzi-la, mas ela precisava manter alguém na lista.

Não dava para entender por que ele dissera não. É claro que eles tinham seus princípios sobre a arte da fabricação de seu chocolate. Foi isso que chamara sua atenção; aquele era o mundo que ela tão apaixonadamente desejava possuir.

Mas por que eles não estavam dispostos a vender a ela? Eles agiam como se a venda fosse, de certa forma, destruir tudo aquilo. Como se fossem uma velha senhorinha teimosa em um chalé histórico com seu adorado jardim, recusando-se a vendê-lo para um grande conglomerado da construção que quisesse destruí-lo. E não era *absolutamente* nada disso que Cade estava tentando fazer.

Talvez ela tivesse feito tudo errado. Talvez ela devesse ter vindo com seu grupo de advogados, executivos e assistentes para impressioná-los.

Será que teria funcionado? Uma visão do rosto arrogante, sexy e teimoso de Sylvain Marquis apareceu em sua mente, e ela suspeitou que sua reação aos advogados ainda seria uma rejeição.

E de qualquer forma, ela não quisera trazer nenhuma dessas pessoas. Ela queria que aquela fosse a sua aventura em Paris. Queria vivê-la sozinha, entrar nos lugares e conversar de pessoa para pessoa, queria... viver um sonho. A linha *premium* de chocolate foi a única maneira que encontrara de encaixar seu sonho em sua vida sem que traísse a estrutura construída por gerações.

Mas era sábado à tarde, e ela não havia planejado o jantar em um suntuoso restaurante parisiense com um *chocolatier* apaixonado para que pudessem falar de seus planos com excitação enquanto ele explicava a ela os melhores itens do cardápio e eles experimentavam chocolate de sobremesa. Ela estava olhando para mais uma noite de solidão. Noites solitárias eram, geralmente, uma questão de escolha, um alívio para os seus dias agitados, repletos de pessoas. Mas ela não havia escolhido isso. Sentia-se uma fracassada, sozinha e rejeitada por um sonho.

De volta ao apartamento, fechou a porta da geladeira para as caixas marrom e bege — uma era turquesa — que estavam lá, todas estampadas com o nome e o logotipo desde o segundo até o décimo melhor *chocolatier* da cidade. Ela não ia ficar no apartamento comendo chocolates naquela noite.

Hesitou diante de seu BlackBerry e depois o deixou de lado com firmeza. Ela não ia telefonar para nenhum contato da lista que seu pai lhe dera, pessoas que ficariam felizes em sair com ela para uma oportunidade de negócios. Aquela era a aventura dela, a chance dela. Não queria que se tornasse apenas mais um dia em sua vida em uma cidade estrangeira.

Não, ela sairia para comer sozinha. E depois iria até a Torre Eiffel para ver a vista cintilante da qual todo mundo falava a respeito. E, em seguida, pegaria um dos famosos *Bateaux-Mouches* que navegavam pelo Sena, e que oferecem aos turistas ainda mais vislumbres da cidade. E depois, talvez, caminharia pelo rio para ver os dançarinos e tocadores de tambor sobre os quais havia lido no guia.

Ela deliberadamente mancou por várias ruas, sob os protestos de seus pés, evitando encontrar com Sylvain Marquis novamente. Deixou o BlackBerry e o laptop para trás e foi sem o guia. Estava em Paris. Conseguiria encontrar um bom restaurante sozinha.

Como que por mágica, ela se viu em uma rua sem trânsito, de paralelepípedos, cheia de pessoas sem pressa reunidas em frente a bares e restaurantes e cardápios postados nas portas, pessoas que pareciam felizes por estarem ali. Algumas pessoas nem mesmo olhavam para os menus rabiscados em lousas na calçada. Em vez disso, entravam em seu restaurante favorito como se estivessem pisando na entrada da própria casa.

Cade parou em um restaurante cuja fachada era verde e o piso de cerâmica antiga, suave e num tom vermelho queimado. Garrafas de vinagre e azeite decoravam as paredes. Cinco mesas lotavam o pequeno espaço no andar de baixo, e escadas de metal escuro levavam ao mezanino em cima. O garçom esbelto usava calças pretas e camiseta preta e balançou a cabeça negativamente quando ela perguntou sobre o mezanino; era cedo demais para sentar-se lá.

Ele também não pareceu muito animado com o fato de ela estar jantando sozinha, mas talvez isso fosse somente a sua consciência. Ele fora gentil o suficiente para dar a ela a mesa para dois da janela, onde ela poderia sentar e observar a rua.

Ela engoliu em seco. Raramente jantava sozinha em público. As refeições na estrada eram geralmente cheias de pessoas e de trabalho. Mas, com certeza, ela tinha autoconfiança para isso. Mesmo em Paris.

Sentia-se apenas horrível e estranhamente sozinha. Sorriu radiante para o garçom que pareceu assustado. Então inclinou a cabeça e se concentrou no cardápio.

Um casal de 50 e poucos anos sentou-se à mesa ao lado, falando inglês o tempo todo. Ótimo. Em seu esforço para dominar Paris sozinha, será que teria ido direto a um local frequentado por turistas?

Pediu o *prix fixe* completo, três pratos, determinada a não transformar seu jantar em algo rápido, voltando para a semissegurança de seu pequeno apartamento. Estava ali para apreciar Paris. Em três pratos completos.

Brincou com os talheres enquanto esperava pelo vinho, pensou com saudade em seu BlackBerry e, resoluta, pegou o pequeno diário com capa de couro que havia trazido especificamente para sua viagem a Paris.

Um casal entrou, o homem era alto e moreno. Seu coração ficou paralisado antes de erguer a cabeça para olhar melhor. O garçom cumprimentou Sylvain Marquis com uma familiaridade amigável, ele disse algo em retorno, e a loira minúscula, com o cabelo perfeitamente arrumado, que estava com ele, riu.

Cade fechou os olhos diante do destino.

Como aquilo podia estar acontecendo com ela? Que incrivelmente repugnante era que justo *ele* acabasse aparecendo com sua namoradinha perfeita bem no restaurante em que ela estava jantando sozinha.

Ele se afastou do garçom e olhou-a em silêncio. Ela abriu os olhos para encará-lo desafiadoramente.

— Você contratou gente para me espionar? — Sylvain Marquis perguntou incrédulo.

— Seria um desperdício dos recursos da empresa — disse friamente. Sério, quem ele pensava que era? O... O *único chocolatier* conhecido do planeta?

Era, decididamente estranho, nesse momento, que ela não tivesse contratado espiões para ele, nem guarda-costas e advogados e assistentes para *ela*.

— Espiões? — Disse a loirinha com uma risada.

Sylvain Marquis fez um gesto de desprezo e disse: — *Ce n'est pás important.*

Cade sentiu o rosto queimar.

— O mezanino? — O garçom perguntou a ele. Aparentemente a regra sobre esperar até que o andar de baixo ficasse cheio antes de permitir a entrada para o andar de cima se aplicava somente a pessoas com sotaque americano.

— *Non* — disse Sylvain, ignorando o olhar desapontado da loira. — Aqui embaixo está bom.

Só havia cinco mesas no andar de baixo, e duas delas já estavam ocupadas. O garçom acomodou Sylvain e sua amiga a duas mesinhas de distância da dela. Cade apertou a ponta da caneta de prata no diário até furar o papel, enquanto desejava enrugar ao ponto de se transformar num velho cogumelo seco que poderia estar perdido no chão.

Pelo menos agora ela sabia que havia escolhido um bom restaurante, pensou com amargura. Podia apostar que Sylvain Marquis só colocava coisas deliciosas na boca.

Era bem provável que ele achasse a loira deliciosa. A caneta foi em direção a outra camada de papéis.

O ar ao seu redor pareceu conter os aromas apenas pelo passar do *chocolatier* — cacau e canela, cítricos e baunilha. Claro. Ele ficava impregnado daqueles aromas no final do dia. Era possível que ele jamais conseguisse tirá-los da roupa e da pele.

Ela fechou os olhos contra a visão da água desviando da pele dele, fracassando em tirar a essência de chocolate de sua pele.

O cacau era tão estranhamente reconfortante para ela, como se o próprio aroma deixasse tudo bem no mundo, levando-a de volta à zona de conforto. Mas ela não precisava da visão da pele nua dele para lhe dizer que qualquer sensação de conforto em relação a ele seria falsa por completo.

Inclinou a cabeça tentando desesperadamente pensar em alguma coisa para escrever no diário para que parecesse ocupada e indiferente à presença dele. E *não* sozinha. Ela se viu escrevendo *Paris* repetidas vezes apenas para mover a caneta. O nome dela. O nome do restaurante. *Syl*... Ela fechou com força a capa de couro.

Ficou batendo na capa, sem saber o que fazer consigo mesma. E finalmente abriu o diário novamente. Tomando cuidado para mantê-lo meio fechado a fim de que ele não visse nada.

— O que você está escrevendo? — Sylvain Marquis perguntou da sua mesa que ficava a apenas um metro de distância. — Lembranças de Paris? Chantal, eu já lhe apresentei? Essa é a Cade Corey. Ela é do ramo do chocolate — ele acrescentou, com um tom de grande generosidade, como se estivesse dizendo que o zelador de um laboratório fosse do ramo de microbiologia.

— Corey? — Perguntou Chantal. — Você faz aquelas... — era tarde demais quando ela percebeu que seu rosto estava se contorcendo em uma careta, mas rapidamente suavizou o semblante. — Que legal! Você veio para a França para aprender mais sobre chocolate?

Cade perguntou-se o que aconteceria se ela desse um salto e socasse os dois. Com certeza não seria a primeira vez que um americano em Paris teria sido provocado pela "educação" francesa a ponto de ficar violento, como dizia seu avô. Ela *tinha* vindo para a França para aprender mais sobre chocolate, mas não parecia a mesma coisa dita por *ela*.

E, afinal de contas, quem era Chantal? Ela notou que sua alteza real, o senhor Marquis não a apresentara. Talvez ela fosse parte tão integrante da vida dele que ele supunha que todos a conhecessem.

Cade jamais sairia de seu apartamento sem o BlackBerry novamente. Pelo menos, ela poderia tê-lo pegado rapidamente para parecer... Provavelmente ainda mais patética. Como se, mesmo sentada no meio de Paris, ela não tivesse nenhum outro aspecto da sua vida além do Chocolate Corey.

E era exatamente isso que ela estava tentando mostrar que *não* era verdade.

— Você conhece alguém em Paris? — Perguntou Sylvain.

Cade virou a cabeça e ficou olhando para ele. Será que era a imaginação dela, ou ele mostrou um tom de consideração? Será que ele estava pensando em incluí-la em seu grupo de piedade social?

Chantal também pareceu preocupada.

— Conheço pessoas — disse Cade. Pelo menos, algumas pessoas ali gostariam de conhecê-la. Pessoas da lista do pai dela.

Sylvain pareceu duvidar. Cade havia acabado de decidir se levantar e sair andando — fingindo ter parado apenas para um copo de vinho — quando o garçom apareceu com um pequeno prato branco de ravióli nadando em um creme de manjericão e sementes de pinha. Tinha o aroma dos céus — mas parecia a porta de uma longa prisão trancando-a pela noite toda. Sentiu o estômago revirar.

Deveria ter ficado em seu quarto sentindo pena de si mesma. Deveria ter jantado no topo da Torre Eiffel.

(Uma súbita visão de si mesma jantando no topo da Torre Eiffel com Sylvain Marquis passou por sua cabeça e foi rápida o suficiente para vislumbrar as luzes da cidade, o céu escuro e as estrelas, e a mão que lhe oferecia algo delicioso. Ela tirou essa imagem da cabeça.)

Ou devia ter tirado vantagem do passeio noturno de Sylvain para entrar na oficina dele e aprender todos os seus segredos. Agora *sim* uma boa ideia. Seu avô ficaria orgulhoso. Tão orgulhoso que o segredo com certeza sairia dos lábios dele indo parar direto nos ouvidos do pai. Seu pai tinha uma postura bem engraçada sobre espionagem corporativa. Achava que deveria ser feita de maneira discreta, por pessoas que não tivessem relação nenhuma com a família Corey.

— Então, por que está jantando sozinha? — Perguntou Sylvain.

Ela olhou para ele. Passar de a pessoa que compraria os segredos dele por milhões para tornar-se seu ato de caridade social era uma queda brutal. É claro que, talvez, ele não estivesse tão preocupado e, sim, tentando humilhá-la.

— Por que não gosto muito de pessoas — mentiu friamente.

Pronto, isso devia calar a boca de todo mundo, fazendo com que ele voltasse a atenção à namorada. Ela imaginou como seria namorar um homem que podia fazer o que quisesse com o chocolate e que tinha olhos tão negros quanto...

— *Vraiment?* — Perguntou Sylvain parecendo intrigado. — Você vê as pessoas como dólares ou euros ou de que outra maneira?

Um segundo antes ela havia tirado o cartão de crédito da bolsa e chamado o garçom, mas Cade percebeu que seria uma vitória e tanto para ele fazê-la sair do restaurante. Da mesma maneira como fez que ela saísse de seu *laboratoire:* com apenas algumas palavras insolentes e um olhar de desdém supremo.

Ela respirou fundo, concentrando-se no ravióli e no molho cremoso que possuía um fraco tom esverdeado, e cortando-o com o garfo.

— *Bon appétit* — disse Chantal gentilmente.

Cade a odiava de verdade. Ela escolheria o ódio cem vezes no lugar da gentileza daquela bela parisiense loira, sentada de frente para um igualmente belo feiticeiro do chocolate.

O *raviole* florescia em sua boca: a quantidade perfeita de manjericão, sal, e manteiga derretida, sementes de pinha, creme, perfeita massa fresca com algo dentro que não dava para ter certeza do que era. Tudo condensado em mil calorias por mordida.

Ela percebeu que havia fechado os olhos para saborear a massa, e os abriu para ver Sylvain Marquis sorrindo um pouco ao observá-la. Como se ele conhecesse aquele momento, a primeira mordida daquele prato, e o estivesse apreciando indiretamente por ela.

Apreciando o gosto em sua boca.

Ela percebeu que enrubesceu, uma febre estranha espalhava-se por ela impiedosamente. Dava para senti-la subindo em seu rosto, ficando visível, e ela não conseguia fazê-la parar.

O sorriso lentamente desapareceu do rosto de Sylvain Marquis ao olhar para ela. O garçom foi até a mesa deles e Chantal respondeu o que quer que ele havia perguntado, mas Sylvain nem pareceu ouvi-lo.

— Sylvain? — Chamou Chantal. O nome dele soava tão perfeito pronunciado por delicados lábios franceses. O "*ain*" era tão correto, parecia um gemido.

Ele não respondeu.

— Sylvain — Chantal repetiu.

— Hmm? — Sylvain murmurou distraído.

— *Tu as choisi, mon cher?*

— *Pardon. Oui. Les ravioles* — ele disse ao garçom.

O calor a incomodou novamente.

Aquilo era patético e ridículo. Será que ela poderia fingir um ataque só para sair do restaurante?

Não, um ataque passaria uma má impressão dela. Um ataque cardíaco? Uma reação alérgica ao manjericão? Isso poderia explicar o rubor. Talvez ela pudesse fingir que algo havia entrado em seus olhos, pular a janela e nunca mais retornar à mesa. Olhou ao redor discretamente procurando por sinais de um banheiro, mas não conseguiu avistar nenhum naquele piso. Isso significava que ou ficava no subsolo ou no andar superior. Tinha certeza absoluta de que não podia cavar um túnel sem chamar a atenção de ninguém, mas perguntou-se quanto papel higiênico seria preciso para fazer uma corda.

Por alguma razão, saltar da janela do banheiro com uma corda de papel higiênico parecia um plano menos humilhante do que apenas pagar a conta e sair.

— Você não vai comer? — Perguntou Sylvain incrédulo.

Será que o homem não poderia simplesmente conversar com a namorada? Dar as costas para ela? Deixá-la em paz?

— Não estou com muita fome — ela disse. Estava com fome quando pediu uma refeição de três pratos antes de Sylvain aparecer, mas agora sentia como se estivesse tentando fazer a comida passar como um furacão em seu estômago.

Os lábios de Sylvain formaram um daqueles belos e firmes "os" franceses, mas sem emitir um som. Ele olhou para o prato dela e depois para a boca. Uma das sobrancelhas arqueou-se de maneira indagadora e, então, ele olhou bem nos olhos dela novamente.

O que será que ele estava pensando ter descoberto sobre ela? Que perguntas aqueles olhos estavam fazendo que faziam o calor começar a espreitar lá no fundo?

— Comi chocolate demais hoje — ela explicou rapidamente, sem perguntar.

Sylvain pareceu convencido.

— Estive com Dominique Richard — ela acrescentou com doçura.

Foi um golpe tão bom que Chantal ficou de boca aberta, e ela levou uma das mãos com as unhas perfeitamente esmaltadas para cobrir a boca. As mãos de Cade também estavam perfeitamente esmaltadas, mas ela não sabia como cobri-las de maneira tão sensual. Será que as mulheres francesas praticavam em frente do espelho ou algo assim?

Os próprios lábios de Sylvain afinaram, e qualquer pessoa poderia pensar que ela iria até ele para beijá-lo.

— E ele se vendeu? — Ele perguntou com desdém.

Ao ser pega na própria mentira, tendo de admitir a derrota para ele, Cade lembrou-se abruptamente que ela era coproprietária de uma corporação internacional. — Não posso discutir negociações contratuais — ela disse, com a mesma frieza gentil que havia usado em reuniões de negócios mil vezes antes.

Ele não gostou nada daquilo. Virou-se abruptamente para sua companheira, por fim, mas estava visivelmente abalado.

— Ah, você estava tentando comprar Sylvain? — Perguntou Chantal em tom de brincadeira, claramente tentando quebrar a tensão e retomar a atenção dele e a noite agradável. — Quanto você custa, *chéri?*

Sylvain lançou um olhar para Cade que mais parecia um raio e disse:

— Não estou à venda.

— Ah, eu não sei, não — disse Cade prazerosamente, tentando um comentariozinho desdenhoso perfeito. *O que era algo bem difícil de fazer em outra língua,* mais tarde tentou consolar a si mesma. — Paguei quase mil dólares por um pedaço de você ontem.

As sobrancelhas de Chantal se elevaram. Até isso elas faziam perfeitamente.

Os lábios de Sylvain formaram aquele belo "o" novamente. Depois se abriram em um sorriso.

Ah, meu Deus. O que acabei de dizer? *Por favor, que a Terra se abra e me engula.*

Sylvain levou um minuto para conseguir acalmar o sorriso, transformando-o em algo mais civilizado, uma bela e sedosa alegria sarcástica, dando sinais de satisfação.

— Pois é, você pagou mesmo.

Ela nem conseguiu balbuciar uma resposta como "um pedaço dos *seus chocolates*" para corrigir a impressão que suas palavras deixaram. Tanto ela quanto ele sabiam que quando ela mordia os chocolates dele, estava *realmente* mordendo-o.

Esforçou-se por fazer uma careta de desdém, entretanto, desejou ter praticado a expressão no espelho quando treinara o "u" francês. Era preciso muito mais do que língua para se virar em francês. — Um pouco inflacionado, não acha? Mas creio que sempre se pode enganar as pessoas fazendo-as pensar que algo é bom se o preço for alto.

Percebeu um músculo tensionar na mandíbula dele. Ele estava fulminando.

— Sylvain é o *melhor chocolatier* de Paris — disse Chantal friamente.

— Você acha? — Ela arqueou uma das sobrancelhas. — Você experimentou algo de Dominique Richard?

O olhar lançado por Sylvain a ela poderia muito bem tê-la incendiado. Ela realmente não conseguia abandonar a impressão de vê-lo como um feiticeiro, e naquele exato momento o feiticeiro parecia ser do tipo que entregava pessoas impertinentes como alimento aos demônios.

— *Non* — disse Chantal com toda lealdade.

Cade deu de ombros e abriu as palmas das mãos, como que provando sua opinião sem expressar palavra nenhuma.

— Estou satisfeita com Sylvain — sorriu Chantal, olhando para ele e dando uma piscadela.

Maldição. Depressão acima de qualquer comentário tomou conta de Cade. Que noite horrível que lhe causava náuseas.

Voltou a se concentrar no glorioso e extraordinário *ravióli Du Royan à la crème au basilic*, cutucando-o com o garfo.

Depois de um tempo, ela inevitavelmente olhou para o outro lado, para ver Sylvain olhando para ela de novo. O olhar era de consideração, a raiva parecia ter diminuído bastante.

Ocorreu-lhe que ela vinha corando com tanta frequência desde que o conhecera que ele podia supor que ela era naturalmente vermelha. Era possível, não era?

O garçom trouxe o creme de ravióli com manjericão e ele voltou a se concentrar um pouco em Chantal, trocando gracejos por alguns minutos antes de oferecer a ela um superficial *Bon appétit*. Mas quando deu a primeira mordida, seus olhos se fecharam de prazer também, com um pouco mais de familiaridade do que Cade, como já era de se esperar.

Cade, que finalmente havia diminuído a erupção do furacão o suficiente para mais uma garfada, foi pega mais uma vez com o garfo entre os dentes, sentindo o rubor tomar conta dela. O gosto na língua dos dois, no momento, era exatamente o mesmo.

Entreolharam-se longamente. Será que as bochechas de Sylvain estavam um pouco coradas?

Chantal suspirou, subjugada por um momento, depois mexeu a cabeça de maneira sexy, de uma maneira *tant pis pour toi* que as pontas perfeitas de seu cabelo estremeceram e pegaram a luz. Esticou a mãozinha aproximando-se da de Sylvain, umas daquelas belas mãos masculinas que sabiam exatamente como manipular... Provavelmente muitas coisas. E puxou a mão dele mais para perto, só um pouco.

Ele tornou a olhar para ela, e ela manteve o olhar nos olhos dele, meio que sorrindo, meio que indagando. Ele enrubesceu subitamente e virou o corpo para ficar longe do ângulo de visão de Cade.

Cade também mudou o ângulo de visão, virando o corpo para a janela e tentando comer mais um pouco de ravióli. Por algo que custava mil calorias a garfada, ela teria preferido que tivesse menos sabor de serragem. E, agora, sentia a garganta terrivelmente exposta cada vez que engolia, como se todos no restaurante estivessem focados na maneira desajeitada como ela engolia.

Bem, não todo mundo, na verdade, apenas uma pessoa. E sua companheira elegante que engolia de maneira tão bela que era praticamente um ato sexual.

O fato de outro casal ter se sentado entre a mesa dela e a de Marquis deveria ter ajudado. Pelo menos, ela podia fingir que fora isso que fizera com que ela se distanciasse, e não o aperto de mão de Chantal.

Ter outro casal entre eles, agora, de fato significava que, quando desviasse o olhar da janela, não olharia diretamente para ele nem para Chantal. Significava que cada olhar que ele desviasse da namorada não seria lançado diretamente a ela. Esse escudo fornecido pelos corpos do casal com certeza salvaria parte da noite.

Exceto que ela ainda era a única pessoa sem par por ali. E *ele* fazia parte de um dos casais. A hora seguinte deve ter sido a hora mais longa de sua vida, esticando-se até o infinito por sua vontade de fazer qualquer coisa, menos jantar sozinha em Paris, a duas mesas de distância daqueles dois.

O garçom trouxe o segundo prato, pato ao molho de mel com damasco, ela comeu apenas um quarto e ele lançou-lhe um olhar de profunda preocupação quando tirou o prato da mesa contra a vontade. — Não quer sobremesa? *Mais, madame, voz avez le prix fix.*

— Não importa — ela disse. — Vou pagar — o garçom pareceu ofendido por ela mencionar o dinheiro abertamente, ainda que ela não conseguisse entender por que ele se importava por ela ter mudado de ideia sobre a sobremesa. — Apenas não estou com muita fome.

— Você quer uma, como é que vocês dizem, uma embalagem para viagem? — Sylvain perguntou de sua mesa, sorrindo com a possibilidade de vê-la fazer algo que ele claramente considerava revoltante.

— Pessoalmente, eu sempre achei que levar para viagem fosse algo bom de se fazer aqui — disse Chantal, sendo gentil novamente, o que era de fato a gota d'água para aquela noite infeliz. — Nunca consigo terminar uma refeição completa, e a sobremesa sempre parece tão boa.

O garçom lançou a Chantal um olhar indignado diante da sugestão e não fez esforço nenhum para pegar caixas de isopor.

— Está tudo bem — disse Cade, voltando para o tom tranquilo e cortês que usava sempre que precisava se encontrar com os executivos da empresa Mars logo depois de um negócio particularmente bem-sucedido por parte da sua empresa. — *Mais merci* — sempre finja que a intenção do outro foi boa; assim podem sempre duvidar do sucesso de seus ataques.

Ela acenou para o garçom próximo a ela com um pequeno sorriso. As sobrancelhas dele se arquearam e, depois, ele afastou-se ainda mais quando ela acenou novamente.

Quando ele se aproximou e ouviu-a ficou abertamente desapontado, mas de maneira brincalhona. — *Vous êtes cruelle, madame.* Quando uma bela mulher jantando sozinha quer sussurrar em meu ouvido, não posso ser culpado por manter minhas expectativas em alta.

Atrás dele, Sylvain fazia uma careta.

Cade riu, satisfeita com um de seus primeiros encontros com o charme parisiense. — Bem... Talvez eu volte para a sobremesa qualquer dia desses.

O garçom sorriu, piscou e fez uma pequena reverência.

Sylvain voltou-se para Chantal novamente. Demorando-se para desfazer a careta.

Cade assinou o comprovante do cartão de crédito, acrescentando uma generosa gorjeta ao estilo dos americanos. Ela, provavelmente, tivera uma ideia excêntrica, mas esperava que quando Marquis descobrisse que ela havia pagado pelo jantar deles, ele ia se sentir tão atormentado e depreciado quanto ela.

Ela esperava e pensava nisso, naquele músculo do maxilar dele se contraindo enquanto o estresse se elevava, durante o restante de toda a noite.

Embora Chantal provavelmente fosse um ótimo alívio para o estresse. *Maldição.*

Capítulo 6

— Lá vai você de novo — disse Chantal assim que a porta se fechou atrás de Cade.

Sylvain observou Cade descer a rua de queixo erguido, uma silhueta magra e pequena de passos largos. Os saltos pisavam nos paralelepípedos como se não representassem obstáculo nenhum. O casaco preto, feito sob medida, escondia toda a extensão de seu corpo até o cano da bota. O problema do outono e do inverno era que ele sempre via os casacos das mulheres como embalagem para presente de Natal. Ele queria levar Cade Corey para um lugar quente, onde pudesse tirar o casaco para ver o que Papai Noel lhe havia trazido.

Entretanto, o Papai Noel tinha o péssimo hábito de deixar-lhe carvão.

— O que você está querendo dizer? — Ele perguntou, já irritado por suspeitar do que Chantal queria dizer.

Ele não queria admitir quanto de sua irritação vinha do fato de Cade Corey ter saído tão cedo. O que havia de errado com ela? Ela não sabia comer? O garçom nem havia trazido seu prato principal e a noite toda subitamente pareceu chata.

Outra ideia passou por sua cabeça: será que ele a deixara constrangida?

Ele sorriu um pouco, esfregando os dedos na superfície lisa da mesa.

— Apaixonando-se por uma ricaça glamorosa que só vai usá-lo — disse Chantal, em tom de reprovação.

— Não estou, não — ele disse, profundamente irritado. Haja como idiota no ensino médio — e, tudo bem, aos 20 e tantos anos também, mas seus velhos amigos nunca vão deixá-lo esquecer.

Chantal jogou o cabelo como sempre fazia, um gesto que havia começado de maneira afetada lá no ensino médio e que praticara até se tornar parte dela.

Ele pensou em Cade Corey novamente, com sua arrogância inconsciente e seus rubores súbitos. Ele não achava que ela costumasse jogar o cabelo. Aquele queixo dela era empinado demais. Mesmo quando enrubescia tinha uma tendência a olhar diretamente para ele.

E ela enrubescia... Muito.

Sua boca curvou-se novamente, dessa vez o polegar esfregava o fino cabo da taça de vinho.

Sentindo-se culpado, percebeu que queria dar o cano em uma das suas amigas mais próximas para que pudesse ficar pensando exatamente no porquê de Cade Corey corar tanto, e nas formas de fazê-la corar ainda mais.

— Então o que, exatamente, você está fazendo? — Chantal perguntou com secura, forçando a atenção dele.

— Estou *tentando* jantar com uma amiga. Temos de falar sobre Cade Corey? Já é ruim o bastante o fato de ela me seguir em todo lugar que vou.

Ele estava bastante lisonjeado que ela o seguisse por toda parte. Aquele queixo indicava uma mulher que sabia o que queria. Uma mulher que *realmente sabia* o que queria. Quanto erotismo!

Infelizmente, o que ela queria era o nome dele em seu chocolate de massa. Mas ele não conseguia evitar ou imaginar se haveria alguma maneira de ela mudar seu foco um pouco fazendo que *ele* fosse o que ela queria. Ele havia desenvolvido sérias habilidades para atrair mulheres com chocolate.

— *Bon* — disse Chantal, jogando o cabelo novamente. — Não vamos falar sobre ela.

— Não. Não vamos estragar uma noite boa — ele disse, batendo os dedos na mesa algumas vezes. — Você sabe o que ela fez? — Ele explodiu. — Ela entrou na minha loja diretamente de um avião vindo da América e tentou me comprar. Comprar *meu nome*, Sylvain Marquis, para colocar em *Barras Corey*. Dá para acreditar nisso?

Chantal ficou de boca aberta. — *C'est vrai?* Mas, Sylvain, você ganharia uma fortuna.

Ele fez um movimento brusco com a mão, como se pudesse cortar a cabeça de Cade Corey fora. — *Sylvain Marquis?* Em Barras *Corey?*

— Verdade — admitiu Chantal. — Isso seria... Muito humilhante — ela ficou em silêncio por um momento. Entretanto, você poderia se aposentar no Taiti se quisesse.

Sylvain a encarou. Ele e Chantal eram amigos desde o ensino médio. Isto é, ele tivera uma paixão por ela, e ela o usara ocasionalmente no ensino médio, e, por fim, isso se transformara em amizade verdadeira. Nunca lhe ocorreu que Chantal nem mesmo soubesse quem ele era. — Não se faz chocolate bom no Taiti. É muito quente e muito úmido e, de qualquer forma, quem quer comer chocolate feito no Taiti? — Ele era o melhor *chocolatier* de *Paris*. Ser o melhor *chocolatier* de qualquer outro lugar parecia ser triste e digno de pena.

— *Bon, bon* — disse Chantal, fazendo um sinal com a mão de que não ia falar mais nada. — Já entendi. Minhas desculpas por mencionar as vantagens. Sei que você não pode deixá-la comprá-lo.

— Obrigado — ele disse, parcialmente reconfortado. Talvez uma amizade de quinze anos tivesse levado a um mútuo entendimento, afinal de contas.

— Também não deixe que ela *use* você — Chantal enfatizou.

Sylvain cerrou os dentes e disse: — Não vou deixar. Não combinamos que não falaríamos dela?

— Você realmente disse isso — comentou Chantal bem seca.

Ele enrubesceu. E conseguiu não falar sobre Cade Corey durante o restante da noite, até o momento em que não recebeu a conta.

— Ela fez o quê? — Ele perguntou a Grégory, o garçom, de maneira ameaçadora.

— Pagou pelo jantar de vocês — disse Grégory, achando divertido.

— E você deixou que *ela* fizesse isso?

Grégory pareceu pego de surpresa. — O que há de errado em ela pagar o jantar?

— Tudo — Sylvain disse, afastando-se da mesa.

O garçom deu de ombros e disse: — Achei simpático. *Ela* era simpática — ele tocou a ponta da orelha como se ainda pudesse sentir a respiração de Cade roçando ali quando sussurrou para ele. — *Son petit accent...*

Sylvain quase perdeu o controle e brigou com ele. Ele tinha o privilégio de ter aquele excelente restaurante a cinco portas de distância de seu apartamento. A última coisa que precisava era brigar com o garçom e ser banido do lugar por causa de uma bilionária mimada.

Que queria comprá-lo.

Que havia acabado de comprar seu jantar com um simples movimento da caneta. Como se estivesse dando uma gorjeta ao engraxate.

Sentiu o maxilar ficar tão tenso que dava para sentir os músculos protestando.

— Lembre-*me* de nunca pagar por seu jantar — Chantal murmurou, impressionada pela reação dele, e desviou o olhar.

— É disso que tenho medo — ela disse indiferente.

As ruas cinzentas e escuras de Paris hesitavam ao amanhecer. Poéticas e temporárias elas se prendiam à noite até serem inexoravelmente expulsas. Em um local, uma pessoa saiu de casa, seguindo em frente, de cabeça baixa, entrando no dia frio, procurando a luz quente da padaria que se espalhava debaixo do toldo *burgundy*. Em outro, um motor de carro era ligado.

As ruas ainda hesitavam enquanto as pessoas se prendiam a seus sobretudos quentes, a banhos quentes ou a xícaras de café quente. Tudo recomeçava novamente, mais outro dia intenso em Paris. Será que estavam prontos para isso?

Em pé, à janela, olhando para o amanhecer, Cade resistiu ao desejo de verificar seus e-mails e esconder-se atrás das responsabilidades da empresa. Fechou o cinto do roupão com força, olhando as janelas do outro lado da rua à procura de sinais de vida. Por todos os cantos da rua as luzes iam se acendendo, mas de modo esporádico, não eram muitas nem aconteciam simultaneamente como havia acontecido na manhã anterior.

Era domingo, ela percebeu. Todas as casas de chocolate estariam fechadas.

Ela não teria chance nenhuma de encontrar uma maneira de realizar seu sonho, mas também não teria chance nenhuma de fracassar novamente.

Afastou-se da janela, satisfeita. Sentiu-se como se tivesse acordado e descoberto que o Papai Noel havia passado um mês antes, deixando-lhe presentes por toda parte: poderia ir ao Louvre, pular as pedras no canal St-Martin, experimentar pão na padaria Poilâne, ir à casa de chá Mariage Fréres. Apenas para olhar e comprar um chá. Nenhuma compra que não fosse inteiramente necessária. Nada de perseguir um sonho com a implicação de risco de fracasso.

Já na rua, do lado de fora do seu prédio, um carro do tamanho de uma caixa de sapato passou rápido demais para uma travessa tão pequena e tão estreita. Podia ser domingo de manhã, mas dirigir carros tinha o mesmo efeito que uma xícara de café para os motoristas parisienses. Um jovem desengonçado, com patins *in-line* nos pés, sem sorrir, concentrava-se no próprio mundo. Um homem mais velho, talvez alguém com uma família, saiu da padaria com uma sacola de papel branca em uma das mãos e uma caixa branca balançando pela alça presa a um dedo da outra mão. Estava sorrindo, de leve, sem motivo aparente, talvez de Paris em um domingo pela manhã ao virar uma esquina. Cade imaginou a família esperando por ele, um homem depositando o tesouro das massas folhadas do domingo de manhã na frente dos filhos com casual satisfação.

Um grupo de seis mulheres e um homem corria de um lado para o outro, de maneira estranha, na frente da loja de Sylvain Marquis, alguns deles falavam animadamente, outros agiam como pessoas que não se conheciam muito bem. Três das mulheres eram japonesas e formavam seu próprio elegante grupo fechado. Dois outros eram, certamente, americanos.

— Não acho que ele abra hoje — Cade disse a eles. A última pessoa que precisava encontrar grupos esperando por ele o dia todo era Sylvain Marquis.

— Ah, estamos aqui para a oficina — disse uma americana de 60 e poucos anos com orgulho. Usando um moletom roxo, e cheia de maquiagem, ela parecia o mais feliz e satisfeita possível consigo mesma.

— A oficina? — Será que Sylvain Marquis estava ensinando os segredos de seu talento?

— Vamos aprender como fazer o chocolate de Sylvain Marquis — explicou a mulher animada.

— Sério? — Cade mal hesitou. — Humm... Posso lhe fazer uma pergunta em particular? — Ela fez um gesto para que se distanciassem um pouco do restante do grupo.

— Por quê? — A mulher perguntou, imediatamente sentindo-se cautelosa. — Você vai me atacar?

Cade olhou para ela sem entender nada e depois percebeu seu elegante e caro casaco, bem como as botas e luvas — *Parece* que eu vou atacar você?

— Bem, não — a mulher admitiu. — Mas aqui é Paris. É bem provável que os trombadinhas se vistam melhor aqui.

— Não, eu só... Quanto você quer para desistir da sua vaga nesta oficina e me deixar fingir que sou você?

— Nada! — Disse a mulher ofendida. — Estou esperando ansiosamente por isso há meses! Planejei minha viagem inteira a Paris em torno disso.

— Dois mil dólares — Cade tentou acabar com todas as reservas dela com o primeiro número extravagante em que pensou.

— Você está brincando? —A mulher parecia ultrajada. — Uma aula custa muito mais que isso!

As oficinas dele custam mais que 2 mil dólares? Cade ergueu as sobrancelhas conforme as paredes de pedra do século XVII ficavam entre ela e a oficina, impressionada e irritada ao mesmo tempo. — Cinco mil dólares.

— Eu disse não!

Qual era o problema das pessoas que viviam recusando serem compradas ultimamente? — *E* vou pagar por sua estada em Paris por mais duas semanas em um belo apartamento, fazendo aulas de culinária no Cordon Bleu.

A mulher hesitou. Finalmente Cade estava fazendo algum progresso. Então, a mulher mais velha franziu o cenho, cheia de suspeita. — Por quê? Por que você quer tanto essa vaga?

Muito bem. Alguém ia chegar para abrir as portas da oficina a qualquer momento. Cade virou-se para os demais que ali esperavam. As japonesas não davam esperança nenhuma, o dinheiro não compraria coisa nenhuma delas. Além disso, Cade não falava japonês. Ela concentrou-se nos americanos e franceses — Alguém aqui quer ganhar 5 mil dólares?

Todos ficaram olhando para ela sem entender nada. Ela repetiu em francês.

— Quanto vale isso em euros? — perguntou um francês. — Cinquenta *centimes?*[8]

Será que era contra a lei ser útil na França ou algo assim? Cade olhou para ele irritada.

— Espere um pouco aí — a mulher de roxo interrompeu. — Eu não disse que estava recusando sua oferta. Mas vou querer as duas semanas extras em Paris e o curso do Cordon Bleu em dinheiro, se você não se importar. Quanto dá isso? Dez mil dólares ou algo assim?

Cade jamais conseguiria justificar isso em suas despesas. — Fechado — ela disse. Pelo menos, dessa forma, ela aprenderia os segredos dele.

Conhecer os segredos dele... As palavras sussurravam por seu corpo, atormentando-a em mais níveis do que ela suspeitava. Os segredos do feiticeiro das trevas, em sua oficina cheia de magia.

Segredos *comerciais*, ela esclareceu para si mesma. Segredos da arte da confecção do chocolate. Era disso que ela estava atrás. Os demais segredos ele podia guardar para ele, o canalha.

8. Centavos. (N.T.)

— Hum... Acho que vou precisar fazer um cheque para você — ela disse a mulher.

A mulher resmungou e virou as costas para os demais.

— Meu cheque é bom — disse Cade desesperadamente. Ela não tinha tempo de negociar com mais ninguém. E não queria esperar pela próxima oficina, independemente de quando fosse ocorrer. Poderia levar meses.

A mulher de calças roxas lançou-lhe um olhar de repulsa.

— Não, de verdade — Cade disse. Ela pegou o talismã que tinha sempre consigo, uma Barra Corey, um cartão comercial, e a carteira de motorista e segurou tudo nas palmas das mãos. — Veja.

A mulher olhou, irritada e surpresa, para a Barra Corey e depois para o cartão. Olhou bem devagar, lendo o cartão completamente, depois olhou para a carteira de motorista e para o rosto de Cade. Cade desejou que ela não tivesse olhado tanto como se fosse um traficante naquela foto, mas o dinheiro não pode comprar tudo.

Era isso que aquela cidade estava lhe ensinando.

— Meu cheque é bom — Cade repetiu.

— Não sei, não... — O olhar da mulher foi da carteira de motorista para o rosto de Cade mais uma vez. — Ei... é sério? Você é mesmo uma Corey de verdade? Você acha que poderia...

Um homem virou a esquina no final da rua, vindo em direção a elas. Cade achou ter reconhecido um dos homens do *laboratoire* de Sylvain, daquele primeiro dia. Levou os dedos de volta à carteira. — Vamos combinar o seguinte: fale-me seu nome e deixe-me fingir ser você nessa oficina hoje, e eu deixo você usar meu cartão de crédito enquanto eu estiver no curso.

— Fechado — a mulher pegou o cartão de crédito antes mesmo que Cade pudesse ter raciocinado melhor sobre a proposta. — Christian Dior, aqui vou eu!

— Encontre-me aqui às 6 horas ou eu vou chamar a polícia — Cade avisou. Ou, melhor ainda, vou ligar para a empresa do cartão de crédito para cancelá-lo. — E qual o seu nome mesmo?

No momento em que Maggie Saunders deu-lhe as informações, o empregado de Sylvain Marquis aproximou-se do grupo. Todos se aglomeraram ao redor dele quando ele disse: — *Bonjour* — parecendo levemente fatigado, como se sentisse que o papel de cumprimentar turistas àquela hora da manhã fosse o de outra pessoa.

Cade aproveitou-se da distração e voltou sorrateiramente para o prédio dela, os pensamentos corriam por sua mente ao tentar pensar em várias formas de se disfarçar. Dobrada em seu travesseiro estava a calça folgada de yoga e a blusa de moletom extragrande que usava como pijama naquele apartamento frio. Trocou as calças elegantes por aquela roupa rapidamente. Não tinha tênis branco, mas podia ao menos trocar as botas elegantes pelo Puma também elegante. Prendeu o cabelo num coque solto, desejando desesperadamente ter um boné de beisebol. Mas o único que havia trazido tinha a palavra COREY em negrito bem na frente, e isso não ajudaria nada em seu disfarce.

Ela tinha uma boina. *Não* que pensasse que os parisienses ainda usassem boinas. Ela sabia bem disso. É claro que sabia. Mas havia trazido somente *no caso de* haver um momento apropriado para usá-la ao caminhar pelo Sena, folheando livros velhos que trouxera consigo. Caso fosse necessário.

Lembrou-se do momento em que jogou a boina na mala, da sensação de despertar de esperança e prazer, e tentou sufocar essa sensação com sofisticado cinismo.

Pegou a boina e cobriu a maior parte do cabelo, sem ousar olhar para a combinação boina-moletom no espelho. Se tivesse mais tempo e habilidade, poderia tentar mudar suas características físicas usando uma maquiagem diferente. Mas isso levaria uma eternidade para ser feito, então, em vez disso, resolveu tirar toda a maquiagem de uma vez só. De última hora, tentou mudar o formato dos olhos com delineador, mas acabou ficando com uma aparência vagamente gótica.

Bem, uau! Uma gótica de moletom e boina. As únicas pessoas que provavelmente a reconheceriam seriam aquelas que a conheceram na adolescência.

O homem que havia aberto a porta estava lá dentro com os demais, distribuindo chapéus de *chef* e jalecos para todos os participantes na hora em que ela voltou. Tinha o cabelo cor de palha, espetado, e uma pequena barba por fazer no cavanhaque. Ele parecia um pouco mais jovem que Sylvain Marquis e um pouco mais baixo, mas, à sua maneira, era bonito. O que era aquilo que os *chocolatiers* franceses tinham? Ele a olhou dos pés à cabeça mais de uma vez, e as sobrancelhas uniram-se de incredulidade. Fala sério, ele preferia a calça roxa?

— Oi — ela disse em inglês, do jeito mais lento que pôde, como se não soubesse uma só palavra de francês, e ele provavelmente acreditaria naquilo, mesmo que ela falasse com ele na língua dele. — Sou... — como era o nome da mulher mesmo? Ah, é. — Maggie Saunders. Desculpe-me, estou atrasada.

O olhar do homem mostrava que estava cada vez mais impaciente, e ele lhe deu um jaleco de *chef* quatro vezes maior que o tamanho dela. Ela sorriu e ajeitou o cabelo de maneira mais segura debaixo do chapéu de papel que ele também lhe dera. Era bem provável que o pai dela tivesse dificuldade de reconhecê-la com aquela aparência.

Cade Corey, espiã de chocolate. Aquilo soava muito bem, não soava? *Espiã de Chocolate.* Ela podia se imaginar na Segunda Guerra Mundial como algum tipo de imitação de Mata Hari,[9] contrabandeando os segredos do chocolate para fora da França antes que os alemães pusessem suas mãos neles.

Depois ficou imaginando Sylvain Marquis de boina, retrucando que os alemães não saberiam o que fazer com os segredos do chocolate mesmo depois de colocarem as mãos nele.

— *Madame... Madame... Madame* Sewndairrrsss — a frase penetrou em sua consciência.

Ela piscou fundo para o homem que, naquele momento, estava de frente para ela, finalmente se lembrando do falso sobrenome. — Desculpe-me — ela disse, enrubescendo. Essa coisa de corar já estava ficando batida. Nos Estados Unidos não corava tanto por excesso de autoconfiança.

— Por favor, fique nesta estação — ele disse, levando-a para o enorme balcão preto ao lado de um espaço vazio onde alguém ficaria no centro. Os outros alunos já haviam se posicionado ao redor. A sala era grande e alongada e tinha três pontos essenciais: duas enormes ilhas de mármore, e, mais adiante, do outro lado, a máquina dosadora de chocolate e o túnel de resfriamento. Ela reconheceu a manufatura americana, mas a máquina não era nada, era brinquedo de criança, comparada às grandes máquinas dosadoras e aos túneis de resfriamento das fábricas Corey.

Cade apertou as mãos sobre o suave balcão frio, excitada além da conta. A sensação de um sonho prestes a ser realizado fez com que sentisse uma reviravolta dentro de si, como se fosse um trapo molhado e torcido com cada vez mais força até que a água saísse toda, e isso quase fez seus olhos brilharem.

9. Mata Hari foi uma dançarina exótica dos Países Baixos acusada de espionagem e condenada à morte durante a Primeira Guerra Mundial. (N.T.)

Ela já havia participado de oficinas de chocolate artesanal antes, no Instituto Norte-Americano de Culinária em Nova York, por exemplo. Em outra ocasião com Alice Medrich. Mas aquilo foi na *América*. Ali era a *França*. Estava prestes a descobrir os segredos do melhor *chocolatier* de Paris.

Bem, *ele* acha que é o melhor, ela corrigiu apressadamente, lembrando com desdém do rosto bonito. É verdade que o prefeito também achava que ele era o melhor. Assim como sua adorável amiga Chantal. E a maior parte da população da cidade. Mas isso não significava que realmente *fosse* o melhor.

Ela precisava manter isso em mente para o próprio bem, pois era óbvio que ele era metido demais. Enfiou as mãos nos bolsos do jaleco determinada a manter o controle, e as articulações dos dedos roçaram em algo impressionantemente duro e frio. Retraiu os dedos e depois tocou no item cuidadosamente com as pontas dos dedos. Era uma chave. Ela tentou manter o rosto totalmente inexpressivo ao imaginar o que aquela chave poderia abrir.

— *Je suis Pascal Guyot, le sous-chef chocolatier* daqui, e ministrarei a aula para vocês — disse o homem que os havia deixado entrar, movendo-se para ficar na frente da classe. Cade sentiu-se desapontada.

Não, aliviada. Aliviada, é claro, por Sylvain Marquis não compartilhar seus segredos pessoalmente. Dessa forma, ela não correria o risco de ser reconhecida por ele.

Abaixou-se para amarrar um dos sapatos, e, enquanto estava abaixada, passou a chave do jaleco para o tênis, que era o único lugar em que conseguia escondê-la sutilmente. Era preciso começar a colocar bolsos em calças de ioga.

— Quando falamos sobre chocolate — Pascal Guyot disse. — a primeira coisa é ter certeza do que estamos discutindo. Por exemplo, um *chocolate noir* a 70% não reage da mesma maneira que um *chocolat au lait* reage para qualquer coisa: calor, enrijecimento, paladar. Um *chocolat noir* reage de modo diferente de um *chocolate noir* a 72% que vem dos Andes.

Cade mais uma vez pressionou as mãos sobre o mármore, concentrando-se no prazer daquele friozinho, as palavras eram ruídos em seus ouvidos. Ela sabia tudo aquilo. Os químicos da Corey sabiam a ciência do chocolate até um centésimo de grau. Ela também fez química como matéria optativa na faculdade.

Seu olhar abrangia o local todo, tentando absorver tudo. Garrafas de bebidas alcoólicas alinhavam-se em uma parte da parede, algumas dos quais poderiam ser pegas do lugar em que ela estava, rum branco e escuro, e o bronze do Armagnac.[10] Enormes sacos de juta forravam as paredes e havia palavras estampadas em ambos os lados. O que as palavras significavam? O que havia naqueles sacos, e qual era a procedência deles?

Garrafas de vidro marrom escuro opaco cujos rótulos ela não conseguia ler na prateleira, quais seriam os sabores? Uma bolsa de *chef* de baunilha estava aberta sobre o balcão, as sementes reluziam de marrom contra o dourado do fundo, havia mais bolsas fechadas a vácuo em um engradado debaixo das prateleiras de extratos. Dava para sentir o aroma de baunilha até de onde ela estava. Isso fornecia o tom suave do chocolate, modulando-o, dando-lhe doçura.

— Com o senhor Marquis, trabalhamos com um fornecedor que assa as sementes de cacau de acordo com as nossas especificações, claro — Pascal Guyot disse. — A maioria dos *chefs* compra o chocolate em barras, tais como essas aqui — ele apontou para uma pilha de pedaços de chocolate com várias gradações de cor e cortadas de blocos maiores.

Eles assavam as próprias sementes de cacau para corrigir as especificações na Corey, também, Cade pensou. Fazia isso há quase cem anos. Ninguém deu a *eles* crédito por isso.

— Peço a todos que venham pegar suas barras — disse Pascal Guyot.

O peso dos pedaços de chocolate produzia fagulhas de excitação em seu corpo novamente.

Ela podia até ter entrado com um nome falso e como espiã, mas ia trabalhar com chocolate em um *laboratoire* parisiense.

10. Aguardente de vinho de grande qualidade, semelhante ao conhaque. (N.T.)

Capítulo 7

Sylvain jogou o casaco no hall de entrada da oficina, sorrindo um pouco ao ouvir o forte sotaque japonês com dificuldade em fazer uma pergunta em francês. Alguns *chocolateirs* deixavam essas coisas para *sous-chefs*, mas ele sempre gostou das oficinas. De vez em quando, aparecia um idiota, mas geralmente os alunos eram amadores apaixonados pela confecção do chocolate, encantados por estarem lá.

Era uma sensação agradável ensinar pessoas com tanta vontade e tão entusiasmadas em saber... Que tinham tanta vontade e tanto entusiasmo por *ele*, pelo que *ele* tinha para ensinar... Elas o faziam lembrar-se de si mesmo quando adolescente. E deixavam bem claro que ele havia percorrido um longo caminho desde os tempos da adolescência, *Dieu merci*.

Colocou seu jaleco branco de *chef* e o chapéu de *chef* que somente ele tinha o direito de usar e entrou, acenando com a cabeça para Pascal e examinando seu novo grupo de alunos.

Notou a presença da capitalista Corey imediatamente, o que o fez saltar de susto. Com certeza, ela não esperava que ele descobrisse seu disfarce imediatamente, que era composto de um chapéu branco e um jaleco de *chef* branco duas vezes maior que ela.

Ela parecia — *mignonne*, novamente. Estava ocupada tentando esconder seu belo corpinho a fim de que a japonesa entre eles bloqueasse sua visão. Infelizmente, para ela, a japonesa em questão era até menor que ela.

Olhou para ela de modo demorado ao perceber o que ela estava tentando fazer e isso o fez entrar em ebulição. Primeiro ela tentou comprá-lo. Depois, ela disse que preferia *Dominique Richard*, dentre todas as pessoas. Em seguida, pagou pelo jantar que tivera com Chantal, na noite anterior, de maneira tão casual quanto se estivesse jogando uma moeda a um mendigo.

E agora estava tentando roubar *seus* segredos.

Ele hesitou entre presunção e fúria. Era bom ser perseguido de modo tão desesperado. Mas ela precisava saber que era uma tentativa com pouca possibilidade de sucesso. Quantas das receitas premiadas ela pensou que ele fosse revelar numa oficina para amadores como aquela?

Ela desistiu de tentar se esconder por detrás do chapéu, conforme ele olhava para ela. Suas mãos apoiaram-se no balcão de mármore e ali ficaram. Um rubor coloriu suas bochechas.

Tinha enrubescido na noite anterior. Repetidas vezes, ao sentar-se ali, parecendo tão solitária e obstinada, arrogante e vulnerável. Havia fechado os olhos por um momento de pura benção no segundo em que aqueles *ravioles du Royan* com seu *crème au basilic* haviam tocado sua língua, da maneira como ele sabia que tocariam.

E então os olhos dela encontraram os dele e ela enrubesceu e parou de comer. Estava ocupada demais sendo arrogante.

Ele passou silenciosamente pelos alunos, sem interromper Pascal, e parou na frente dela.

Os punhos dela fecharam-se firmemente sobre o mármore, ele se perguntou se ela machucaria as articulações na pedra. Seu olhar era tão intenso que, por um momento, parecia que ela estava lutando contra uma vontade interna de implorar.

Implorar?

Por que você quer tanto isso? Era o que ele queria perguntar-lhe. *O que será que você está procurando aqui que faria com que alguém como você não conseguisse usar as palavras* "por favor"?

A família Corey era dona de algo em torno de 30% das plantações de cacau do mundo. Era dona. Fundaram institutos inteiros que ficavam no caminho de *chocolatiers* como ele e a infestação de insetos que podia destruir todas as colheitas. Eram até mesmo famosos por liderar o movimento de melhoria do bem-estar nas plantações de cacau.

O conhecimento de seu poder e sua generosidade até poderia ter feito com que ele a tratasse melhor, mas... Ela pagou pelo jantar dele como se a pessoa a *implorar* fosse ele.

Não, pior ainda, como se ele fosse seu gigolô do chocolate ou algo assim.

— *Mademoiselle* Corey — disse educadamente, alto o suficiente para que seu nome famoso pudesse ser ouvido por todos os outros alunos de lá. — Dos Chocolates Corey — ele acrescentou, caso alguém não fizesse a conexão. — Que prazer em tê-la conosco. Espera aprender algo novo sobre chocolate?

Ela mordeu os lábios. Ela era meio obcecada, não era, uma vez que seus olhos praticamente imploravam para que ele a deixasse ficar? Ela não podia alegar que *não* queria aprender algo com ele sobre chocolate. E não podia bater nele, apesar de que ela bem que gostaria de fazer isso.

Por alguma razão, seu óbvio desejo de fazer algo violento com ele fez com que ele sentisse uma onda de excitação.

Ele precisava controlar essas excitações. A noite passada fora péssima, com aquele *crème au basilic*. Sentia-se tão idiota quando se tratava de mulheres bonitas e orgulhosas que saboreavam as coisas mais finas da vida.

Ele manteve a fachada de superioridade, mas sentia o coração bater forte ao duelar internamente para conseguir controlá-la.

— Eu adoraria aprender o que você faz com chocolate — ela disse em francês, num tom claro que ela provavelmente usava nas reuniões em que bilhões de dólares estavam em jogo, certificando-se de que todo mundo pudesse ouvi-la.

Ele apertou os lábios. Ela havia pegado a estrada principal, honestidade, que lhe deu superioridade moral imediatamente.

— Disse isso a você há dois dias... — ela parou de falar, procurando a palavra adequada em francês.

Grégory tinha razão, maldito; o sotaque dela era adorável.

— Disse isso faz dois dias. Antes. Dois dias antes — ela tentou dizer em francês.

— Ah? — Ele a desafiou. — Não foi para Dominique Richard?

— Se Dominique Richard estivesse disposto a me ensinar alguns de seus segredos, eu ficaria feliz em aprender com ele também — ela deixou claro que o nome *Dominique Richard* fosse ouvido de maneira bem clara por lá, assim como fizera com a frase anterior.

Para uma mulher que usava maquiagem horripilante nos olhos, ela estava fazendo um ótimo trabalho ao manter sua dignidade.

E Dominique Richard era um maldito sedutor. Era bem provável que ele estivesse disposto a ensinar várias coisas a ela.

— Estou lisonjeado por você ter escolhido a mim primeiro — ele disse. O que era verdade. Lisonjeado e, ao mesmo tempo, insultado. Na maior parte do tempo, irritava-se com o fato de ela até mesmo *ter* uma segunda opção. Ele ou nada — era assim que deveria ser.

Ela mostrou os dentes para ele. — Ah, você era o único *chocolatier* decente oferecendo uma oficina numa época em que era conveniente para mim. — ela continuava usando o tom claro e arrastado.

Decente. Chocolatier decente.

— Pascal, acho que vou ficar com vocês hoje. *Mademoiselle* Corey, *voius permettez?* — Ele se aproximou dela, fisicamente comprimindo seu espaço pessoal.

Porque ela era teimosa, ou arrogante, o corpo dele estava, de fato, roçando no dela antes de lhe ceder espaço para dividir o balcão com ele.

A excitação tomou conta dele por inteiro. Pior do que na noite anterior no restaurante. Ela era bem menor que ele. Dava para ver como era pequena e arrogante até o fundo, como uma força interna que o deixava louco. E ali, no domínio dele, ele sabia que tinha algo que ela queria.

Pascal começou a falar novamente, dizendo aos alunos para olharem para os blocos de diferentes tipos de chocolate que haviam acabado de levar para suas estações.

Sylvain pegou o mais amargo, o mais puro. Havia pedaços presos a ele, pois havia sido cortado de um bloco maior.

Ele sorriu, olhando para a própria mão. Os pedaços menores já estavam começando a derreter em sua pele.

Ele tinha algo que ela queria desesperadamente. Seu chocolate. Agora ele queria ver se podia usar isso para fazer com que ela o quisesse desesperadamente.

Capítulo 8

Cade pensou que se seu coração batesse mais rápido ou se mais sangue subisse até a face, ela poderia desmaiar. Para se acalmar, pensou na imagem de Chantal, "la Parisienne parfaite", e tentou mentalmente colocá-la na cabeça.

— Este é um dos meus momentos favoritos — Sylvain murmurou para ela, meio que sussurrando muito baixo para não interferir na aula de Pascal, e para ninguém escutá-lo, a não ser Cade. — O chocolate está intacto, virgem — "Chocolat" ele disse. Não aquela palavra desajeitada, a palavra inglesa engraçadinha "chok-lat", mas um carinho, um mistério, cho-co-la-te. — Eu o escolho. Ele é tão bonito por si só, perfeito, qualquer um poderia comê-lo para sempre. E, mesmo assim, eu trago algo novo para ele, misturo com outro sabor para fazer com que as pessoas se deparem com algo novo e mais enriquecedor.

Sentia a voz rouca na sua pele. Todos os pelos dos seus braços ficaram arrepiados com aquela voz e com as palavras que pareciam falar mais do que o chocolate. Isso fez com que ela quisesse ser seu chocolate.

— Vou despejá-lo em outra forma digna dele, tão bonita como a sua essência, a fim de que, somente por olhar, as pessoas sintam desejo de consumi-lo.

Ela percebeu que seus lábios se abriram, e sua respiração ficou mais pesada. Manteve os cílios abaixados, o olhar focado naquele pedaço de chocolate amargo que estava na mão dele, nas palmas fortes e nos dedos longos.

— *Tenez* — disse, entregando o chocolate para ela.

Ela fez de tudo para pegar o chocolate sem tocá-lo, mas ele mexeu a mão no último minuto e seus dedos roçaram nos dedos dela. Ela fincou os dentes na parte interna do lábio inferior.

— Nós temos *criollo* aqui, sabia?

— Provavelmente sou eu que o produzo — Cade disse para ele com a voz entrecortada. Era arrogante dizer "eu" em vez de "nós", mas ele estava provocando. Ela conhecia este que era um dos quatro tipos de cacau? Sim, mas eles não o usavam na fábrica de Barras Corey, pois era muito caro para o mercado local, porém ela sabia do que se tratava.

— Não — ele disse definitivamente. — Parte disso vem de um produtor pequeno da Venezuela. Eu gostei da produção deles deste ano, *épicé et voluptueux*.

Apimentado, voluptuoso. Meu Deus! Por que até aquelas palavras deixavam-na vulnerável?

Ele continuou. — O restante vem de Madagascar, e, talvez, alguma parte possa ter vindo da sua plantação — suas sobrancelhas arquearam-se. — É estranho como uma empresa capaz de encorajar uma produção primária de tanta qualidade pode terminar... Como você terminou.

Cade pensou nas pobres e difamadas barras Corey que estavam na sua bolsa, pendurada no hall de entrada. Milhões de pessoas estavam comendo, naquele exato momento, uma Barra Corey, e isso as deixava muito felizes. Somente uma ou duas pessoas estavam comendo um dos chocolates dele, ela pensou. E essas pessoas certamente tinham pelo menos uma renda de seis dígitos. Poderiam encontrar outras coisas para fazê-las felizes.

— Qual o percentual usado para combiná-los? — Cade perguntou e continuou. — Que tipo de concha você usou, quanto tempo e qual a dificuldade para fazê-lo?

Os lábios dele se curvaram em um sorriso bem másculo que colocou a pergunta técnica numa direção completamente diferente.

Ela tentou ignorar isso, mas podia sentir todas as suas zonas erógenas serem invadidas por um calor. — Quanta manteiga de cacau você adicionou? — Ela perguntou.

Ele riu e balançou a cabeça, respondendo. — Você pode tentar obter esta informação com o Dominique Richard... Acho que posso resistir um pouco mais.

Sua pele se incendiou. Será que aquilo foi outra rejeição desprezível? Dessa vez, porém, dando a entender que o seu flerte não estava sendo eficaz?

Por que ele a estava acusando de flerte? Ela estava parada com os olhos maquiados, um moletom e um jaleco enorme. Ele era a pessoa que falava de chocolate *virgem* com o qual poderia fazer o que quisesse.

— Agora... O que você quer fazer com esse *chocolat*?

— Qualquer coisa que você me mandar fazer — disse Cade, muito baixo e muito absorta, tentando parecer inteligente e lembrá-lo de que ela estava tendo aula e deveria fazer o que o instrutor mandasse. Infelizmente, não foi assim que soou.

— Qualquer coisa? — Sylvain sorriu para ela e isso fez com que se sentisse a queridinha do professor. *Vraiment*.

Os utensílios foram colocados na bancada de cada aluno. Sylvain pegou a maravilhosa faca de *chef*, a lâmina era tão afiada quanto um cochicho em voz alta que todos ouvem. O jaleco lhe caía muito bem e fora feito sob medida, assim, os ombros retos e a cintura fina ficavam claramente definidos. As mangas na altura do cotovelo revelavam antebraços firmes, os músculos da sua profissão. — *Veuillez m'aider à hacher ce chocolat, mademoiselle?*

Só havia uma faca. Como ela poderia ajudar a cortar com uma faca? Ela olhou ao redor para ver se encontrava outra.

—*Tenez* — ele pegou a mão dela e a colocou no cabo da faca. A mão dele sobre a dela.

A pele dela estava queimando, como se precisasse espalhar *aloe vera* e mergulhá-la na água fria.

— Você sabe segurar uma faca, *mademoiselle*?

Sim. Cade havia feito cursos de chocolate artesanal antes, mas não em Paris. E ela gostava de cozinhar. Pelo menos uma vez por mês, ela cozinhava. E fazia algo *gourmet* e elaborado. Ela se manteve em silêncio, enquanto os longos, quentes e ágeis dedos dele posicionavam os dela no cabo da lâmina, assim ela poderia raspar pedaços de chocolate sem cortar os próprios dedos.

A lâmina parecia perigosamente afiada. Em seu atual estado agitado, ela provavelmente cortaria os dedos se tentasse manipulá-la sozinha. As mãos dele seguraram com força as dela, unindo-se aos dedos dela para que permanecessem longe da lâmina. Juntos, com a destreza predominante dele, e a maneira desajeitada dela, eles rasparam o canto do chocolate amargo. Ele enrolou, enrugou e caiu em pedaços no mármore frio, amontoando-se.

Os braços dele roçavam os dela, os bíceps pressionavam seus ombros. Ela podia sentir o corpo forte e esbelto dele. Podia sentir que ele a estava domando, a velocidade e a energia estavam contidas, e mantidas sob controle. Ela sabia que ele não costumava raspar o chocolate cuidadosamente. A faca saltava pelo chocolate de modo impensado, tão automaticamente quanto a respiração; os músculos usados para aquele trabalho raramente eram conscientes da sua resistência, da dureza com que manipulava a faca.

Ele levantou as raspas do chocolate com um dedo e o levou aos lábios dela. — *Goûtez*, ele disse. — Diga-me o sabor que sente.

— Você poderia me mostrar como se corta o chocolate? Perguntou uma das mulheres americanas para Pascal esperançosa, olhando para eles do outro lado da mesa. — Acho que preciso de um pouco de... Ajuda.

Pascal Guyot lançou a Sylvain Marquis um olhar de profunda paciência controlada. Sylvain nem percebeu, pois estava olhando para Cade.

O chocolate já estava derretendo em seus lábios. Ela o pegou forçosamente, com os lábios se fechando um pouco e de maneira breve sobre os dedos dele.

Os cílios dele se abaixaram para esconder o que expressava.

Ela provou... Mas achou que não deveria lhe dizer o que sentiu. Era algo que extrapolava o chocolate, que era amargo, amargo na língua, mas extraordinariamente macio.

Ele suspirou e disse: — Vamos fazer algo da sua preferência — ele disse com calor nos olhos e uma pequena curva máscula aparecendo no canto da boca, como se estivesse participando de um jogo do qual gostasse muito. Ela era o jogo dele, Cade disse para si mesma. Era isso? Ela era dele?

— O que você gosta no seu *chocolat, mademoiselle?*

Ele despejou creme numa panela pequena e falou para ela acrescentar sacarose. Ele conduziu a aula dela à parte da dos demais alunos. Pascal ainda estava mostrando para os outros como cortar o chocolate e tentando manter a paciência com a mulher que havia sido particularmente inútil e exigente durante as instruções práticas.

— Canela — ela disse.

— *Cannelle?* — Ele sorriu, como se ela o tivesse seduzido.

Como aquilo seria possível? Teve vontade de desalinhar seus cabelos como se ela fosse uma menininha.

Ele disse: — *Vous aimez la tradition.*

Sim, ela achava que amava a tradição. Orgulhava-se de a fábrica Corey ter passado por várias gerações de americanos e nunca ter mudado a barra de chocolate ao leite original. Então, isso era tradição. E a única maneira de quebrar a tradição da fábrica Corey seria mergulhando no reino do chocolate que já existia antes mesmo de seu país ter nascido.

— Então devemos fazer algo com canela para você — ele foi até onde estavam as garrafas marrons e pegou um punhado de canela em pau. Ao voltar para onde ela estava, pegou um tablete de manteiga que havia sido deixado de fora para amolecer.

— Diga novamente em inglês?

— Canela — ela repetiu impotente.

Um calor cobriu os olhos dele. — Tem um *je ne sais quoi* em inglês, *canela*. Mais mistério, mais exótico do que em francês.

— Porque começa com pecado — ela tentou dizer, porém não conseguiu pensar na palavra pecado em francês. — *Pêche?*

Suaves sobrancelhas pretas se enrugaram de dúvida. — Canela e pêssegos? Com o seu chocolate? Eu acho que não...

Ele fez uma pausa, claramente incapaz de rejeitar qualquer combinação de sabores sem fazer uma análise séria.

—Não — ela disse. — Sem pêssegos. Somente canela.

— *Pêches confites*, talvez — ele murmurou. *Pêssegos caramelados*. — Mas não tenho nenhum em mãos e não é a época certa para encontrá-los. Eu poderia encomendar alguns em Nice. Existe um mercado onde podemos encontrar pêssegos no outono.

E ele faria isso? Ela se perguntou de súbito. Perambular pelos mercados, absorvendo toda a visão e os sabores, será que a mente dele, a todo momento, buscava novos encantos do chocolate?

Isso fez com que ela quisesse levá-lo para o Marrocos, para a Índia, se é que ele já não tivesse ido. Isso fez com que ela quisesse que ele a levasse para Nice, para todos os mercados que ele conhecia. Eles poderiam andar de mãos dadas pelos mercados, mostrando um ao outro os sabores diferentes.

O que estava acontecendo com sua mente?

Não poderia ser saudável que seus sonhos com Paris se cristalizassem em uma única pessoa.

Ele a desprezava. Além de ter saído na noite anterior com uma linda loira.

—*Tenez* — ele a entregou a canela em pau e indicou a panela com creme. Ela deixou a canela em pau cair na panela e observou gotas brancas se espalharem pelo marrom das varetas.

— *À feu doux*. — ele atraiu o olhar dela por um segundo. — Tem de começar *à feu doux*.

Ao *fogo brando*.

Se aquilo era brando, ela não sabia se desejava mais calor ou se ficaria apavorada.

Pavor e desejo criavam uma combinação de sabores poderosa.

Ela colocou a panela numa das bocas do fogão perto dela, enquanto examinava a sala com o olhar, indo dos notáveis sacos de estopa, cujo conteúdo era desconhecido para ela, até as garrafas marrons e as portas do estoque. Quem sabia quais riquezas se escondiam atrás delas? Qual palavra poderia abrir aquelas portas? — *Abra cacau?*

Ela tentava entender o que seria fogo brando de acordo com as temperaturas francesas e como trabalhar para controlar o fogão. Vamos ver. Se a temperatura ideal para armazenar chocolate era 17 °C, então...

As mãos de Sylvain alcançaram as dela, tocando-as levemente, e apertaram alguns botões. Um calor correu por ela. Finalmente a cautela e a raiva apareceram. Que canalha que ele era. Um canalha arrogante. Tinha tanta certeza de que era atraente que usava isso para puni-la.

Essa devia ser a motivação dele. Por que outro motivo ele estaria fazendo aquilo?

Por um momento confuso, ela pensou em virar as mesas em cima dele. Ou deixá-lo louco com a capacidade que *ela* tinha de ser atraente. Mas ela estava vestindo um moletom e um jaleco enorme, e estava maquiada como alguém num filme mudo antigo. E seu talismã mágico era a Barra Corey, o que faria os lábios de feiticeiro dele contorcerem de desdém.

— Será que aquela é a maneira que Dominique Richard faz? — Ela perguntou numa voz ofegante, dando a entender que estava apenas usando-o para chegar mais perto do verdadeiro astro do rock da cidade.

Ela não precisava de toda aquela respiração ofegante para ter essa impressão, mas o toque em sua mão fazia com que fosse difícil manter-se firme.

Por uma fração de segundo, a mão foi retirada. E quando ela se esquivou do seu olhar, ele ficou muito irritado.

— Eu não posso dizer que estudei a maneira que ele despeja o creme na panela — disse secamente. — Mas não deve ser tão diferente.

Ela apostou que deveria. Sylvain tinha uma maneira de despejar o creme na panela que a fazia se sentir como uma gata. — Não, quero dizer tudo isso — ela gesticulou, abrangendo toda a oficina e todo processo.

— Eu não sei — Sylvain disse, cada vez mais amargo. — Talvez você devesse espreitá-lo se prefere saber seu modo de fazer as coisas.

Seus lábios se uniram, e ela ruborizou com o calor. Ela *não* estava... Bem, ela realmente estava espreitando Sylvain, mas era detestável da parte dele falar alto daquele jeito. — O restaurante foi totalmente acidental — será que ele achou que ela procuraria se sentir infeliz de propósito?

— Existe um número surpreendente de bons restaurantes em Paris que não ficam no meu bairro — ele apontou.

Era muito difícil continuar uma conversa com alguém que não se privava educadamente de desafiá-la em qualquer assunto possível. Será que todas as conversas em Paris eram como uma luta de esgrima, ou será que eles tinham uma relação especial?

— Eu não sabia que você morava aqui perto também.

Ele piscou, ficou quieto por um momento e disse: — Você não sabe onde moro?

Ela estava certa de que tinha essa informação nos seus arquivos, mas não havia prestado atenção ao endereço dado por ele. — Eu vou procurar se isso o fizer feliz.

Mais uma pausa. — Você realmente está focada exclusivamente no meu chocolate, não é?

Cade olhou para ele sem entender nada. O que ele estava pensando?

O que *ele* estava pensando? E ele gostava do que estava pensando? Se sim, como? Com uma satisfação arrogante ou...

— Acredito que mencionei meu interesse por seu chocolate quando nos conhecemos — ela disse sutilmente. — Na realidade, acredito que minha assistente pode ter insinuado isso quando agendou nosso primeiro encontro.

Ele fez um gesto vago quando ela mencionou o primeiro encontro irritante deles. — Achei que você estivesse só pedindo para ver o *laboratoire* enquanto estivesse em Paris.

— Você faz coisas por cortesia? — Ela perguntou diretamente.

Uma indignação faiscou naqueles olhos de chocolate. — Estou sendo cortês com você agora!

Será que ele estava roçando os dedos nos lábios dela à medida que lhe oferecia o refinado chocolate amargo por cortesia? Porque, se ele estava, ela ia matá-lo.

Ele e a sua gentil namorada.

— Estou fazendo chocolate para você — ele disse. — Não posso ser mais cortês do que isso.

Será? Ela pensou, totalmente seduzida e arruinada. Será que ele estava inventando um chocolate do nada, somente para ela?

— Mas se você vendê-lo, colocar o meu nome nele, ou de alguma maneira reproduzi-lo em larga escala, ou fizer uma versão ilegítima de pseudochocolate, vou levar o meu caso direto para o tribunal americano, onde poderei processar você e ganhar milhões.

— Ou nós podemos pular o processo e assinar um contrato — Cade sugeriu. — Você ainda ganharia milhões, e eu tenho certeza de que seria menos estressante.

Seu maxilar trincou. Ele pegou a faca de *chef* com força e raspou em pedaços a segunda barra de chocolate em tão pouco tempo que era como assistir ao *O Homem de 6 Milhões de Dólares* cortando chocolate.

Seu estômago deu uma sacudida ao pensar no quanto ele havia se controlado ao ir devagar com ela um pouco antes. Outras partes do seu corpo também se sacudiram. Aquele homem fazia com que ela se derretesse toda.

— Exatamente quanto dinheiro devo pedir no processo para que você se arrependa de algo?

Cade pensou por um momento e disse: — Acho que alguns milhões provavelmente vão chamar a atenção da empresa. — Na realidade, qualquer processo era um problema em potencial para as relações públicas; sempre havia o risco de que a mídia pudesse se juntar ao queixoso e glorificá-lo.

— *L'attention de la compagnie, je m'en fous* — ele disse grosseiramente, e virou a faca para raspar as aparas de outra panela e colocá-las em banho-maria, numa boca de fogão ao lado do creme que estava vagarosamente macerando com a canela. O vapor soprava delicadamente. — Se você fizer qualquer coisa comigo, eu quero que você se arrependa pessoalmente.

Cade conseguia pensar em pelo menos dez maneiras de fazê-lo se arrepender de qualquer coisa imediatamente. Mas conseguiu parar de passar a lista de seus pontos fracos para ele. Uma coisa era ser uma camicase e outra bem diferente era cometer suicídio sem propósito.

Além do que, tinha uma forte suspeita de que ele estava descobrindo alguns dos pontos fracos dela por si mesmo. Na sua panela, as aparas de chocolate estavam derretendo sob um fogo muito fraco, ninguém mais percebia.

As aparas eram iguais a ela. Ele provavelmente não estava nem fazendo qualquer esforço.

— Não devo usar canela em nenhum produto Corey pelo resto da minha vida, ou o que você quer que eu prometa?

Ele mexeu o chocolate, parecendo irritado.

Pascal Guyot passou por ele para pegar baunilha em pau para todos os outros alunos que estavam no curso e dirigiu-lhe um olhar irônico. Sylvain ficou um pouco encabulado e se concentrou mais intensamente no chocolate.

— Ela me disse que o nome dela era Maggie Saunders — Pascal mencionou.

Cade se lembrou do cartão de crédito, e sentiu uma náusea repentina.

— Você sabe o que é estranho? — Sylvain perguntou, falando com ela e não com Pascal. — Eu achei que uma empresa do tamanho da Corey teria outras pessoas para fazer espionagem corporativa.

Eles tinham. E essas pessoas não faziam parte do quadro dos membros da família nem do de executivos. — Você assistiu a muitos filmes — Cade respondeu, dispensando-o. — Realmente somos uma família que se envolve nos negócios.

De qualquer forma, a parte sobre a família se envolver era verdadeira. Quem queria ficar sem tocar no chocolate? Quem ia querer pagar alguém para aprender todos os segredos de um dos melhores *chocolatiers* parisienses?

Pascal balançou a cabeça com um último olhar seco para Sylvain que o ignorou e continuou com os outros alunos distribuindo baunilha em pau conforme se aproximava deles.

— Achei que essa oficina estivesse lotada seis meses atrás — Sylvain disse. — Normalmente isso acontece. Você se inscreveu com um nome falso antes mesmo de me fazer a sua proposta?

Se ele a pegasse mentindo, ela sabia muito bem que não ignoraria isso. Mas provavelmente ele não lidava com o processo de registro dos cursos, certo? Isso seria um desperdício do talento do chocolate. — Não, foi um impulso. Deve ter havido um cancelamento de última hora.

Ela se perguntou se seria moralmente correto sair de fininho e cancelar o cartão de crédito, agora. A hipótese de Cade ser Maggie Saunders acabou durando somente cinco minutos.

Mas, se ela saísse de fininho, será que conseguiria voltar?

Exatamente quanto estaria disposta a pagar para aprender como macerar o creme e derreter o chocolate, duas coisas que já sabia perfeitamente como fazer? O curso de curta duração para turistas era bom e foi muita generosidade dele não a expulsar de lá. Mas não era o curso de imersão no mundo das melhores *chocolatiers* parisienses que ela queria.

Sylvain Marquis se inclinou sobre ela para verificar o creme e todos os pensamentos sobre o seu cartão de crédito saíram da sua mente. Ele pegou uma colher limpa e mergulhou-a no creme para experimentá-lo. Seus olhos se fecharam um pouco à medida que se concentrava no sabor, e ela o observava sem defesa, desejando saber o que ele saboreava.

Ele abriu seus olhos e sorriu para ela, então mergulhou outra colher dentro da infusão e ofereceu um pouco do creme para ela. — O que você acha?

Tinha um gosto doce e forte de canela. A boca dele devia estar com sabor de canela. À medida que o observava, ela se sentia como o creme que, vagarosamente, se fundia ao calor e ao sabor que ele desejava.

Ela tentou fazer um comentário coerente e disse: — Muita canela?

— O chocolate vai predominar — ele disse. — Eu não tenho trabalhado muito com canela recentemente, então isto é uma experiência. Vamos ver no que vai dar.

— Por que você não trabalhou com canela recentemente? — Ela perguntou, enquanto ele tirava as canelas em pau do creme. Parecia uma combinação óbvia de sabor para ela.

— *C'est très datée* — respondeu, jogando as rebarbas dos chocolates dela no creme.

Cade evitou se contorcer. Sério? Será que a preferência dela era ultrapassada para aquele *chocolatier*? Isso explicaria o sorriso quando ele mencionou *la tradition*.

— *Et maintenant, fouettez* — ele colocou um robusto batedor na mão dela. — Segure firme, e bata até ficar duro — forçou um sorriso, mas não compartilhou o que pensara ao falar isso para ela.

Cade agarrou o cabo do batedor e deduziu que deveria bater o chocolate e o creme até obter um tom brilhante. — Você já enrijeceu chocolate com as mãos, *mademoiselle*?

Ela já o fizera algumas vezes nos cursos nos Estados Unidos, mas de uma maneira insatisfatória. Mas, se dissesse que sim, ele provavelmente não a ensinaria, ou pior, ele a deixaria fazer tudo sozinha, então preferiu balançar a cabeça negativamente.

— *Bon, d'abord, sur la table. Tenez* — ele colocou a mão dela no cabo da panela. — Despeje um terço do chocolate no mármore.

O chocolate foi derramado no mármore, quente, marrom e lustroso. Ele brilhava na luz e isso a fez pensar no brilho dos olhos dele.

— *Et maintenant nous le travaillons* — em uma das mãos ele segurou uma espátula de metal de uns oito centímetros de largura e na outra uma espátula de metal liso, mais larga e menor. Com habilidade ele começou a alisar, levantar e derramar o chocolate entre as duas lâminas.

Ele estava fazendo isso quando se encontraram pela primeira vez. E ela ficou fantasiando ser o chocolate que estava sendo alisado no mármore dele. Ela o encarou indefesa.

— Você viu? Agora tente — ele colocou as espátulas nas mãos dela, e seus dedos se roçaram novamente.

Ela pensou que podia imitar seus gestos razoavelmente, apesar de ser desajeitada.

Ele riu. — *Ecore une fois* — ele se mexeu atrás dela para que o corpo musculoso e insinuante rodeasse o dela, tocando as suas costas por inteiro. Ela sentiu a respiração dele agitando o seu cabelo no topo da cabeça e não conseguiu mais pensar.

Ele fechou as mãos ao redor das dela para segurar as espátulas. Por um segundo, enquanto ele tentava guiar suas mãos para fazer os gestos certos, ela perdeu o controle e seus gestos desajeitados se misturaram.

— Relaxe — ele murmurou no seu ouvido. — Deixe-me assumir o controle.

Se ela relaxasse perderia completamente a força dos seus músculos, e ele teria de pegá-la e levá-la direto para a cama. Ou esticá-la na bancada e fazer com que os outros alunos saíssem da sala.

O corpo dele estava tão quente atrás do dela. O antebraço dele no dela era tão firme, forte e perfeito para a tarefa que executava. Do outro lado da bancada de mármore estava uma japonesa que estreitou os olhos para ela, morrendo de ciúmes.

— *Et puis touchez* — ele respirou perto do seu ouvido. — Toque com o dorso da sua mão. Você não pode sentir nem o calor nem o frio. Deve ter exatamente a mesma temperatura da sua pele. Deve ser... Exatamente compatível com você. — Ele mergulhou a articulação do dedo mínimo no chocolate e ela fez o mesmo. — Você pode sentir?

Ela não tinha certeza de que a temperatura do seu corpo era um indicador confiável para medir a temperatura do chocolate. Estava muito quente.

Ele não estava? Será que ele estava tão indiferente?

— Quanto tempo levou para você aprender a fazer isso? — O francês que estava fazendo o curso perguntou do outro lado da bancada de mármore.

Sylvain facilmente se virou para ele e respondeu. Parecia que não fazia nenhum esforço para sair de perto dela.

Cade desejou que eles estivessem sozinhos. Não somente porque ela não queria ser mais uma turista no meio daquele grupo, mas também porque ela não o deixaria escapar tão facilmente se estivessem sozinhos. Ela ia ceder de uma maneira ou de outra, agarrando-o ou atirando uma tigela de creme na cabeça dele, desafiando-o a parar de *brincar* com ela.

Ele estava brincando com ela, não estava?

Como se tivesse levado um banho de água fria, ocorreu-lhe que talvez ele não estivesse tentando enlouquecê-la. Talvez o jeito dele fosse o de deixar as mulheres se apaixonarem.

Era bom que não estivessem sozinhos, Sylvain pensou. Ele não tinha certeza de que, se eles não estivessem sendo observados, ele não cederia e forçaria a barra cedo demais. Aprendeu a ter paciência da maneira mais difícil, quando era adolescente, pagando o preço quando perdia o controle, e o troco aparecia quando uma menina bonita ficava hipnotizada pelo chocolate.

Ele crescera sozinho. Os jornalistas gostavam de dizer que ele era *beau*[11] e até Chantal insistia ser verdade, ultimamente, então talvez fosse mesmo. Mas, na realidade, ele não sabia como atrair uma mulher sem o chocolate.

Ce n'était pas grave. O chocolate provou ser maravilhosamente eficaz. Sua eficácia agora o deixava louco. A rainha de tudo que o dinheiro pode comprar, tão pequena, arrogante e intensa, afogada em um jaleco emprestado, estava deixando que ele ficasse tão perto enquanto demonstrava como enrijecer o chocolate. Ela estava provando dos dedos dele, da colher que ele segurava. Testando o calor do chocolate. Enrubescendo. Ela enrubescia facilmente.

Dinheiro não pode comprar isso, ele pensou, e era totalmente verdade. Ele sempre se sentiu atraído por mulheres ricas, elegantes e confiantes ao mesmo tempo. Até no colegial, quando nem pensava atraí-las, antes de aprender sobre chocolates, essas eram as mulheres que o atraíam. Então, ele estava deixando o dinheiro dela comprá-lo?

11. Bonito. (N.T.)

Ela entrara no seu *laboratoire* tão confiante de que poderia comprá-lo e produzi-lo numa fábrica e ele a colocara no seu lugar oportunamente.

Mas lá estava ele, depois de dois dias, permitindo que ela se infiltrasse em seu curso. Deixando que ela participasse ativamente das aulas.

Muito ativamente. Ele estava se reduzindo a uma só parte de puro desejo. Felizmente o jaleco podia esconder muito.

Por que ela estava fazendo aquilo? Ele se perguntou subitamente. Por que ela não colocou limites, exigiu o próprio espaço? Ela estava deixando que ele se safasse.

Ela não parecia ser o tipo de pessoa que deixa os outros dominarem-na com facilidade.

Será que ela o estava manipulando de fato? Ele pensava, conforme mostrava a ela como se usa uma faca para cortar o chocolate em pequenos pedaços. Será que estava sendo muito idiota?

Ele tinha a tendência a vivenciar isso com mulheres do tipo da Cade Corey por um tempo. Achou que tivesse superado essa fase, mas na noite anterior, Chantal deixara bem claro que ele estava bancando o tolo novamente. Ele se lembrou do olhar carinhoso e piedoso que ela lhe deu, do aceno de cabeça em advertência.

Ele recuou. Cade Corey nem se importava em saber onde ele morava, somente onde era o seu curso. Ela mesma dissera isso.

Ele já tivera várias experiências em que fora usado. E sabia que as mulheres que agiam assim raramente percebiam o que estavam fazendo.

Então, se Cade Corey estava agindo assim de propósito, isso era de alguma maneira revigorante.

Mesmo assim não era desculpa para agir como um idiota.

Um adolescente romântico, perdido, magro e alto podia ser desculpado por ser um idiota. Ele aprendeu que, seduzindo com chocolates, as meninas mais bonitas e elegantes olhariam para ele por algum tempo.

Até alguém em seus 20 e poucos anos poderia ser desculpado por ser um idiota quando, de repente, passa a atrair mulheres a torto e a direito. Levaram alguns anos para ele se ajustar a isso e outros anos para não ficar com o coração partido repetidas vezes à medida que aprendia que não era porque uma mulher brilhava à distância que ela seria boa e que ele poderia tocá-la.

Muitas dessas mulheres, que pareciam bonitas e elegantes se arrependiam de ainda serem casadas e não mencionavam o fato; outras não eram capazes de pensar em ninguém, ou em nada, além delas próprias; algumas precisavam de carinho e ele se sentia como se tivesse sendo sugado para um buraco negro. Em resumo, não era porque, agora, uma mulher se apaixonava por ele facilmente que elas não o estavam usando.

Somente nos últimos dois anos atingira certo nível de inteligência em seus relacionamentos, certo equilíbrio que não tinha antes. Parou de se apaixonar por tudo que brilha, parou de entregar o próprio coração numa bandeja de prata. Aprendeu que, se quisesse achar um tesouro, teria de caçá-lo e ser muito cuidadoso ao fazê-lo.

Entretanto, detestava ser tão cuidadoso. Não era da sua natureza. Ele queria achar a pessoa certa e dar a ela seu coração, sua cabeça, seu corpo. Ele queria chegar ao apartamento e sentir o cheiro dela, cozinhar com ela, e queria ter filhos com o passar do tempo, filhos que iriam acordá-los a cada duas horas e deixar os brinquedos espalhados para ele tropeçar.

Ele queria um prêmio verdadeiro.

E ele se apaixonaria por uma mulher bilionária que não fez questão de esconder o fato que ela queria comprar não só a ele, mas também tudo o que ele conseguiu na vida?

A classe faria um intervalo para o almoço. Ele cheirou mais uma vez o cabelo dela e então fez o que considerou ser o mais difícil desde que abriu a própria *chocolaterie*, anos atrás. Afastou-se dela.

Ele não sabia se havia feito isso para se salvar — idiota — ou para puni-la por estar interessada exclusivamente no chocolate dele e não nele, mas, mesmo assim, conseguiu sorrir para ela. — *Merci, mademoiselle* Corey por participar da nossa aula hoje de manhã. Temo que não será possível que participe da aula da tarde, uma vez que vamos falar sobre assuntos que não queremos dividir com um público grande.

Ela olhou para ele como se tivesse levado um soco. Ou pior, como se ele tivesse tirado a sua roupa para seduzi-la e depois sorrido forçadamente e girado seu corpo para ver milhares de pares de olhos a ridicularizando.

Ela o encarou, mas algo estava crescendo dentro dela com uma força poderosa. O pulso dele acelerou à medida que se preparava para alguma coisa, qualquer coisa...

Virou-se abruptamente e se encaminhou em direção à entrada. Sem uma palavra. Sem deixá-lo descobrir o que era aquela força que crescia dentro dela.

Ele a seguiu, na esperança que ela *dissesse* uma palavra. Ele já estava ficando contrariado: não queria que ela *partisse*.

Ele só pensou que seria melhor para ele se ela fosse embora.

— Acredito que você ainda esteja usando o nosso jaleco, *mademoiselle* — ele mencionou assim que ela alcançou a maçaneta, tentando fazer com que ela falasse a palavra que ele tanto queria escutar.

Ela enrubesceu mais, seu maxilar estava tenso demais para se manter fechado. As mãos tremiam tanto nos botões que não conseguia desabotoá-los.

— *Tenez* — ele disse, perturbado, erguendo as mãos. Ele *era* um idiota. Havia mais de uma maneira de ser idiota, e ele acabara de provar isso. Era como se ele tivesse tirado o próprio nariz só para humilhar o próprio rosto.

— Posso ajudá-la?

— Não. Toque. Em. Mim — tanta raiva emanava da sua voz que ele abaixou as mãos; aquele adolescente de 14 anos que existia nele sabia que as meninas boazinhas não gostavam de ser tocadas.

Então ele ficou parado enquanto ela, que estava com o rosto vermelho de raiva, brigava com os botões e tirava a vestimenta lentamente sob os olhares observadores de todos. Ele se perguntou por que ela não destruía a roupa — rasgava, estourava os botões, e a deixava cair no chão e, talvez, deixasse cair algumas notas em cima para cobrir as despesas por ter danificado a roupa. Parecia ser algo que uma americana bilionária faria.

Por fim, ela conseguiu tirá-la e mostrou o ridículo e enorme moletom que estava usando. Ele começou a sorrir apesar de tudo. — O que você está vestindo? Você veio para o meu curso usando pijama? *Americanas.* Elas têm todo o dinheiro do mundo, mas não têm um pingo de bom gosto.

Ela lhe lançou um olhar como se o tivesse estapeado, jogou o jaleco nele e saiu batendo os pés.

Ele ficou parado segurando a roupa, olhando para ela. Ele acabou de deixar a covardia fazer dele um *imbécile*. Não se pode fingir rubores.

Além do mais, não a ter por perto para enfurecê-la, quando ele sabia que podia tê-la, arruinou o resto de seu dia.

E ele só tinha o telefone da secretária dela. E se ela não voltasse?

Capítulo 9

Cade decidiu que era tudo culpa dele, e quando o constrangimento e algo bem perto de um coração partido foram diminuindo, ela pode nutrir um sentimento de vingança que estava tomando lugar. Ele não poderia culpar ninguém a não ser a ele mesmo.

No mercado central Halles, pombos, turistas, amantes e várias pessoas de má reputação se reuniam ao redor da grande torre de uma fonte que jorrava e caía em uma piscina larga. A maioria das lojas estava fechada, pois era domingo, fazendo a área parecer mais feia do que era nos dias de semana. Vários homens começaram a fazer comentários cruéis conforme ela se aproximava. Cade os ignorou enquanto tentava achar a loja que havia procurado no Google antes. Estava aliviada ao descobrir que o proprietário, conforme anunciado, se beneficiara do afrouxamento das restrições da abertura de lojas aos domingos, e entrou um pouco antes que seus perseguidores pudessem encontrar energia para se levantar e ir atrás dela.

Dentro, havia uma grande quantidade de artigos eletrônicos em exibição nas paredes e nas prateleiras.

— Preciso comprar lentes idênticas — disse Cade, confiante que alguém poderia dizer algo assim numa língua estrangeira. Isso era o que dizia no dicionário. — Lentes femininas — ela se corrigiu. A princípio lentes masculinas não significavam binóculos.

— *Bien sûr* — disse o vendedor, indo até uma prateleira de binóculos. — Que tipo de binóculo você quer?

— O menor e mais poderoso que você tiver — ela disse. Espere! Quanto tempo ela queria ficar parada, encarando a porta de Sylvain? Até a porta dele iria parecer presunçosa e triunfante pelo binóculo. — E uma câmera — dessa maneira, poderia gravar o painel de segurança sem passar o dia todo obcecada por Sylvain Marquis e poderia rebobiná-la quantas vezes fosse necessário para obter o código exato.

— Com um bom... — Agora como se fala *zoom*?

Meia hora depois, ela estava na janela do seu apartamento tentando achar um jeito de colocar a câmera numa boa posição, posicionando o *zoom* para que se pudesse ler com exatidão o painel de segurança, e não ser tão óbvio para quem passasse na rua.

O telefone tocou. — Então, como estão as coisas por aí? —O pai perguntou.

— Ah... ótimas — Cade escondeu a câmera de espionagem atrás das costas como se ele pudesse ver pelo telefone.

— Verdade? Você encontrou um bom parceiro para a sua linha de produto?

— Falei com várias possibilidades — Cade disse. — Mas ainda não cheguei a uma conclusão. Quero que seja perfeito, pai.

— Sim... Sim. Agora, não prometa para qualquer um mundos e fundos, querida. Você sabe que teremos de fazer um teste de mercado primeiro. Estamos no ramo do chocolate popular há muito tempo. Não sei como uma mudança para o *gourmet* parisiense será recebida.

— Mas mesmo o chocolate popular não merece também algumas opções *gourmet*? — Ela disse com certa teimosia.

— Talvez. Não estou dizendo que não vai funcionar. Mas estou começando a pensar se não vamos precisar de nossas reservas para outras coisas.

O coração de Cade apertou fundo. Ela pressionou a testa contra a janela gelada, olhando distraidamente para a rua onde as pessoas se recusavam a tocar o código da porta de Sylvain para que ela pudesse filmar.

Ela passara anos cultivando aquela chance, planejando a oportunidade para desenvolver aquela linha. Paris parecia estar fora do alcance, como se aquela janela fosse de vidros indestrutíveis. — Você está em dúvida?

Merde, o que importava uma vez que ela não conseguia convencer um simples *chocolatier* a, pelo menos, escutá-la?

— Querida, a questão é que sei que já conversamos sobre isso antes. Se quisermos fortalecer nossa relação com a Europa, a melhor maneira é comprar outra empresa como a Valrhona ou algo assim, e não criar uma nova linha. E se quisermos aumentar nossas vendas no mercado de chocolate de primeira linha nos Estados Unidos, não precisamos de um nome parisiense para isso. Só precisamos de um bom marketing e talvez algumas palavras pomposas em francês, mas algo que as pessoas possam reconhecer, como *Chocolat*. Você sabe disso.

Mas nenhuma daquelas soluções a levou para fora das portas da fábrica Corey. Nenhuma permitiu que ela vivesse e respirasse Paris, com toda a chuva e o frio e a ruas de paralelepípedos, os cocôs de cachorro nas calçadas e a elegância impossível nas vitrines das lojas, além da tensa e rica cultura, e o luxo do cheiro de pão quente em todas as ruas.

Nenhuma permitiu que ela ficasse no meio do *laboratoire* fazendo chocolate com aromas de toda parte do mundo. Fazendo com as próprias mãos. Melhor, observando Sylvain Marquis fazê-lo e saboreando o que ele fez.

— Pai, você não concordou com isso? — Ela continuou olhando para fora da janela, sentindo-se como um abutre que estava muito faminto para piscar, pois o coelho podia fugir.

— Você quer isso há tanto tempo, querida.

Então o que ela estava fazendo? Se ele pensava que aquilo não era um bom negócio, o que importava se ela o quisesse.

— Falando em chocolate popular, diga-me, é normal que você tenha gastado 15 mil dólares em roupas hoje? Sua assistente disse que a empresa de cartão de crédito ligou para checar.

O que a sua assistente estava fazendo, falando de seus gastos pessoais com o seu pai? Quinze mil dólares? Maggie Saunders não estava brincando quando falou em Christian Dior.

— Ela pediu a eles para cancelarem a compra por acaso?

— Não, ela disse que era verdade que você estava em Paris.

Droga.

— Mas eu disse que ia checar, pois achei que você estaria ocupada trabalhando e não fazendo compras.

— Eu tive um intervalo — ela mentiu. Melhor fazer compras do que ser pega mentindo ao subornar as pessoas para entrar no curso. Se o seu pai soubesse como era pequena a chance de se fazer a linha *gourmet*, ele com certeza a ajudaria. — Isso é Paris, pai. Eu tenho de fazer compras enquanto estou aqui.

— Ah! Acho que nunca se sabe como uma cidade pode afetar as pessoas — ele disse prudentemente.

Alguém se aproximou da porta de trás do *laboratoire*. — Desculpe-me pai, tenho de ir — ela desligou o telefone e agarrou a câmera.

As pessoas não entravam naquele *laboratoire* com tanta frequência à tarde, foi a conclusão a que chegou depois de uma hora entediante. E conseguir pegar o código de entrada no segundo que levava para a pessoa digitá-lo, enquanto ombros e braços bloqueavam a visão, era muito mais difícil do que esperava. Talvez ela precisasse pôr em prática o plano de não ficar obcecada pela presunçosa porta de Sylvain o dia inteiro e deixar a câmera para ir trabalhar.

Ficou tensa. Reconheceu a pessoa que se aproximou das vidraças de vidro da loja e agora estava espreitando. A calça roxa se foi, mas o conjunto vinho emplumado chamava a atenção por si só.

Ela manteve a câmera no tripé, fixada no painel de segurança, gravando, caso alguém com o código acabasse passando, mas saiu correndo do apartamento e desceu as escadas voando.

Cinco lances de escada de aproximadamente dois centímetros e meio de profundidade. De salto. Tinha certeza de que estava viva no fim da escada porque Deus estava do lado da fábrica Corey naquela batalha.

— Só vim buscar o meu passaporte — Maggie Saunders disse com a voz esganiçada. O cinto ao redor da cintura era largo, de couro e tinha o clássico D da Dior na fivela. Parecia feito de platina, ou não?

— Quinze mil dólares? — Cade disse. — Você não teve nenhum escrúpulo ao cobrar essa quantia no meu cartão de crédito para cobrir um dia de curso que custa 2 mil dólares?

Maggie deu de ombros e tirou o cartão de crédito da Cade da bolsa. — Você queria ser eu por um dia. Eu não vejo por que eu não poderia ser você. Você não teria nenhum escrúpulo para comprar o que quisesse.

— Eu não sou Paris Hilton — Cade disse, apanhando o cartão de volta. Ela a conhecia, mas não tinham nada em comum além do dinheiro. O que não era um denominador comum como algumas pessoas podiam pensar. — E 15 mil dólares é muito por um curso de chocolate.

— Acho que o seu relógio deve ter custado mais do que isso — Maggie olhou para a pulseira de couro e para o relógio cravejado de diamantes. — A taxa de câmbio não é tão boa, você sabe. Mas eu o comprei no fim do dia. Ainda não deve ter aparecido no seu cartão.

Cade a olhou. E pensar que ela não bloqueou o cartão por uma questão moral sobre quebrar a promessa em uma barganha. — E você acha que foi uma troca justa?

Maggie deu de ombros novamente, parecendo muito feliz. — Você tem dinheiro. Eu tive a ideia de me inscrever no curso quando abriram as vagas. Você concordou com a troca.

Cade cerrou os dentes. — Eu não consegui ficar no curso o dia inteiro. E nem posso ficar com o seu lugar. Você pode voltar amanhã — amanhã, o *laboratoire* estaria em pleno andamento de novo e todos os participantes poderiam assistir ao curso. Menos ela. Sylvain Marquis a expulsara do curso.

— Verdade? — Maggie disse. — Quer saber? Eu estava tão pra baixo desde que meu marido me abandonou... Mas *sabia* que vir para Paris era a coisa certa a fazer. *Achei* que Deus estava me dizendo para vir para cá. Meu pastor não tinha certeza, mas eu sentia que sim. E Deus me mandou você.

Engraçado, toda vez que alguém agradecia a Deus por ela era porque havia recebido uma grande soma de dinheiro dela. Normalmente, é claro, essa grande quantia vinha de uma caridade significativa. Contudo, um pouco do seu aborrecimento começou a se esvair, pois, e se Deus a houvesse mandado para ajudar aquela mulher de calça roxa a encontrar um caminho na vida? E se seu próprio desejo de aprender como fazer o chocolate parisiense fosse para colocá-la no caminho para ajudar aquela mulher?

Isso não seria abominável?

— Aliás, você é tão boa quanto pensão alimentícia! — Maggie Saunders disse satisfeita.

— Ah, por... — Cade girou nos calcanhares e se dirigiu de volta ao seu prédio. *Pelo menos você fez uma boa ação, mesmo que tenha custado perto de 20 mil dólares,* ela disse a si mesma. *Você ajudou uma pessoa a se recuperar do divórcio.*

— De nada! — Maggie gritou atrás dela.

Cade privou-se de bater a cabeça contra algo e deixou a porta bater atrás dela ao voltar mancando pelas escadas. Os joelhos doíam depois do *slalom* ao descer correndo para pegar o cartão.

Sylvain Marquis tinha muito de responder para ela. Aquilo era, de fato, culpa dele.

— Trinta mil dólares? — Cade disse ao telefone, mantendo um olho na porta do *laboratoire* do outro da rua conforme falava. — Você tem 30 mil dólares cobrados no meu cartão de crédito em uma manhã, e não passou pela sua cabeça bloquear a cobrança?

— Mas, senhorita Corey, nós sabíamos que estava em Paris! É claro que iria gastar na Dior e na Hermès.

É claro. Cade se perguntou se era normal. Ou se alguém da sua família era. Ela realmente queria acabar fazendo toda a Faubourg Saint-Homoré um dia. Só não havia conseguido ainda. — Eu *alguma vez já* gastei 30 mil dólares em uma manhã?

Uma mulher loira caminhava pela rua — não era a namorada de Sylvain da outra noite? Cade sentiu um nó no estômago de esperança e relutância. Será que ela tinha o código?

— Não, mas você está em Paris — a mulher disse, com saudosismo na voz.

O mesmo saudosismo que Cade sempre sentiu. Paris, o símbolo universal de uma vida mais romântica.

— Você recusa a cobrança? — A mulher perguntou, tão educadamente como se aquilo não fosse causar uma dor de cabeça para todos eles ali.

Cade suspirou e disse: — Eu irei aceitá-la. Alguém que conheço pegou o meu cartão.

Um silêncio neutro sugeriu que os amigos dos ricos eram realmente algo de outro mundo.

— Mas você pode bloquear esse cartão e enviar-me outro?

— Claro — a mulher disse profissionalmente com um tom de alívio por saber que não teria de recusar a cobrança de 30 mil dólares por alguém que a empresa odiaria ofender. — O cartão estará aí amanhã de manhã.

— Ótimo — Cade desligou o telefone e pegou o binóculo.

A loira Chantal parou em frente à porta do *laboratoire*. Cade se preparou para não deixar o binóculo cair conforme a resposta ficou óbvia: Chantal realmente tinha o código.

Uma *parisienne* perfeita, bonita e elegante, que sabia como abrir a porta do covil do feiticeiro.

Sylvain Marquis brincou com Cade.

Ou pior, ele nem tinha consciência do efeito que causava nela.

Capítulo 10

Lá fora, Paris vestia a escuridão da mesma maneira como as mulheres se vestiam: com entusiasmo! Um vestido preto deslizando sobre a pele, com algo brilhante no tecido. Paris colocava meias pretas em suas linhas elegantes, e botas pretas de salto alto para fazer barulho na calçada. Prédios iluminavam-se como se fossem joias — um brinco aqui, uma pulseira acolá, e uma luz difusa na pele, com uma camada de brilho.

Cade estava na janela, observando o brilho e a noite promissora por aquela janela amaldiçoada. Ficou observando até se cansar, até que as joias parassem de brilhar e fossem colocadas descuidadamente no criado mudo — as luzes nos apartamentos estivessem se apagando, os saltos sendo despidos e os pés cansados, colocados embaixo das cobertas.

Observou até que somente os postes brilhassem nas ruas e o último insone apagasse a luz. Os carros pararam de circular pelas ruas muito tempo depois de a última pessoa ter passado a pé. Uma pessoa tropeçou de tão bêbada e então a rua ficou quieta. A solidão tomou conta dela, quanto mais tarde ficava, menor era a coragem de sair à noite.

Ali estava ela passando outra noite na romântica cidade de Paris sozinha, dessa vez em seu quarto, muito intimidada para jantar sozinha em um restaurante novamente ou andar embaixo da Torre Eiffel à meia-noite.

Ali estava ela, com medo de sair na noite parisiense e pegar o que queria.

Abraçou-se à medida que olhava a rua pela janela, muito frustrada com ela mesma por estar sentada sozinha e sem fazer nada em Paris, que...

Ela se levantou e se dirigiu ao elevador.

A cópia que fez da chave servia para abrir a porta do *laboratoire* de Sylvain. Tentou o código quatro vezes até acertá-lo, pelo que pode detectar da câmera e do binóculo, mas teve sorte na quarta tentativa.

Hesitou por um momento, e quando a porta se abriu um pouco ela se perguntou se era louca o suficiente para fazer isso. Podia sentir a adrenalina correr por seu corpo. O peito estava apertado.

A escuridão dentro do *laboratoire* a chamava com todas as suas possibilidades. Ao respirar, de maneira curta, pôde sentir o cheiro de chocolate pelo vão da porta.

Entrou e fechou a porta atrás dela.

Dentro do *laboratoire*, havia silêncio. Seu coração batia muito acelerado, teve de apertar as mãos contra o estômago e forçar respirações profundas. Não seria uma boa ideia desmaiar naquele momento, bater a cabeça na mesa e ser descoberta ao amanhecer. E seria realmente uma má hora para morrer por causa de uma queda, sem falar no escândalo que isso causaria.

O chocolate inundava seu corpo a cada respiração, tão fortemente que parecia que havia usado alguma droga. Uma droga na qual era viciada desde que estava no útero de sua mãe: teobromina. Um antidepressivo natural.

Era verdade que, de acordo com o pai dela, a mãe teve de passar a maior parte da gravidez na casa de praia, porque o cheiro doce e acre do cacau no ar da fábrica Corey a enjoava. Era estranho, pois Cade amou chocolate desde a primeira vez que respirou seu aroma. As três primeiras palavras que escreveu foram: Cade, Corey e chocolate. Seu pai colocou numa moldura as primeiras folhas de papel que ela havia escrito e as pendurou no escritório.

Ela se perguntou quanto tempo levaria para ver o pai novamente, caso fosse presa por invasão de domicílio.

Apertou as mãos com força sobre o estômago e lembrou Sylvain Marquis de que tudo aquilo era culpa dele.

Lembrou-se dele em pensamento, é claro. Certamente a presença física dele naquele momento seria muito azar. Prisões francesas. Ela realmente não queria acabar numa prisão francesa.

Além do que, a presença física dele fazia com que ficasse sem graça. No momento em que ela chegava perto dele, esquecia-se de tudo e parecia uma tonta. Ela *corava*. E era humilhada. Estava cansada de ser reduzida a uma bárbara desamparada americana que precisava de um pouco de civilização francesa.

Não, ele era muito mais obediente em sua cabeça. E também era bem provável que ele não a colocasse na cadeia.

Na cabeça dela, como que para desaprovar o fato de torná-lo obediente, ele zombava dela com sua boca sexy e sutil. E não fazia isso de maneira dramática, ridicularizando-a.

Não, somente a olhava da cabeça aos pés, com um aperto pequeno de canto do olho de chocolate e de canto da boca. Ele tinha a capacidade de tornar a existência dela inútil.

A maneira como ele a tinha expulsado do curso, por exemplo. Como se toda a manhã roçando nela, colocando chocolate em seus lábios, *não tivesse tido importância nenhuma*. Isso era o que mais a enfurecia sobre a zombaria: como era sutil. Como era calmo. Nem paixão ela inspirava perto do desdém dele.

Rejeição completa, ele colocou um daqueles cachos de cabelo sedosos e pretos atrás da orelha e se concentrou no delicioso e submisso chocolate novamente, deixando de lado o fato de que havia destruído seu mundo.

Empenhou-se em fazer com que ele deixasse um rastro imaginário de chocolate em seu rosto enquanto ajeitava o cabelo.

Mas faltava algo em sua vingança imaginária. Ela não parava de querer limpar o chocolate. E então lamber os dedos.

Pegou-se, na verdade, lambendo os próprios dedos. Piscou fundo, e os tirou da boca, limpando-os no jeans ao olhar ao redor.

Colocou a chave original no jaleco que havia emprestado antes, e que ainda estava pendurado no cabide, e entrou, com a cópia da chave no bolso de trás.

No centro do *laboratoire*, conseguiu esquecer Sylvain Marquis. Não, não era verdade. Era impossível esquecê-lo quando estava se derretendo toda por ele. Vamos dizer que ele recuou como um feiticeiro recua nas sombras das profundezas de sua mente, seus olhos brilhavam de vez em quando para mostrar que ele ainda estava ali, o fabricante de tudo aquilo ainda estava de frente para ela.

Tudo aquilo a rodeava. Como magia num conto de fadas antigo, ele deixou ali o próprio coração e ela abriu a porta e entrou.

Por toda a sua vida fora rodeada por chocolate, e até pisar no curso de Sylvain Marquis, nunca tinha visto nada parecido.

Aquele lugar era exatamente como o mundo deveria ser, e a fez querer aquela realidade. Seu coração começou a bater com dificuldade e foi até a boca, e parte dele queria jorrar como lágrimas por seus olhos. Sentiu-se como uma criança que sonhou com maravilhas, mas nunca as viu e, de súbito, estava no meio da floresta encantada.

No fundo das prateleiras marrons, e das sombras pretas, e do brilhante mármore preto, caldeirões foram estocados — chaleiras estavam limpas para o dia seguinte. A magia daquele dia havia terminado e estava empilhada em caixas e caixas de chocolate na mesa. Amanhã, seriam colocadas nas vitrines ou enviadas, depois de resfriadas, para fazer parte da vida luxuosa de alguém, compondo uma refeição ou duas.

Dirigiu-se para as prateleiras de extratos. Os conteúdos estavam um pouco mais claros naquela noite do que à distância em que fora forçada a manter durante o curso. A escuridão a impedia de ver os rótulos. Passou o polegar por um deles, apertando os olhos para poder enxergar a palavra *citron* na luz fraca que vinha do lado de fora. Quando abriu o pote, era como se o próprio limão tivesse escapado da garrafa, o aroma inundava a sala escura, dominando, por um segundo, até o cheiro do chocolate. Ela o tampou, mas, no processo, uma gota caiu em seu polegar e ela a manteve à medida que andava pelas prateleiras.

Foi pelo aroma, pois parecia ser mais fácil do que tentar ler as palavras. Sacudiu ligeiramente outro pote, que exalou um aroma picante. Tocou as conhecidas bolas pequenas de pimenta. Outro pote a intrigou, por um momento, pelo aroma de licor. Rastreou estrelas ásperas... Anis estrelado. Baunilha era fácil. Pegou uma baunilha em pau, porque não resistiu, e correu o dedo pelo brilhante e enrugado pau da baunilha, deliciando-se com o aroma. TAITI indicava a caixa do *chef*, escrito em negrito tão forte que era possível identificar mesmo no escuro.

Seguindo o rastro de baunilha e limão, ela mergulhou a mão no enorme saco de estopa escrito IRÃ. A harmonia deslizava por sua mão, dando-lhe um curioso prazer de texturas. Pistaches. Fechou a mão ao redor de alguns e conforme ia tirando a mão comia-os, capturando o sabor não torrado da mesma maneira que fez com o limão e a baunilha na sua pele.

PÉRIGORD[12] dizia a caixa cheia de amêndoas. Comeu uma delas também, enchendo a mão, deixando-as escorregarem da palma da mão para a caixa.

Ao redor, o feiticeiro espreitava, em cada sombra escura. Ele não estava lá, é claro. A lógica lhe disse que ele estava em casa dormindo ou talvez acordado com Chantal — ela se encolheu ao pensar nisso. Mas a lógica tinha pouco a ver com o que sentia por ele. Ele estava ali. Ela sentia a presença

12. Condado que se situa na região de Dordonha na França. (N.T.)

dele ali. Observando-a explorar o seu covil, com os olhos brilhando nas sombras.

Ela desviou-se do olhar dele e olhou para a geladeira, onde encontrou muitas variedades de creme, *crème fraîche, crème fleurette,* alguns em embalagem tetra pak, outros em garrafas de vidro, como se tivessem vindo da fazenda particular de alguém. Queria despejar o conteúdo das embalagens nos caldeirões, jogar algo de dentro da garrafa marrom e ver que faísca poderia reproduzir, que magia poderia criar. Levantou a cabeça, quase esperando ver Sylvain Marquis parado na porta, observando-a.

Não. Ninguém. Mas o tremor da expectativa e a dose de adrenalina permaneceram com ela.

Uma enorme quantidade de manteiga estava ao lado do creme, a embalagem marcava em francês algo que ela não reconhecia. Mesmo a manteiga dele vinha de um pequeno laticínio cuidadosamente escolhido. Era bem provável que ele pudesse sentir a diferença de sabor do pasto em que as vacas haviam comido e pedir de acordo com o que achasse mais adequado.

Ela foi de uma mesa para a outra, sentindo que o feitiço do feiticeiro a perseguia, suas garras quase alcançavam seus tornozelos. Ia alcançá-la e atraí-la para suas garras, e quem sabe o que faria com ela.

Foi para a outra mesa tentando tirá-lo da cabeça enquanto, estupidamente sentia-se cada vez mais profundamente presa a ele. Reconheceu a temperatura em sua pele como um andarilho reconhece a própria casa, a mesma temperatura e os mesmos aromas das grandes salas de armazenamento da fábrica — 12 °C, a temperatura da adega de vinho, a temperatura perfeita para armazenar chocolate.

Ali, tudo era grandioso. Pegou uma pequena lanterna, o feixe de luz desde o chocolate branco, ao chocolate leite e amargo. Caixas de *pistoles* estavam empilhadas ali. Pegou um aleatoriamente e o provou — chocolate tão amargo que a fez salivar.

O que será que Sylvain Marquis faria com o amargor amanhã? No que ele iria transformar aquele chocolate, e como o gosto dele na sua boca poderia fazer o corpo dela derreter?

Ela se moveu mais para o fundo da mesa e parou: todos os pelos do corpo estavam arrepiados de prazer. Ali estavam os produtos que foram usados no fim da tarde — fileiras e fileiras de moldes de chocolate, deixados para resfriar a uma temperatura de 17 °C. Amanhã, sairiam com uma perfeição requintada, colocados um a um em caixas por mãos enluvadas, e seriam vendidos por 120 dólares o quilo. Ela havia acabado de esticar a mão para pegar um quando o telefone tocou.

Quase desmaiou. Olhou ao redor freneticamente, meio que esperando alguém algemá-la *in loco*. O feiticeiro recuou, indignado.

— Pai! — Ela sibilou. — O que foi? Já passou da meia-noite!

— Nunca acerto o fuso horário — o pai falou com pesar. — E cá estou eu pensando que era um pouco depois do meio-dia, ai. Eu a acordei, querida?

— Não, eu... — ela interrompeu, percebendo que seria mais fácil dizer que sim.

— Verdade? O que você tem feito? Não está trabalhando até tão tarde, espero. Ou você foi jantar fora? Você já entrou em contato com Claude de Saint-Léger?

Cade olhou ao redor da oficina. — Eu, hum... Na realidade...

Pena que não era o avô no telefone. Vovô Jack ficaria encantado. Ele provavelmente alugaria um avião e voaria para Paris para se unir a ela. O pai levava o fardo de ser o presidente de uma das principais empresas americanas muito a sério e tendia a ser mais relutante em relação ao crime corporativo, pelo menos em relação ao que poderia levar à prisão e trazer publicidade ruim para os negócios. Um marketing desonesto contra a fábrica de chocolate Mars era uma história totalmente diferente.

— Verdade? Você ainda está acordada, trabalhando num domingo à noite em Paris? — O pai riu afetuosamente. — Esta é minha filha. Cade, querida, divirta-se um pouco enquanto está aí. Você pode. Ele disse isso como se estivesse se convencendo de que não tinha problema não trabalhar, às vezes.

Cade enfiou a unha embaixo da quina de um dos moldes de chocolate e o fez saltar para fora. Cobrindo o telefone com uma das mãos para que seu pai não escutasse que ela estava mastigando, ela o levou a boca.

Meu Deus. Talvez o paraíso não fosse um lugar, mas sim uma mordida. Uma simples mordida.

A adrenalina intensificou a sensação de brilho e suavidade, de derretimento e doçura. Seu corpo queria se derreter também.

Como Sylvain Marquis podia fazer aquilo com ela?

— Escute querida, eu liguei porque estou interessado na sua análise da fábrica de chocolate Devon. Eles parecem tentadores agora, mas precisaríamos nos apertar um pouco para comprá-la.

Devon. Uma confeitaria inglesa internacional que domina o mercado da Índia e ocupa um ótimo lugar entre as fábricas mais baratas e populares de chocolate da Europa. Cade pensou em todas as barras que viu nos aeroportos de Londres, brilhantemente embaladas, recheadas de chocolate ao leite.

Se eles comprassem a Devon, talvez precisasse ficar em Paris. Chocolate Devon. Bilhões de barras de chocolate seriam jogadas nos moldes, embrulhadas aos milhares por dia. Como os da fábrica Corey.

Massageou a ponta do nariz, e ficou deprimida sem motivo aparente. — Preciso olhar mais atentamente — ela disse. — Achei que estávamos mais interessados em abrir a nossa linha *premium* como próxima mudança de mercado.

— Hum — o tom do pai demonstrava pouco entusiasmo em relação ao risco do chocolate *premium* de Paris, mas tudo bem. — Vá em frente e olhe mais um pouco a Devon e retorne para mim amanhã. Você acha que...?

Antes de ela perceber, estava tendo mais uma discussão de negócios, bem ali, ao invadir e entrar em uma loja de chocolate. Sentiu-se desorientada, como se o gênio da lâmpada tivesse que, subitamente, parar e falar sobre os prós e os contras de uma aquisição corporativa.

Levou meia hora para sair do telefone, com certo desespero.

Naquele ponto, já havia experimentado um chocolate de cada molde. Ávida, incapaz de parar, como se a qualquer momento fosse privada deles para sempre. Como se ela, a qualquer momento, estivesse novamente na fábrica e nas salas de reuniões.

Poderia, do jeito que as coisas estavam andando, ir parar na prisão. Provavelmente não forneceriam chocolate de Sylvain Marquis na prisão.

Experimentou o que tinha o desenho de uma flor, um brilhante com pequenas nervuras, um com formato de cone e decorado com pedaços de cacau, como uma brincadeira com referência a casquinha de sorvete. Dentro, ele era recheado com *ganache* sedoso de menta que explodia em sua boca.

Desligou o telefone completamente e o colocou no bolso.

O chocolate derretia na língua, no corpo. Sua doçura, quente e rica combinava com a adrenalina que pulsava até que sentiu... Estar o mais perto da excitação que conseguia. Desesperada e intensamente, ficou excitada como se alguém estivesse saindo das trevas com o olhar do feiticeiro brilhando e colocando-a nas mesas escuras e...

Ela engoliu o chocolate com um arrepio, os pelos das costas se arrepiavam da nuca até o ponto mais baixo das costas e talvez mais abaixo um pouco, só pelo desejo de ser descoberta por ele.

Forçou-se a continuar a andar pela sala e encontrou a porta do escritório.

Não havia receitas espalhadas pela mesa para pegar. Usou a lanterna para verificar os arquivos. Neles não estava escrita a palavra "Secreto". Mas havia um arquivo com a palavra "Recettes", que a animou muito, desde que aquilo significasse receitas, mas continha recibos. Outras pastas continham arquivos de funcionários e notas de diferentes fornecedores. Ela se virou para examinar o laptop que estava fechado em cima da mesa.

Preferia a imagem de Sylvain Marquis escrevendo receitas em runas mágicas e pergaminho, mas era mais provável que estivessem no laptop. Quando ela o ligou, uma tela com *login* apareceu. Tentou usar um administrador óbvio: *admin, Sylvain, Sylvain Marquis,* senha *chocolat.* Mas não funcionou. Qual era a data do aniversário dele? Ela teria de pesquisar nas suas anotações e voltar mais preparada.

Fingiu ignorar o arrepio ao pensar na ideia de voltar no dia seguinte.

E permaneceu assim por um tempo, relutando em abandonar o sentimento de pecado e a deliciosa sensação de perigo, aquela fantasia de feiticeiro que entrava e saía das trevas que a dominava no covil de Sylvain Marquis, à noite. Pegou alguns papéis da mesa dele e passou muito tempo escrevendo todos os equipamentos de que precisaria, caso os especialistas dos chocolates Corey pudessem descobrir algo a mais. Mas o feiticeiro não saiu das trevas, e ela finalmente saiu por onde havia entrado sentindo-se estranhamente fora do clímax.

No último segundo, passando pelas pilhas de caixa de chocolate, viu-se pegando um, dois, três, quatro, o máximo que conseguia carregar. Não queria fazer aquilo. Mas não conseguiu resistir. Queria o chocolate dele, e não queria voltar na loja amanhã e se humilhar ao deixar que ele a visse comprando os chocolates.

Parou de roubá-los somente porque os visualizou caindo de suas mãos enquanto atravessava a rua.

E, sorrateiramente, voltou para o seu covil, sua torre, com o que conseguiu pegar, protegendo tudo e vangloriando-se.

Capítulo II

A PRIMEIRA COISA que Sylvain percebeu quando abriu a oficina na manhã seguinte foi que estavam faltando quatro caixas de chocolate. Ele parou, confuso. Ele havia sido o último a sair dali depois do final da aula do dia anterior, e fora o primeiro a voltar, então... Algo não fazia sentido. Pascal e Bernard tinham chaves próprias e o código de segurança, mas por que eles voltariam lá para roubar chocolates?

— *Qu'est-ce qui est bizarre?* — Perguntou Christophe. Sylvain havia prometido ao blogueiro de culinária que ele poderia visitar seu *laboratoire* depois que o homem havia escrito sobre uma visita à sua loja tecendo elogios extravagantes. Elogios extravagantes *justificados, bien sûr.*

— Algumas das caixas que preparamos ontem sumiram — ele olhou ao redor, esperando encontrá-la em outro lugar.

— Um ladrão de chocolate? — Christophe perguntou, intrigado. Conforme as palavras foram penetrando em sua imaginação, seus olhos passaram a sonhar. — Acho que acabei de descobrir minha terceira carreira. Imagine entrar em *laboratoires* toda noite para roubar os mais finos chocolates.

— Para comer ou para o *marche noir*?[13]

— Para os dois, na verdade — Christophe suspirou com alegria. — É bem provável que eu pudesse fazer uma fortuna no mercado negro se não comesse toda a mercadoria.

— Bem. O ladrão terá de roubar mais do que duas caixas para conseguir isso — disse Sylvain de maneira arrogante. Ninguém jamais comia apenas um de seus chocolates. Não desde que ele tinha 16 anos.

13. Mercado negro. (N.T.)

Talvez as caixas somente estivessem... Estivessem o quê? Ele tentou pensar. Ele foi o último a fechar a porta na noite anterior e o primeiro a voltar. Quem teria mexido neles, vendido-os, os levado para casa?

Ele foi para o escritório para verificar seu laptop que permanecia intacto sobre sua escrivaninha. Ou... Ele parou.

A marca de uma digital de chocolate. Não havia nada de incomum ali; ele sempre deixava digitais de chocolate nos documentos sobre sua mesa. Mas aquela digital era bem menor que a dele.

Quando ele voltou para a sala principal do *laboratoire*, Christophe estava passando a mão sobre um dos balcões de mármore, olhando ao redor, e sorrindo.

— O quê? — Sylvain perguntou a ele.

— Estou apenas imaginando o tipo de pessoa que roubaria chocolate — o blogueiro disse, divertindo-se. — Ele certamente escolheu a pessoa certa para roubar.

— Ela — disse Sylvain, lembrando-se do tamanho da digital.

Christophe piscou de pura alegria. — Ah, isso é perfeito.

Sylvain arqueou uma das sobrancelhas.

Christophe olhou para ele e perguntou: — Isso não o faz feliz? Uma mulher entrando no seu covil para roubar seu chocolate? Você não quer se esconder aqui durante a noite para tentar pegá-la em *flagrant délit?*

Sylvain abriu e fechou a boca. Sim. Ele queria. — Acho que podemos estar sendo um pouco prematuros concluindo que há um ladrão. Tenho certeza de que deve haver uma explicação muito mais inofensiva.

Ninguém passou pela cabeça dele, mas... Uma ladra que roubava chocolate e não seu laptop? Dava vontade de se casar com ela. Dava para se imaginar apaixonando-se por ela apenas ao pensar nisso.

Ele esperava que ela tivesse usado calças brancas de couro.

— Sim, mas, qual seria a diversão nisso tudo? — Christophe perguntou indignado. — Posso *eu* me esconder e pegá-la no flagra? Se isto for deixá-lo desgastado?

Para um blogueiro de culinária, por mais que fosse famoso, que estava ali como um privilégio, Christophe não estava mostrando suficiente apreciação e respeito, Sylvain concluiu com firmeza. Blogueiros de culinária estavam ficando cada vez mais *gonflés* ultimamente. Cheios de si.

E se havia mesmo um ladrão, algo de que ele duvidava, então ele seria a pessoa a pegá-lo.

Voleuse de Chocolat chez Sylvain Marquis? Foi a manchete no blog de Christophe algumas horas depois que ele saiu do *laboratoire*.

Cade, que tinha um alerta do Google sempre que o nome de Sylvain Marquis aparecia em alguma postagem nova na web, olhou para ele e deu um salto. Que rápido!

Leu a postagem rapidamente, ou o mais rápido que conseguia ler em francês. A maior parte do artigo parecia ser fantasiosa.

"Há um ladrão roubando os chocolates de Sylvain Marquis? Quando estive lá hoje de manhã, Sylvain descobriu que faltavam quatro caixas e encontrou uma pequena digital feminina sobre seus papéis. Será que alguém entrou em seu *laboratoire* e roubou seus chocolates? Se sim, essa mulher é minha alma gêmea. Acho que estou profundamente apaixonado."

Ela deixou uma digital? Bem, na verdade, ela provavelmente havia deixado muitas, só que nem todas visíveis no chocolate. Mas suas digitais não tinham registro em parte nenhuma, e usar luvas o tempo todo estragaria a diversão. Não conseguia nem imaginar perder a sensação do toque naqueles chocolates perfeitos e macios.

Ela percebeu, quase sem culpa, que havia pensado que *estragaria* e não *que teria estragado*. Sim, ela ia voltar. Se não fosse pega.

O blog passou a tratar quase que imediatamente de outros detalhes da visita. Sylvain havia ensinado ao blogueiro *Le Gourmand*, Christophe, como fazer laranjas carameladas com cobertura de chocolate.

Os detalhes fizeram Cade querer agarrar tanto o blogueiro quanto Sylvain Marquis pelo cabelo e gritar.

Aquelas eram todas as coisas que *ela* queria fazer. Enfiar a mão nos sacos de gergelim em plena luz do dia, fazer laranjas carameladas da Espanha em um balcão e aprender a mergulhar suas cores brilhantes no chocolate amargo. Fazer parte daquilo, ser acolhida pelo segredo.

Em vez disso, ela estava tateando pela noite, tentando descobrir tudo sozinha.

Era realmente culpa de Sylvain Marquis ela ter de roubar o que queria possuir. Ela teria pagado por isso de bom grado. Teria pagado um preço bem alto, também.

Se o dinheiro não conseguia comprar tudo, você tinha de roubá-lo. Certo?

Ela não tinha ninguém além dele mesmo para culpar por não querer compartilhar.

Sylvain, que não tinha um alerta do Google para o seu nome, mas que havia recebido um e-mail com o *link* da postagem de Christophe como cortesia, leu o primeiro parágrafo com profunda irritação. O que ele quis dizer com aquilo, que o ladrão era a alma gêmea dele? O que ele quis dizer, que ele devia estar apaixonado?

Que presunção! *Se* a ladra existisse, o que era improvável, então ela era a *fantasia dele*. Não a de Christophe. Era ele quem estava apaixonado por ela. Christophe podia muito bem tentar infiltrar-se no *laboratoire* de qualquer outro *chocolatier* para uma visita, era isso o que ele podia tentar fazer. Mas nunca tentar fazer parte do mistério de Sylvain.

Quando Cade verificou novamente seus e-mails, depois de uma longa caminhada pelo Sena e um pouco de meditação na catedral de Notre Dame para tentar concentrar-se mais nos aspectos de Paris do que na *chocolaterie* de Sylvain Marquis, havia mais vinte alertas de e-mail do Google. A maioria réplicas à primeira postagem do ladrão de chocolate.

Levou a mão à boca, horrorizada. Parece que havia se tornado uma ideia bem popular entre blogueiros de alimentos. Inclusive, atravessou a barreira da língua também. A famosa revista norte-americana voltada para o público feminino *Taste of Elle* pegou a matéria e acrescentou vários pontos de exclamação, e outros blogueiros de língua inglesa em Paris e, depois, seus camaradas na América e na Inglaterra não demoraram muito para segui-los.

A *Taste of Elle* até desenhou caricaturas bem sensuais sobre a provável aparência da ladra andando na ponta dos pés com uma sacola de chocolates nas mãos. Havia alguns elementos da roupa de *Mulher Gato* da Michelle Pfeiffer.

Outra blogueira, uma francesa, nomeou uma mistura de chocolate na qual estava trabalhando como *Ladrão de Chocolate*. Um americano, postando quase que no mesmo momento, nomeou um *cupcake* de *ganache* duplo de chocolate como *La Voleuse*.

Os outros cinquenta e-mails tratavam de questões de trabalho das quais as pessoas não conseguiam tratar na ausência dela. Cade deu totalmente as costas para isso e foi às compras. Se Maggie Saunders podia fazer compras, então ela também podia.

— Como assim, você não pode vender para mim... ? — Ainda quase não sabendo dizer as palavras "câmera de vídeo espiã extremamente pequena" em francês, mas conseguindo passar a ideia, Cade mostrava com o polegar e o indicador o tamanho que queria, quase tocando os dedos.

Qual era o problema dos franceses que só se recusavam a vender coisas?

— *C'est illégal* — ele disse friamente. — Não vendemos mais esses itens.

Mais uma coisa que acontecia sempre que os franceses recusavam-lhe vender alguma coisa. Não era só o fato de dizer não; era que eles pareciam sentir uma satisfação arrogante por ter tal habilidade.

— E algo para escutar coisas? — Ela tampou os ouvidos, familiarizada com a palavra *écouter* em francês, mas deixando-se levar pela linguagem dos sinais.

Talvez Sylvain Marquis falasse suas receitas em voz baixa enquanto trabalhava nelas. Como um cientista louco.

— Temos esses aqui — ele mostrou alguns aparelhos de escuta do tamanho de um iPod Nano.

Ela mostrou com o polegar e o indicador novamente e disse: — *Petit.*

— *Non* — ele disse arrogante. — *C'est illegal.*

Cade ficou se perguntando quanto tempo levaria para alguém contar para o pai dela, se ele acionasse sua equipe de segurança corporativa, que ele pedira esse pequeno equipamento. Cinco minutos?

— Ótimo — ela disse. Se você quer que algo seja feito, tem de fazer você mesmo. — Você sabe onde consigo comprar uma calça preta de couro?

O vendedor ficou olhando para ela sem entender nada.

Ela acabou comprando uma calça preta de couro na Hermès, apenas para provar a si mesma que havia algo que o dinheiro ainda podia comprar na França. E também se sentiu um pouco estranha por Maggie Saunders ter passado mais tempo se divertindo no cenário da moda em Paris do que ela mesma. Ela não tinha certeza de ser inteiramente equilibrada de riqueza e privilégio. Era normal comprar chocolates em vez de roupas?

Estava pressionando o código para entrar no prédio em que morava, os ombros se apertaram ao pensar em todas as responsabilidades que com certeza esperavam por ela em sua caixa de entrada, quando Sylvain Marquis saiu pela porta dos fundos de seu *laboratoire* e, claro, arqueou as sobrancelhas para ela.

Ele tinha um talento para arquear a sobrancelha. Sentiu o desejo de girar a sacola da Hermès e levar aquelas sobrancelhas de volta ao lugar a que pertenciam. Sorte dele que estava do outro lado da rua.

O telefone dela tocou, e ela virou as costas para Sylvain para atendê-lo. — Por favor, diga-me que é você — implorou o avô. — O ladrão de chocolate.

— Vovô! O senhor realmente acha que eu faria isso?

— Bem, espero que sim — ele disse indignado. — Acho que o seu pai é a única ovelha branca da família. Não faço ideia de como isso aconteceu. Ele podia ser pelo menos marrom.

— O papai viu algum desses blogs?

— Duvido. Seu pai é ocupado demais para ler blogs. Além do mais, se ele tivesse lido, você não precisaria ter perguntado a mim.

Era verdade. O pai ligaria para ela à meia-noite novamente. E falaria de outras coisas que não fosse a fábrica de doces Devon, para variar.

— Bem, não fique mostrando para ele.

— Não — prometeu o avô. Depois acrescentou aflito. — Entretanto, é duro não tripudiar. Seu pai foi tão determinado em criar vocês corretamente, mas eu sabia que uma de vocês ia acabar saindo ao velho bloco de chocolate. Contudo, sem querer falar mal dos mortos, mas entre Jaime ser presa nos encontros do G8, como tradição anual, e você agindo como se o objetivo da sua vida fosse usar terno e se sentar em um escritório, eu já estava começando a pensar coisas ruins sobre a genética da sua mãe. Vou lhe falar uma coisa, querida, o que acha de eu voar até aí e nós dois invadirmos uma daquelas fábricas suíças, só para nos divertirmos?

— Você está morando aqui? — Sylvain perguntou bem por detrás do ombro, e ela deu um pulo tão violento que ele teve de segurá-la para evitar cair.

— Estou ao telefone — ela disse indiferente, virando-se de costas para ele. Ele a soltou para que ela pudesse se virar, para o arrependimento dela. Tentou abrir a porta, mas continuava fechada. Fez uma careta e digitou o código novamente. — Ah, não é ninguém vovô, é aquele Marquis, o *chocolatier* que mencionei para o senhor.

— Sério? — Vovô Jack parecia encantado. — Tem como eu ouvir o que ele diz? Você pode colocar o telefone no viva-voz para que ele possa me ouvir? Conheço vários palavrões bons em francês.

— Não. E não venha para cá. Esse lance é meu — se Sylvain não tivesse se intrometido novamente, ela poderia ter tentado convencer o avô de que não estava roubando os segredos de chocolate de fato, mas não sabia como fazer aquilo na frente da pessoa de quem ela estava roubando. É bem provável que, mesmo assim, o vovô estivesse muito orgulhoso dela.

Um momento de silêncio doloroso seguiu-se ao telefone e ele disse: — Eu teria sido um bom parceiro.

— Não disse que não seria, vovô, mas quero fazer isso sozinha. Podemos ir para a Suíça mês que vem.

— Suíça — disse Sylvain bem perto do ouvido dela, abaixando a boca. Será que ele não tinha noção de espaço pessoal? Será que dava para ouvir o que o avô dizia?

Ela colocou um pouco mais de vigor na frieza dos ombros. Aparentemente não causou muito efeito sobre ele. Será que ele pensava que podia simplesmente brincar com as emoções dela a manhã toda, dar as costas e chutá-la para a rua fria, forçá-la a entrar no mundo do crime, e depois querer puxar papo com ela no dia seguinte?

— Como assim mês que vem? Você não tem de trabalhar? — Indagou o avô incisivamente. Depois, em voz alta, afrouxou o tom. — O seu pai vai deixar você brincar um pouco? Eu sempre achei mesmo que você trabalha demais. Vá fazer compras ou algo assim. Você é uma menina!

Cade suspirou e revirou os olhos. — Acabei de comprar algo bonito na Hermès, vovô. Não se preocupe comigo — qual era o problema com aquele painel estúpido? Por que ela não conseguia abrir a porta?

— Quem é Hermès? — Perguntou o avô sem entender nada. — Achei que estivéssemos falando de compras. Você está falando do *chocolatier*?

— Você vai se encontrar com Pierre Hermè agora? — Sylvain parecia bem frustrado. O único efeito que a gelada de ombros estava causando é que ela podia sentir a respiração dele no alto da cabeça e não no ouvido. — Ele fez uma visita guiada no seu próprio *laboratoire*? Seu cheiro é meio de limão com baunilha.

Será que os aromas do *laboratoire* dele a estavam marcando como borrões de tinta? — Você está cheirando a si mesmo — ela disse bruscamente e levantou a sacola para balançar o logo na frente dele. — Hermès.

Sylvain olhou para a sacola sem entender nada, apesar do fato de ser um dos principais nomes da costura na cidade. Ele era tão péssimo quanto o avô dela. E ela. Por que sua alma gêmea era tão canalha?

Ela tentou digitar o código mais uma vez e ficou paralisada. Ela estava digitando o código do *laboratoire* dele. Bem na frente dele.

Ela olhou de canto de olho. Ele estava olhando para a mão dela no painel.

Ele não disse nada.

Talvez estivesse só olhando por olhar, sem prestar atenção no que ela realmente estava digitando. Ela começou a digitar o código correto, posicionando o corpo de maneira ostensiva para bloquear a visão como se ele fosse uma pessoa suspeita. *Isso mesmo, jogue a suspeita de volta para ele*. Era um truque psicológico.

— E você não respondeu a minha pergunta — ele disse. — O que você está fazendo aqui?

— Eu moro aqui — ela finalmente conseguiu abrir a porta. — Quando aluguei o apartamento em Paris, não fazia ideia de que você seria tão *con*.[14]

Entrou, batendo a porta atrás dele.

14. Pessoa desagradável em francês. (N.T.)

Capítulo 12

Naquela noite, os aromas em seu *laboratoire* atraíram-na por todos os sentidos, para tudo.

Quando ela provou os chocolates que Sylvain Marquis e sua equipe fizeram naquele dia, fechou os olhos, tentando fingir que estivera lá durante a produção e que, portanto, tinha direito de prová-los para ver se eram dignos do nome e da fama. Será que a parte externa também tinha aquele apelo? Sim, sempre. Será que a parte interna era uma surpresa oleosa que tocava os sentidos e fazia com que os sabores perdurassem na boca por mais tempo? Sim. Sempre era assim.

No armário grande, onde as *pistoles* eram armazenadas, ela provou chocolates do preto ao branco, mas sempre voltava para os mais amargos, fechando os olhos e examinando, com o paladar, a procedência do chocolate e por onde ele havia passado, de uma ilha na costa da África até alguma parte nos Andes. Teria ela visto as sementes sendo moídas durante uma visita à plantação de cacau onde aquele cacau havia sido plantado? Ela tentou adivinhar a viagem do chocolate, o que havia sido feito a ele por ordem de Sylvain para transformá-lo no chocolate que era. As temperaturas, os períodos, os ritmos.

Qual seria o sabor daquele chocolate se fosse revestido e cristalizado com fatias de laranja oriundas da Espanha?

Ela encontrou as fatias cristalizadas das laranjas da Espanha, ainda úmidas, e provou uma; seus dedos foram ficando pegajosos e neles havia manchas de chocolate sob o resíduo da laranja. Sylvain mostrara a Christophe como revestir as fatias de laranja no chocolate.

Ela imaginava os dedos de Sylvain ficando cada vez mais pegajosos. Lentamente, lambeu o próprio dedo, para ver-se livre da viscosidade. De repente, abriu os armários até encontrar os componentes de um pequeno banho-maria.

Uma espécie de prazer vertiginoso subiu-lhe à cabeça quando começou a aquecer a água e despejar as pistolas de chocolate na panela, um prazer como o daquela efervescência gasosa da garrafa de Coca-Cola em seu primeiro dia aqui, só que mais alarmante.

Sylvain Marquis poderia ter se recusado a permitir-lhe um lugar em sua oficina de trabalho, mas ela ia roubar um, bem ali no coração de Paris, e fazer seu chocolate na calada da noite.

Enquanto trabalhava, continuava olhando os cantos, esperando encontrar o feiticeiro do chocolate à espreita, com os olhos brilhando como fogo no escuro, e trancando-a na armadilha que fizera para ela em seu covil. Mas ele nunca fez isso.

Sylvain sentiu seu coração bater mais forte ao abrir a porta do *laboratoire* na manhã seguinte, os aromas ricos inundavam seu olfato. Teria ela ido lá, a ladra?

Ele não podia alimentar sua esperança.

Sua esperança? Estava *esperando* que a mulher escandalosamente arrogante tivesse invadido sua oficina e roubado seu chocolate?

Ela tinha, ele viu quase que instantaneamente. Impressões digitais deixadas no balcão de mármore que eles sempre deixavam tão brilhante e limpo no final do dia. Ele podia senti-la em todo o local. Ali, ela havia provado fatias cristalizadas de laranjas vindas da Espanha. Ali, havia se ocupado de todas as *pistoles* de chocolate. Ali ela havia... Ela havia comido pelo menos um de cada chocolate que eles produziram no dia anterior.

Ele sorriu; seu coração estava batendo forte. Ela o roubara e não se dava por satisfeita.

Ele parou quando encontrou os componentes de um banho-maria gotejando, quase seco, em uma pia. Será que ela havia feito chocolate em sua oficina? Afinal, quanta coragem tinha aquela ladra?

— E então, ela voltou? — Christophe perguntou ansiosamente pouco antes do almoço.

Sylvain transferia uma *marmite* de 30 quilos de chocolate para uma fonte de calor e considerou deixá-la cair nos pés do homem. Ele fez um favor a um blogueiro uma vez só, permitindo que ele visitasse seu *laboratoire* depois de muito implorar. Será que aquele homem considerava-se íntimo do *chocolatier* a ponto de meter o nariz na questão referente à ladra de Sylvain?

— Foi isso, não foi? — Christophe arriscou satisfeito, com o peito visivelmente estufado de alegria.

Tal qual o de Sylvain, naquela manhã. Ele colocou o pote gigante de chocolate para baixo antes que acabasse por cair em tentação.

— O que ela pegou? Sabe quem é ela? Sabe como ela entrou?

— Alguém está roubando chocolate? — Pascal Guyot aproximou-se de Sylvain. Ele, Pascal, não era leitor de blogs. Em voz baixa, acrescentou: — É alguém que trabalha aqui, você acha? Mas mantemos aquela bandeja cheia deles no salão dos empregados!

— Ah — Christophe parecia desapontado. — Sério? Você acha que isso é coisa de alguém aqui de dentro?

— *C'est possible* — Sylvain permitiu-se dizer lentamente. — Uma das assistentes, talvez. Era uma impressão digital pequena. Isso faz mais sentido do que imaginar que alguém se arriscaria a invadir meu *laboratoire* por causa do meu chocolate. Isso fazia mais *sentido*. Se é que eles estavam lidando com alguém que se comportasse de maneira sensata...

O coração de Sylvain disparou novamente, e seu corpo ficou enrijecido quando imaginou a ladra perdendo a cabeça por causa dele.

Pelos seus chocolates.

Perto o suficiente.

— E quer saber o que mais? — Propôs Christophe. — Você imagina o suspeito que tem em mente, e eu faço o mesmo. Só me conte se ela voltou na noite passada. Pisque uma vez para *oui* ou duas vezes para *non*.

Sylvain piscou uma vez, porém por causa da insolência do homem que tentava convencê-lo a uma confissão.

— Ah, foi ela! — Christophe apertou as mãos, *ravi*... Encantado... — Você fez o meu dia valer à pena, Sylvain Marquis! *Merci, merci*. Ele girou e saiu.

Alguns segundos depois, ele girou e voltou: — Por acaso, temos wi-fi aqui?

Sylvain olhou-o de esguelha, começando a soltar fumaça. Se o homem ia manter um blog de suas fantasias infantis, que, pelo menos, tivesse o desconfiômetro de ter fantasias diferentes das de Sylvain.

— Não, mas não há problema. Tenho certeza de que o café mais à frente tem — Christophe girou e saiu novamente e, então, deixou a loja. Mas Sylvain o viu comprar uma caixa de chocolates antes de sair.

"Voleuse de chocolat, je t'aime", era a manchete de Christophe.

"Quando me sento aqui, perto do navio capitaneado por Sylvain Marquis, saboreando um legítimo chocolate com delicado *ganache*, sei que encontrei minha alma gêmea. Você também acha que vale a pena arriscar a vida e a liberdade para..."

Bem, talvez a palavra não seja *vida*, Cade pensou inquieta. A polícia francesa não tinha uma tendência a aproximar-se com armas em punho... Ou tinha? E quanto à liberdade, talvez ela devesse fazer uma nova e importante contribuição para o partido político que estava no poder, caso precisasse de uma intervenção do embaixador. Não era nada atraente pensar em uma prisão francesa.

"O ladrão de chocolate ataca novamente" era a manchete em muitos blogs no mundo de língua inglesa. O francês não representava uma barreira para os blogs de culinária, pois todos sabiam em que língua pedir o pão com manteiga com 85% de gordura. "Por favor, posso ser a ladra de chocolate?" A *Taste of Elle* publicou, o que era arrogante da parte dela, uma vez que a criadora da revista era noiva do *chocolatier* Simon Casset. Outro blog publicou: "Como Roubar Chocolate em Dez Lições Fáceis. Número 1: Se você for para a cadeia por causa disso, não se contente com nada menos do que o chocolate de Sylvain Marquis".

— Isso é engraçado — Maggie Saunders disse, lendo sobre o ombro de outro passageiro, em uma conexão que estava parada havia duas horas no aeroporto Charles de Gaulle. — Estive em uma de suas oficinas recentemente.

— Sério? — O homem virou-se.

— Sabe qual é a história mais estranha? — Maggie lançou a pergunta com orgulho. Não era todo dia, nem até mesmo em toda uma década, que ela tinha uma história tão interessante quanto aquela para divulgar. Bem, as histórias de seus amigos podiam ser realmente muito interessantes, mas ela se sentia culpada por compartilhá-las. E eles não eram famosos, então ninguém se importava. — Já ouviu falar na família Corey?

O homem franziu o cenho. — A família Corey? A família do chocolate?

— Essa mesmo! — Maggie assentiu com entusiasmo. Era sempre melhor contar uma história sobre pessoas famosas quando o ouvinte reconhecia seus nomes. — Uma pessoa dessa família, Cade Corey, me subornou para deixá-la tomar o meu lugar na oficina de trabalho de Sylvain Marquis. Ela queria espioná-lo! Pois é, acho que eu não deveria ter aceitado isso — ela acrescentou, culpada. Ela tocou o D de platina em seu cinto de couro largo para melhor conforto. As sobrancelhas do homem se arquearam. — Sério? Quanto ela pagou a você?

— Gastei menos que 30 mil dólares — Maggie disse vagamente. — Acho. Não comprei joias de verdade — acrescentou defensivamente. — Mas bem que poderia!

Era impossível para as sobrancelhas do homem arquearem-se ainda mais; todavia, bem que tentaram. Seus olhos brilhavam. — Cade Corey pagou-lhe 30 mil dólares para que ela pudesse, disfarçada, entrar na oficina de trabalho do melhor *chocolatier* de Paris?

— Ela fez mais do que isso! Ela me deixou usar seu cartão de crédito por um dia. Eu poderia tê-lo usado muito mais, porém meus escrúpulos morais não me permitiram — e ela ainda se lamentava de ter escrúpulos. Um anel de diamante de 10 quilates... Isso não teria sido tão ruim, certo? O estranho apoiou seu laptop sobre sua maleta e começou a digitar. — Mas diga-me, quando foi isso? Quando ele conseguiu reunir todos os detalhes, a conexão ainda não havia sido restabelecida. Ele pegou o telefone e ligou para alguém. — Posso mudar meu voo e ficar mais uns dois dias em Paris? Isto é, oficialmente, em vez de ter de ficar operando nessa conexão por mais tempo ainda? Então, falo isso porque acho que vamos ter alguma coisa engraçada acontecendo por aqui.

— Você está indo embora? — Maggie indagou desapontada, ninguém queria perder uma diversão daquelas.

— Por acaso, você estaria disposta a compartilhar suas informações de contato? — Ele lhe perguntou.

Ela recuou, desconfiada. Tudo bem ter contado os detalhes da história de Cade Corey para um completo estranho, mas ela não queria que um maluco ficasse atrás dela.

— Desculpe-me, não me apresentei — ele puxou um cartão. — Jack Adams, do *The New York Times*. Costumo escrever para a seção financeira, mas estou reivindicando escrever para a seção da indústria alimentícia.

— É um grande salto! — Exclamou Maggie com simpatia.

Ele sorriu. — Sim e, às vezes, Deus sorri para você.

— Foi exatamente isso que *eu* pensei! — Maggie exclamou maravilhada. — Não é um sinal? Significa que Deus usou Cade Corey duas vezes agora. Espero que ela aprecie.

Aquele blog "Como roubar chocolate em dez lições fáceis" apresentava boas dicas, Cade concluiu. Com exceção da número 1: *certifique-se de roubar Sylvain Marquis*. Isso só ia aumentar a dor de cabeça dele, mais do que nunca. Será que ele lia bem em inglês?

Mas a dica número cinco, como evitar uma prisão francesa, merecia mais atenção por parte dela.

Os comentários estavam mais ou menos divididos entre inveja da ladra e indignação em nome de Sylvain Marquis.

— O chocolate não deve ser acessível a todos? — Cade escreveu bem rápido e clicou em "Enviar" antes mesmo de pensar melhor. Provavelmente ela não devesse participar, de maneira anônima, de debates sobre si mesma. Além disso, não era verdade que ela queria que o chocolate fosse acessível a todos. Queria, sim, que o produto final fosse acessível à maioria, mas queria que as fortalezas internas e ocultas fossem acessíveis somente a ela.

E, talvez, o senhor de uma certa fortaleza, o senhor de cabelos escuros e muito sexy.

— Você é a minha heroína — seu avô disse por telefone. — Tem certeza de que é uma boa ideia voltar lá duas vezes? Você não conseguiu roubar tudo de que precisava da primeira vez?

Cade olhou ao seu redor. Ao levar seu laptop para uma das margens do rio Sena, tentou combinar o que viera fazer em Paris e também examinar os relatórios da Devon Candy que seu pai lhe enviara para apreciação. Como o wi-fi se expandia por toda parte, ela continuava se distraindo com as postagens nos blogs. E seus dedos ficavam cada vez mais duros. Estava esfriando aos poucos.

De onde estava sentada, no concreto frio acima da água marrom, os arcobotantes da Catedral de Notre Dame subiam vertiginosamente à esquerda, e as pontes em arco, sobre o rio, para a esquerda e a direita. Cada vez que um barco passava com alguns turistas, ouvia-se "La Vie en Rose" nas caixas de som. Caídas dos plátanos que ladeavam os cais superiores e inferiores, folhas marrom-amareladas e marrom-avermelhadas giravam em torno de seus pés quando uma brisa soprava. O final do outono em Paris não era uma explosão de cores brilhantes. Os plátanos, tão lindos no verão, não desbotavam de repente, mas, sim, resistiam em tonalidades cinzentas, amareladas e amarronzadas, e as folhas caíam com relutância. Paris recuava da *joie de vivre* do verão para uma melancolia, um calafrio, uma saudade.

— Não consigo encontrar as receitas dele, vovô!

— Se ele for esperto, ele as tranca à noite. Como estão suas habilidades para arrombar?

— Hum... Um cofre? Isso seria meio exagerado — ela ponderou com firmeza.

— Talvez — disse ele. — O que quero dizer é que nossas receitas estão em um cofre dentro de um cofre dentro de um cofre, e escritas em código, mas o nosso chocolate é *importante*. As pessoas usam isso para sobreviver a cada dia. O chocolate dele é apenas um luxo supérfluo para as pessoas que já têm tudo o que o dinheiro pode comprar. No entanto, diga-me uma coisa. Você já viu quaisquer sinais de que tenha feito algum experimento, alguma tentativa com espinafre? Ou couve? A couve é rica fonte de nutrientes.

— *Toute seule, chérie?* — Uma voz masculina perguntou, e Cade virou-se do laptop, cuja tela de fundo era o Sena, para olhá-lo fixamente.

Tendo crescido em uma cidade de propriedade de sua família, Cade não estava acostumada a ser abordada por estranhos com frequência. Em primeiro lugar, pouquíssimas pessoas lhe eram estranhas. E em segundo, se eles lhe abordavam, era porque tinham assuntos de bilhões de dólares. Ela e sua irmã, Jaime, sabiam que havia poucas pessoas com as quais poderiam se casar; pessoas que, mais tarde, não lhes exigiriam o pagamento de pensão alimentícia ou que tirassem uma única fatia do Chocolate Corey, colocando-a nas mãos de algum sujeito hostil que tivesse ferrado uma das herdeiras fazendo-a acreditar que gostava dela.

Era detestável pensar nisso, mas era assim que as coisas funcionavam. Havia tantas coisas que o dinheiro poderia fazer para proteger uma pessoa e, infelizmente, apaixonar-se por um homem que só quisesse usar o dinheiro dessa pessoa não a protegia. Ou seja, o efeito era negativo, pois a pessoa ficava vulnerável à ação do aproveitador.

Na verdade, apaixonar-se por um homem que só quisesse usá-la *sexualmente*, e não sua conta bancária, já seria algo super-romântico, em comparação. E não podia ser um homem cuja aparência fosse tão nojenta quanto a daquele cara.

Uma imagem de Sylvain Marquis passou por sua mente. Ele não mostrava qualquer interesse consistente em utilizá-la sexualmente, o idiota. Mas era bastante seguro dizer que ele não estava interessado em usar o dinheiro dela. Na verdade, ela procurava em seu rosto qualquer sugestão de que ele pudesse se casar com ela por dinheiro, e caiu no riso. Riu tanto que até se engasgou! *Você... Você quer acrescentar o* meu nome... Ao seu? *Por dinheiro?* O homem nojento sorriu para ela rir e deu um passo em sua direção.

— É melhor eu sair de onde estou, vovô — disse ela, porque, se ele a ouvisse tentando se defender de um cafajeste qualquer às margens do Sena, pegaria o próximo voo para protegê-la.

Qualquer desculpa para começar a invadir fábricas de chocolate com ela... Ah, aquele era o seu avô!

Guardou o telefone na bolsa de couro, o que o homem aparentemente interpretou como um incentivo para avançar o sinal.

Encantado, ele sentou-se tão perto que seu peso se fez sentir contra a coxa dela. Aquela colônia barata e o odor do corpo eram como que agressões. E ainda havia o cheiro de lanolina de algum produto que fazia seu cabelo brilhar.

Ela saiu de perto num pulo, fechando o laptop enquanto se distanciava. Não sabia o que dizer. Era difícil pensar em como dizer "Saia de perto de mim!" em outra língua, quando não havia tempo para consultar um dicionário. "Saia daqui", por exemplo. Como seria isso em francês? Ela estava quase certa de que qualquer tentativa teria significados desastrosos e não premeditados.

— *Chérie, ne sois pas comme ça* — ele veio para mais perto dela, tentando alcançar seus ombros.

Ela deu uma guinada para o outro lado ou cairia no Sena. — "Quando ele me toma em seus braços, ele sussurra para mim..." — era o que dizia a canção nas caixas de som de um barco turístico que passava naquele momento. "Quand il me prend dans ses bras, il me parle tout bas..."

— Vou tomar-lhe em meus braços — disse o homem. E, de fato, foi o que tentou fazer, agarrando-a pela cintura. — É por isso que você está aqui, não é mesmo?

Cade segurou o laptop com força e com ele golpeou o peito do homem, empurrando-o tão forte quanto possível.

Aparentemente, ele não esperava que ela tivesse tanta força, porque recuou um pouco. Só que não havia espaço para recuar. Seus olhos se arregalaram; com o pé procurou pisar em alguma coisa, e agarrou o laptop para equilibrar-se.

Ela não conseguiu manter o laptop consigo. A água respingou para todos os lados e atingiu o rosto de Cade, quando o homem e o laptop caíram no rio.

Merde. Cade tentou se lembrar de exatamente quando havia feito o último *backup* de seus dados.

E isso foi antes de vir para Paris. Portanto, a semana que passou trabalhando na Corey, preparando-se para o que faria em Paris, afundou nas águas do Sena, nas mãos de um porco.

Atrás dela, nos diversos cais acima, muitas pessoas saudavam-na, com muitos vivas e aplausos. Três mulheres claramente parisienses e um casal de rapazes estavam no espaço entre duas pequenas livrarias verdes, gesticulando e fazendo sinal de positivo. Ela sorriu.

O homem reapareceu; a corrente do rio o puxava para longe dela. O laptop não apareceu.

Não que ele conseguisse sobreviver a um mergulho no rio... O homem xingava e tossia. Ela ofereceu-lhe a mão e o conduziu rio acima, contra a corrente, para que ele subisse pelos cais superiores. Ela atingiu o topo da escada junto com o grupo que a havia saudado. Todos sorriam para ela. Uma morena magra com aquele elegante olhar parisiense, vestindo calças pretas, botas de cano alto, um cachecol cinza, e uma pulseira de prata, que lhe conferia o toque perfeito, convidou: — *Sérieux, on peut t'offrir un verre?* Ou seja: — Podemos oferecer-lhe uma bebida?

Cade olhou para seu agressor, que havia finalmente conseguido agarrar um daqueles aros de ferro na beira do cais, uns 400 metros rio abaixo, e foi arrastando-se para fora. — Eu... Certamente.

Em meia hora, todos a tinham adotado. Todos os cinco eram estudantes, embora estivessem perto da idade dela. Pareciam muito mais jovens e mais livres do que ela, o que lhe fez sentir um pouco de inveja.

— Você está aqui para conhecer Paris? — Indagou Nicole, a morena. — Nós lhe mostraremos a verdadeira Paris. Acompanhe-nos hoje à noite.

— Não, hoje à noite, não — objetou Marc. Engraçado como ele parecia tão sofisticado e, no entanto, tão jovem para ela. — Tenho uma apresentação sobre Proust na minha aula amanhã.

Uma apresentação. Sobre um cara que escreveu sobre madalenas, aqueles bolinhos. E no dia seguinte, ela precisava dar um retorno ao pai, para ajudar em uma decisão sobre doces, algo que poderia afetar toda a economia global e impactar diretamente a vida de dezenas de milhares de pessoas. Talvez *isso* fosse o que havia acontecido ao seu senso de juventude.

— *Bon, demain* — disseram os outros. — Amanhã à noite? *D'accord?*

— *D'accord* — respondeu Cade, emocionada.

Estavam ficando amigos dela, e nem sabiam quem ela era. Talvez tivesse sido uma boa ideia vir a Paris, apesar de tudo.

No entanto, era muito ruim Marc ter aquela apresentação no dia seguinte, porque isso a deixava com outra noite livre para arrumar mais encrencas.

Capítulo 13

Ela podia senti-lo à espreita, mesmo ao entrar na oficina. Sentia os olhos dele brilhando nas sombras.

Aquela sensação arrepiava sua pele, apertando-a, fazendo-a suplicar por um toque, enquanto se movia pelo domínio dele. Ela vasculhou o *laboratoire* à procura dele, desejando que ele *pudesse* vê-la, desejando que ele tivesse uma câmera de segurança para vê-la exatamente naquele momento.

Mas, espere, aquela sombra... Não... Eram apenas potes e o brilho de cobre.

A outra sombra... Era um molde enorme na forma de um ovo, talvez cinco metros de altura. E as outras sombras eram pilhas de caixas do Sri Lanka.

Ela respirou longa e profundamente, estendendo os braços e expandindo o peito, inalando todos os aromas ao seu redor. O mundo todo e tudo o que era mais mágico parecia estar presente ali, aromas e sabores de todos os tipos, e purificados em prazer.

Naquela noite, ela queria fazer... Chocolate quente. Chocolate quente espanhol, como se bebe em Madrid, ou o chocolate quente francês que os nobres tinham usado uma vez como poção do amor. *Du chocolat chaud*. Estava frio lá fora e frio no *laboratoire*, onde a temperatura ficava mais baixa à noite.

A pele dela continuou formigando de emoção enquanto ela provava *pistoles* para decidir qual chocolate usar. O mais estranho era ele permitir que ela estivesse ali pela terceira vez.

Ela foi tomada por uma onda de medo, que a fez examinar o *laboratoire* novamente, olhos em alerta. Talvez ele *tivesse* instalado uma câmera de segurança. Talvez estivesse reunindo provas para incriminá-la. Talvez a polícia estivesse esperando do lado de fora. Será que ela estava enlouquecendo?

Ela poderia acabar na *cadeia*. Poderia causar grandes danos à empresa de sua família, na forma de uma razoável queda de ações entre as subsidiárias. Poderia perder todo o privilégio com que havia tido a sorte de nascer e acabar despojada de tudo, restando apenas sua pessoa física em uma cela de prisão.

Será que ele faria isso? Será que um homem que havia flertado com ela a manhã toda a deixaria na mão agora?

Na verdade, ela não sabia o que ele ia fazer, não é mesmo? Ela adorava ficar imaginando...

Um calor quase parecido com aquele que ela buscava no chocolate quente percorria seu corpo. Ela foi até as prateleiras onde estavam as especiarias, sombras após sombras, no escuro. Ela fez o trabalho sob a luz fina da noite da cidade que entrava pelas janelas, luz da Cidade das Luzes que nunca ficava totalmente no escuro. Ela não queria acender a luz.

Os frascos de especiarias estavam gelados sob o toque da sua mão. O chocolate quente precisava ter um pouco de baunilha fresquinha do Taiti. Uma pitada de canela de Sri Lanka. Noz-moscada de... Zanzibar?

Ela esperava que fosse. Na sua opinião, tudo deveria ter algo que viesse de Zanzibar.

Qual era mesmo a palavra francesa para *noz-moscada*? Ela abriu frascos enquanto procurava, dedos deslizando sobre etiquetas de papel, liberando tempero após tempero no ar — cravos-da-índia, erva-doce, flor de noz-moscada. E, finalmente, a pequena noz-moscada arredondada. Ela pegou uma e começou a procurar por um ralador.

A pele dela não parava de formigar. Era como se as especiarias a estivessem deixando excitada, ou talvez o perigo e a insanidade do que ela estava fazendo. Ou o prazer. Ela sentiu-se como se ele estivesse presente. Continuou apalpando as coisas, como consciente dos olhos de alguém. Olhou pelas sombras, mas não viu nada. Colocou o cabelo para trás de uma das orelhas e enrubesceu.

Em seguida, ela derramou o leite em uma panela, pensando no creme quase fervente de Sylvain Marquis. Adicionou canela e baunilha, e depois ralou a noz-moscada sobre a mistura. Os aromas eram celestiais. Ou diabólicos. Qualquer um pecaria por aromas como aqueles, pela promessa de vida e sabor.

Ela passou a mão sobre a seda fria do balcão de mármore, levou uma colher ao leite e depois até a língua, quente demais, quase fervendo.

E olhou para a fresta à sua esquerda, uma alcova que continha mais sacos e caixas e moldes.

Uma sombra moveu-se.

E ela levou uma onda de choque. Congelou. Seu coração batia tão forte que parecia fazer todo o seu corpo vibrar.

O feiticeiro saiu das sombras em direção ao invasor de seu covil.

Ele foi direto para ela, um passo longo e ameaçador. Escuridão cortando escuridão, deixando apenas um brilho em seu rastro com todo aquele conhecimento e magia e poder que possuía e que estava negando a ela.

E perigo. Ela havia colocado nas mãos dele a capacidade de destruí-la.

Ele a fez congelar. Apenas ao vê-lo. A forma como se movia pela oficina, com domínio total e absoluto. A excitação, queimando-a por horas, até mesmo dias, fez com que ela não conseguisse pensar. A única coisa que conseguia ver eram as mãos dele. Mãos fortes, perfeitas e masculinas, fazendo magia com cacau.

O corpo dela tremia à medida que ele caminhava em sua direção.

Seu tamanho, sua habilidade de movimento e a escuridão do seu corpo no escuro pareciam fechar em torno dela, deixando-a sem saída.

Ele não falou. Nem mesmo uma palavra. As mãos dele se fecharam em torno de seus quadris e ela tremeu, tomada impiedosamente pelo desejo. Seus dedos se colocaram na parte de trás da calça de couro dela, e ele a levantou — da mesma maneira que se levanta um caldeirão de cinquenta quilos de chocolate — e colocou-a sobre o balcão.

Ele a colocou bem longe do queimador. Naquele momento, parte dela notou todo o seu cuidado. Parte dela poderia até lembrar-se disso um dia.

Ele olhou para ela, o balcão quase a deixou na altura dele. Os olhos dele brilhavam. Ele a abraçou, e a emoção daquele gesto foi dominando-a até que ela não pudesse mais pensar, só lhe restou respirar, de maneira longa e limpa, o que levantou seu peito e encheu seus pulmões com aromas de canela, noz-moscada, baunilha, chocolate, e humanos.

— Então, você pensou que poderia me roubar? A ameaça carregada em sua voz, palavra após palavra. E a intimidade repentina de *tu* em francês, o abandono abrupto de todos os *vous* e *mademoiselles* com os quais ele a manteve corretamente distante, mesmo enquanto brincava com ela durante a oficina.

O rosto dele estava tão próximo do dela que ela podia sentir cada respiração de suas palavras em seus lábios. Ela iria apenas inclinar para a frente. Ela iria apenas...

Os dedos dele flexionados na bunda dela, tirando sua atenção. *Ah, por favor, não pare.* — Você está roubando de mais alguém? — Ele perguntou.

— *Não*... — ela começou a dizer, mas pensou melhor. — Dominique Richard — ela contou de maneira provocativa.

Como um modo de punição, ele a beijou. Passou uma mão com força por sobre as costas dela, fazendo seus corpos se encaixarem, enroscando seus dedos nos cabelos dela e depois a beijou.

O beijo dele. Ele a estava beijando. Ele a estava *beijando*. A glória daquele fato a invadiu. Ela retribuiu, tentando absorver cada átomo de seu sabor, de sua textura. Agarrando o corpo dele, tentando senti-lo o máximo possível.

O suéter de algodão dele frustrou-a instantaneamente, era muito áspero, muito grosso. Ela colocou as mãos por dentro do suéter e tocou no algodão, mas logo ignorou a sensação, com medo de perder aquela chance se não a aproveitasse o mais rápido possível. *Ah*. Pele. Suave e quente.

Ele tremeu como se suas mãos estivessem geladas. A pele dele ficou tão quente. Mudou ao ser tocada, como se os dedos dela transmitissem impulsos que eletrificavam seus músculos. Os dedos dela subiram por aqueles músculos delineados e fortes, passaram pelas costelas e chegaram ao peito, encontrando uma penugem macia de cabelo. Os braços dela puxaram suas roupas, expondo seu tronco ao ar.

Ele agarrou uma de suas coxas e separou as pernas dela usando o corpo. As pernas dela se abriram, ela cedeu totalmente. Ele a puxou para a beira do balcão para que ficassem perfeitamente encaixados. Então, ele *realmente* a queria. Ele não estava brincando com ela agora. Pelo menos dessa vez, aqui e agora, ela poderia fazer com que ele a desejasse.

Ele pressionou o corpo dela contra o seu, com bastante força, esfregando seus seios contra o corpo dele com uma força que ele nunca havia demonstrado durante todos os seus jogos de sedução. A boca se fechou sobre a dela, bem quente, bem forte, bem sedosa, lábios e língua, sem piedade.

As mãos dele agarradas às coxas dela, abrindo suas pernas ainda mais. Ele pressionando seu corpo contra o dela, fazendo-a deslizar as mãos por baixo dos seus braços até chegarem aos ombros, para que ela pudesse se apoiar contra a força do seu beijo, para manter o equilíbrio.

Ele emitiu um som que fez seu corpo estremecer. Ela sabia que também havia emitido um som — um gemido bem baixinho.

Ele podia fazer qualquer coisa com ela, tudo o que quisesse.

Ele soltou-se de sua boca e puxou a cabeça para trás, olhando para ela, como se não pudesse acreditar que ela era real.

Ela era e não era, e isso fascinava. Era disso que ela gostava da noite de Paris, e do turbilhão de aromas e possibilidades.

Uma parte dela sabia que isso não podia estar acontecendo, não em uma vida como a dela. Mas estava. E foi graças à ela.

Pendurada nos ombros dele, ela olhou para ele fixamente, sem se mexer. E ele respirou fundo, e trouxe sua boca de volta para a dela.

Sylvain havia caminhado em direção a ela com uma certeza que nunca havia sentido na vida antes. Aquela mulher era dele. Aquela noite era dele. Qualquer fantasia que tivesse em seu *laboratoire* era só dele.

À moi, pensou. *À moi*.

Ela veio atrás dele. Amarrou a si mesma, como uma presa à espera do *Tiranossauro-Rex*. Ela havia inserido o código de entrada do *laboratoire*, várias vezes diante dele, dizendo, com cada pressionar daqueles pequenos dedos perfeitamente cuidados contra um botão de metal onde estaria naquela noite e o que estaria fazendo.

Ela colocou sua impressão digital de chocolate nos papéis dele, como uma assinatura sem palavras em um contrato. Ela acendeu um fogo no *laboratoire*, enquanto ele não estava perto dela, e fez algo com o que era dele, e nem sequer deixou um pouco para ele experimentar.

Ela mergulhou as mãos em seus sacos de pistache e grãos de café, e deixou as texturas rolarem sobre a pele; ela havia inalado seus aromas e deixado os vestígios por todo o corpo; ela havia provado seus chocolates e deixado que eles derretessem em sua língua. E, com todos os traços, ele seguiu os passos dela pela manhã. Ela o estava levando à loucura, fazendo-o pensar na sensação de pistaches contra as costas de uma das mãos mergulhada em um saco; e ela teria o cheiro da sua baunilha, da sua casca de laranja e do seu óleo de amêndoa — os aromas que ela roubou da sua oficina durante a noite, e com os quais ela estava marcando seu território.

Ele não conseguia parar de pensar em como seria a sensação de derreter na língua dela. Ele. Não apenas o chocolate que ele fez para seduzi-la, mas ele próprio.

Era como se cada menina, elegante e bonita que ele havia cobiçado na escola, ou depois, tivesse sido condensada dentro dela, com sua arrogância, e suas tortas de framboesa para o café da manhã, e o cabelo castanho caído sobre os lábios brilhantes, e os olhos azuis olhando para ele, como que o desafiando a tocar no cabelo e libertar sua boca para outras coisas. A consciência dela sobre seu direito de possuir o mundo era tão profunda, que ela nem sabia que tinha, mas suas tentativas de demonstrar indiferença para com os outros eram falhas, ela não podia se sentar em uma mesa de restaurante sem fazer com que ele quisesse pegá-la e trazê-la para a sua mesa, parecendo tão determinada e sozinha.

Ela cobiçava tudo o que ele produzia e possuía, tão intensa e pecaminosamente. Com certeza o cobiçava também.

Nunca em sua vida ele esteve tão certo disso. E, no entanto, impulsionado por alguma fraqueza, antiga e estúpida, ele já havia hesitado em demasia, caso ela quisesse escapar.

Mas ela curvou-se até ele. As mãos dela agarraram seus ombros, com uma força estranha e feminina. Nada parecido com a força dele. Nada mesmo. E, ainda assim, era ele que não conseguia resistir.

Ela poderia. Ela ainda poderia. Não se pode confiar no desejo de uma mulher. É algo que você precisa seduzir constantemente.

Ela poderia facilmente ter enrolado um fio de cabelo em torno de um dos dedos dele e o mantido preso.

Suas nádegas eram flexíveis e perfeitas debaixo dos dedos dele, e ela estava vestindo uma calça de couro preta à meia-noite, sentada no mármore de seu balcão. Ele levou a boca até a dela novamente, impedindo qualquer possibilidade de rejeição, e não a soltou novamente nem por uma fração de segundo. Ela sentiu-se gloriosamente perfeita grudada a ele — a caxemira de seda de seu suéter deslizava sob as mãos dele à medida que tocava sua pele, e a maneira feliz que seus olhos fechavam diante daquele toque, mesmo ao experimentar uma *tartelette* de framboesa ou *ravioles du Royan* ou, até mesmo, talvez... Um de seus chocolates.

Couro... caxemira de seda... mãos levantando seu suéter... uma textura inigualável — nada de pétalas de rosa, nem de seda; todos apenas acessórios da delicadeza e humanidade da pele de uma mulher. Rendas. Rendas cobriam seus seios, um atrito leve entre sua plenitude suave e as mãos dele. Ela abriu os olhos novamente e olhou para ele.

Pensar — o quê? Sentir — o quê?

Mas ela era a fantasia dele. Só dele. Pega no ato. E ele não tentou adivinhar o que ela queria; fez apenas o que ele próprio queria: levou os polegares até as rendas leves, pressionando a suavidade por debaixo, acariciando os mamilos dela com força, apertando os dedos na lateral de seu corpo.

O corpo dela ondulou em suas mãos, seus lábios abertos como que implorando.

Mas ela não precisou implorar, aquela era a fantasia perfeita dele. Ele ficaria feliz em satisfazê-la.

Ele a beijou novamente, aproveitando o momento. Sem tentar calcular o próximo passo na sedução. Apenas aproveitando o máximo que pudesse.

Lá, nos braços dele, ela cedia. Cada vez mais. Ela cedia. Sua boca, sua língua, seu corpo estremeciam e ficavam cada vez mais macios e suaves, como se toda a força dela falhasse, enquanto ele ficava cada vez mais forte, pronto para aplicar sua força sobre ela.

Ele tirou a blusa de caxemira e atirou-a para longe, revelando a pele pálida e a renda preta nas sombras, iluminadas apenas pela noite da cidade que entrava pelas janelas. Ela estremeceu com o toque do ar frio em seu corpo, e ele sentiu-se imediatamente culpado por estarem ali e não em uma cama com edredons, onde poderia mantê-la aquecida.

Ele não se importaria em ter edredons em vez de mármore e couro em sua fantasia.

Dieu, aquilo poderia ser maravilhoso, deliciar-se no mais macio dos algodões brancos em um dia frio de novembro, cercado de aconchego e prazer e sorrisos, sem medo de um afugentar o outro pelo frio.

Maravilhoso, também. Ele iria se concentrar naquele momento lindo que tinha em mãos.

Ele passou as mãos nas costas dela, aquecendo-a, pressionando-a contra seu peito. Ela tirou o suéter e a camisa dele, insistente, até que ele teve de parar de tocá-la para que pudesse despir-se, permitindo que ela se afundasse naquele calor tão exposto.

Ele sorriu, firme e feroz, porque era capaz de emanar todo o calor que ela queria. Ele tinha força para segurá-la. Tinha um mundo de aromas e sabores para atraí-la. Sabia como fazê-la feliz naquele momento. Amanhã, a certeza já não seria a mesma, porque as mulheres mudam muito da noite para o dia. Mas aquela mulher — aquela ladra em seus braços — ele sabia exatamente como fazê-la feliz.

E essa certeza completou seus beijos, contribuiu para que ele moldasse o corpo dela ao dele. As mãos dela deslizaram e agarraram suas costas, apertando, liberando a pressão de um dia longo de trabalho. A cada golpe suave, ele sentia-se mais forte, mais seguro, mais desejado.

Ele a beijou e beijou, incapaz de satisfazer sua boca, o milagre da pele dela, e dos seios sob suas mãos. Ele arrancou seu sutiã e jogou-o para junto do suéter.

Os seios dela estavam excitados e suplicavam por ele. Juntamente com seus quadris, contorcendo-se contra o corpo dele, subindo e descendo. Juntamente com a boca, retribuindo o beijo com tanta paixão, que logo se tornou impossível chamá-lo de "beijo dele" ou de dizer quem havia começado, apenas que nenhum deles queria que terminasse.

Ou ela queria, ofegante, derretendo sobre seus ombros, seus bíceps, os lábios dela pressionando sua pele, cada vez mais.

A cada toque dos lábios dela, ele sentia-se mais forte, até que acabou encontrando o zíper escondido na calça e foi, aos poucos, abaixando aquela calça de couro maravilhosa.

Mas a pele... Nua... Ah, também era maravilhosa.

E a maneira como seus quadris saltaram e aproximaram-se dele ao tocar o balcão frio de mármore. E a maneira como ele deslizou as mãos em suas nádegas e a pegou no colo, protegendo-a do frio e afundando os dedos em sua forma arredondada, tudo ao mesmo tempo.

Ela deslizou os braços ao redor da cintura dele e segurou-o com força, o corpo todo estremecendo.

Ele pegou os suéteres novamente, espalhando-os onde o corpo dela encostava no mármore, conduzindo-a até eles.

Ela resistiu. Ela não queria soltá-lo.

Mas *ele* era o mestre ali. Ele pegou seus pulsos e forçou-a para baixo. Quando as mãos dele travaram seus pulsos, ela parou de resistir, seus olhos se arregalaram, seus seios empinaram-se ainda mais, seu corpo cedeu.

Ele forçou-a sobre os suéteres e juntou os pulsos, prendendo-os com uma só mão. Ela estremeceu várias vezes, seu corpo pálido no escuro estendeu-se para ele. Seu sexo, quando ele começou a brincar com ele, já estava todo úmido.

Ela teve um orgasmo... Quase que imediatamente. Ele estava gostando do poder que exercia sobre ela, fazendo seu corpo derreter e gemer. Poderia fazer aquilo por horas.

Mas quando ela gozou tão prontamente, com os pulsos se contorcendo na mão dele, quadris remexendo sobre a palma da mão dele, corpo estremecendo como se estivesse se oferecendo para ele... Então ele não poderia continuar fazendo aquilo. Então... Não dava para esperar nem mais um segundo sequer.

Ele abaixou a calça jeans com uma das mãos e puxou-a para perto dele, enquanto ainda sentia a excitação pulsando pelo corpo dela, apertando-o sem trégua, em um ritmo fora de controle.

Foi surpreendente que, mesmo assim, ele tivesse conseguido controlar-se um pouco mais, para não gozar de uma só vez, mas para pressioná-la mais e mais, ver seus olhos fecharem-se, sentir seus músculos contraírem-se sobre ele de modo incontrolável, enquanto ele a enlouquecia tocando seu sexo com o polegar. Ela estava incrível, deitada no mármore, metade em couro, toda formosa e branca e dele. Ele não podia aceitar que tudo terminasse rapidamente.

Mas ela era tão incrível. Ele não conseguiria segurar por muito tempo. Quando ela gozou novamente, ele também gozou, pressionando-se contra ela em uma explosão de sentimento.

Levou um bom tempo para Cade entender o que deveria fazer em seguida. Não é nada fácil transar em um balcão de mármore. Especialmente não com um homem que a desprezava e que havia usado *tu* pela primeira vez apenas alguns minutos antes, e só porque estava prestes a fazer sexo com ela. Para ela, ele iria expulsá-la a qualquer momento.

Ele ainda estava de pé, ou melhor, esfregando-se nela, deixando os braços apoiarem o seu peso. Seu rosto, sério e cheio de intenção alguns minutos antes, parecia completamente relaxado agora, quase sonolento. Mas ele não fechou os olhos. Ela preferia que ele tivesse fechado os olhos, mas não, o olhar dele continuava rastreando seu corpo, de cima para baixo. Aqueles lábios franceses, normalmente tão apertados e precisos por causa de todas aquelas vogais que ele precisava dizer, pareciam suavizados em uma curva.

Na verdade, ele parecia estar de bem com a vida.

É claro que sim, se você fosse um homem e tivesse as mulheres se jogando em cima de você, ou tirando a roupa e arrepiadas ao seu toque, por que não estaria de bem com a vida?

Ela fechou os olhos. As mãos dele tinham exatamente o toque que ela havia imaginado. Um toque forte e seguro e... Delicado, quando era necessário.

Elas sabiam sua temperatura de fusão, com certeza.

E agora a temperatura dela estava caindo muito rápido. O frio do mármore estava penetrando em seus ossos.

Ele jogou o peso para um braço e levou a outra mão para descansar na barriga dela, seus dedos acariciando-a suavemente.

Isso ajudou um pouco.

Ela parou de se sentir tão isolada e estranha.

Mas o frio continuou penetrando seus ossos. E ela não sabia o que dizer. E ele, com certeza, não sabia o que fazer.

E então, ao sentir algo escorrendo lentamente por suas coxas, ela percebeu que, pela primeira vez na vida, havia feito sexo sem camisinha.

Ah, meu Deus. Ela tomou a pílula, mas... Ele pode ter uma namorada, aquela Chantal. E vai saber com quantas mulheres ele já dormiu, considerando sua boca super sexy e suas mãos e seus olhos escuros e sua arrogância e todo aquele chocolate.

Agora, completamente assustada e rapidamente paralisada, a ponto de ficar um pouco doente do estômago, ela rolou para longe dele.

A pequena curva de sua boca desapareceu, e ele se afastou dela. Esfregou a mão uma vez sobre o rosto, empurrando o cabelo para trás, e então ficou apenas observando-a.

Era enervante ser observada daquela maneira constante, sem palavras. Será que ele não podia desviar o olhar?

Ela vestiu-se, afastada dele, com a cabeça inclinada. Não sabia o que dizer nem fazer.

Ela tentou pensar em algo, mas quais palavras usar? "Obrigada?" *De jeito nenhum.* Ela nunca iria agradecê-lo por ter feito sexo com ela. "Bem, isso foi agradável?" *Ah, Deus.* "Vejo você amanhã?" *Não, não, não!*

— Ainda posso fazer *chocolat chaud* — ele disse. A escuridão áspera havia desaparecido de sua voz. Parecia cuidadosa, e não perigosa. Com um tom de provocação, mas cautela. — Provavelmente melhor do que o seu.

Ela levantou a cabeça e olhou para ele. — Sério? — Fazer chocolate quente para ela? Como algo que faria por alguém que gostasse?

— *Vraiment.* Na verdade, certamente melhor do que o seu — ele sorriu para ela. Ela estreitou os olhos. — Você não provou o meu.

— E você não provou o *meu* — ele retrucou.

Será que estavam apenas falando de chocolate quente?

— Venha — ele a pegou e a colocou sobre o mármore novamente. — Veja como se faz. E vista o suéter antes que você congele.

Mas ela percebeu que ele não colocou o próprio suéter, nem mesmo a camisa. Seminu, aparentemente indiferente ao frio, ele atirou sabores em um caldeirão, misturando leite e chocolate e cacau, preparando chocolate quente. Seu corpo estava completamente lindo em movimento. Longo e magro, era a maneira masculina perfeita de um estômago delineado e de ombros largos, cabelos escuros enrolados no peito, cabelos longos presos atrás da orelha em um dos lados, caídos para provocar o rosto do outro. Ele dominava cada movimento perfeitamente, de modo eficiente e fácil.

— A sua noz-moscada é de Zanzibar? — Ela perguntou, enquanto levantava o copo em direção à boca e sentia o seu calor aquecer as mãos e o rosto.

Seus olhos se encontraram em total entendimento. — Às vezes — ela bebeu devagar. Estava realmente delicioso. Espesso e oleoso, com uma pitada indescritível de especiarias escondida em suas profundezas, eliminando o gelado de todo o seu recém-gelado corpo. Ele havia usado canela, noz-moscada e baunilha que ela havia separado, mas ela sabia que o chocolate dela não teria tido o mesmo gosto.

Quando terminou de beber, ela olhou para o brilho castanho que cobria o fundo do copo, mas ninguém nunca havia lido o futuro nos resíduos de um copo de chocolate quente. — Você vai me entregar para a polícia?

— Você roubou receitas para usar na Corey Chocolate sem a minha autorização?

— Ainda não. E não vou roubar se você me der a sua autorização. Isso tornaria tudo muito mais simples.

— Você quer dizer mais eficiente. Confie em um americano e ele confundirá eficiência com simplicidade.

— Ambas estão relacionadas.

— São termos completamente diferentes. — Ele se encostou na bancada de mármore, segurando o copo de chocolate, um contraste branco para a pele fosca e os cachos de cabelos escuros do peito. Se ele tivesse calculado cada movimento para seduzi-la novamente, não poderia ter feito um trabalho melhor. — Eu não sei. Chamar a polícia parece um desperdício de uma boa oportunidade para mim.

Oportunidade?

— Para me chantagear? — E ele sorriu para ela, lentamente.

Com o sangue congelado nas veias, ela tinha lhe dado várias chances de chantageá-la, não tinha? A própria invasão em seu *laboratoire*. Quanto a Corey Chocolate teria de pagar para resolver isso? E o sexo no balcão... Será que ele tinha uma câmera gravando em algum lugar? Novamente, ela varreu o cômodo com o olhar tentando avistar aqueles itens pequenos que havia procurado na loja de eletrônicos em Halles. — Quais são suas demandas de chantagem?

As sobrancelhas dele abaixaram, e seus dedos apertaram o copo. — Não acho que deveria expô-las para você agora, talvez... Amanhã. Em algum lugar... Um pouco mais confortável. Poderia descrevê-las para você em detalhes.

O sangue congelado dela ficou um pouco confuso à medida que o calor começou a subir simultaneamente. Do que eles estavam falando, exatamente? Dinheiro ou sexo?

Provavelmente, ambos. Ele poderia ser capaz de pedir ambos ao mesmo tempo. Ela não sabia nada sobre ele, realmente. Exceto que, mesmo agora, o que ela queria era ficar no lugar daquele copo de chocolate quente, embalada contra seu peito nu, tocada pelo agradável sabor de seus lábios.

O que ele pensaria se ela se aproximasse dele e deitasse a cabeça em seu peito?

Que ela era patética? Que valia apenas 33 centavos no Walmart?

Ela colocou o copo vazio sobre o balcão, causando um pequeno estalo que soou estranho e frio no *laboratoire*. — Bem. Obrigada pelo chocolate.

Pelo menos o *chocolat chaud* deu a ela um tipo de saída. Ele fez um som, mudo e incrédulo, como se ela tivesse dado um soco na boca do seu estômago. — *Il n'y a vraiment pas de quoi*. Nenhum obrigado é necessário, eu prometo.

Ela não olhou para ele, muito covarde para ver a expressão que estava estampada em seu rosto. Ela simplesmente andou em direção à porta, firme. Pelo menos, ela não se sentia batendo em retirada após uma derrota vergonhosa.

Não foi completamente humilhante. No entanto, continuava bastante embaraçoso. Ele a seguiu e ficou apenas junto à porta, enquanto ela atravessava a rua, certificando-se de que ela havia voltado para onde pertencia.

Ou, talvez, apenas se certificando de que ela havia voltado para o apartamento com segurança.

Uma sombra surgiu sob o toldo da padaria, alguém a estava observando. Ela percebeu e seu pulso ficou acelerado, mas a sombra afastou-se para longe.

E ela relaxou. Quem quer que fosse, não representava perigo para ela naquela noite.

Talvez tivesse visto Sylvain vigiando.

Capítulo 14

— Sylvain. Sylvain.

Sylvain piscou, sacudindo a cabeça e focando em Pascal.

— Estávamos tentando decidir que chocolates fazer para hoje — cutucou Pascal, indicando com um olhar o fichário usado e surrado no qual estavam arquivadas as receitas de uma década. Na verdade, os ingredientes para as receitas. A técnica e o *timing* estavam todos na cabeça do famoso *chocolatier*.

Sylvain esfregou a testa. — *Pardon*. Não dormi o suficiente.

Pascal fez um bico com os lábios e forçou um riso, pois uma dúzia de possíveis piadas sobre falta de sono vieram-lhe à mente, e ele estava se contendo para não contar nenhuma delas. — Bem, repasse isso comigo, e depois vá para casa, para descansar um pouco, caso queira. Você quase nunca tira um dia de folga.

A porta entre o *laboratoire* e a loja se abriu; era Francine, a gerente de loja. — Sylvain, você pode me dizer do que se trata esta história de ladrão? Os clientes, nos dois últimos dias, não pararam de perguntar, e agora uma das americanas que vive por aqui está dizendo que viu um artigo no site do *The New York Times* na manhã de hoje. Ah, e alguém do *Le Monde* está ao telefone. É algum tipo de barão americano do ramo de chocolates roubando *o seu* chocolate? Co-ree? Sylvain piscou mais vezes. — O *The New York Times*? O *The New York Times* de hoje? Já publicou isso? Vagamente, ele tentou lembrar-se do tempo que passara no outro lado do Atlântico. Contudo, embora o que estivesse acontecendo do outro lado do Atlântico nunca tivesse representado grande preocupação para ele, ele não tinha a mínima ideia de como seria. — E o jornal menciona o nome Cade Corey?

Francine estendeu as mãos. — Eu não vi isso. Mas suponho que esteja *on-line*. Sylvain largou o fichário de receitas sem nada dizer, e foi para o laptop em seu escritório.

"O ladrão de chocolate" era o título principal na seção de alimentos. Ele sorriu. *Adorável*. Sempre que o seu nome aparecia na seção de alimentos do *The New York Times*, ele fazia uma fortuna, pelo menos, nos dois meses seguintes, com o aumento das vendas para turistas americanos. Ele já possuía um sólido contingente de celebridades americanas e de clientes por demais extravagantes e ricos que recebiam os chocolates Sylvain Marquis despachados via aérea semanalmente. E agora, com certeza também haveria um aumento expressivo naquela lista. Ele sentia imensa satisfação quando assistia a um filme de Steven Spielberg, ou a um papel interpretado por Cate Blanchett, ou ainda quando abria o Microsoft Excel ou o Google, em seu computador, e pensava naquelas pessoas comendo um de seus chocolates enquanto trabalhavam na produção de suas obras-primas.

"Nos últimos dois dias, blogueiros têm relatado que um ladrão roubou o chocolate mundialmente famoso de Sylvain Marquis."

Mundialmente famoso. Sylvain sorriu novamente. Era verdade, mas sempre era bom ver essa expressão repetida por uma das mais conceituadas autoridades mundiais em jornalismo.

"Será que isso tem a ver com Cade Corey, filha de Mack Corey, e coproprietária do Corey Chocolate, atualmente em Paris? Segundo fontes, ela permitiu que uma mulher usasse seu cartão de crédito durante um dia, no montante de 30 mil dólares, em troca de seu lugar em uma oficina de trabalho de Sylvain Marquis. E ontem à noite, ela foi vista entrando clandestinamente e, algumas horas depois, saindo da oficina de Sylvain Marquis, no meio da noite, quando ninguém estava lá."

Sylvain estivera lá, ele pensou, perdendo de vista o que estava lendo, enquanto sentia o corpo de Cade Corey contra o seu de novo: viu a maneira como ela inclinou a cabeça para trás e olhou para ele quando ele a pegou entrando em seu *laboratoire*.

Bem, agora, ele pensou, ela deve estar recebendo um monte de ligações. Seu rosto estava indeciso: não conseguia pensar se sorria ou arqueava as sobrancelhas em sinal de alarme, enquanto tentava imaginar sua reação ao artigo.

Precisava admitir que sua principal preocupação era que ela parasse de vir ao seu *laboratoire* no meio da noite. Na verdade, ele já havia se preocupado com isso. E se a noite passada fora uma coisa de uma noite só, para nunca mais ser repetida.

O que duas pessoas poderiam fazer no escuro, sem conversar, que nunca pudessem fazer novamente, ou nem mesmo admitir? Ele havia aprendido isso ao crescer.

Sylvain dera mais chances do que queria, mais chances do que devia à fantasia de ser pego em sua oficina de trabalho. Esperara mais tempo do que podia suportar, para ver se ela ia se afastar ou mudar de ideia.

Mas ela nunca parecia ter hesitado. Nem uma única vez.

E isso significava... Absolutamente nada no dia de hoje. Era possível alimentar e manter uma fantasia tão bem quanto guardar uma borboleta. Tudo fora fácil demais, desejado por demais, aniquilando a vida externa. Sua boca mudou de um sorriso para o ódio. — *Ça, alors... Ça serait vraiment con.* Isso seria muito, muito ruim, de verdade.

Havia sido burro. Sabia tudo sobre o sabor do chocolate; sabia tudo sobre a maneira como deveria tê-la acariciado depois, fazendo-a voltar à temperatura normal e à vida normal. E ele não havia prestado atenção... Estivera por demais enredado na própria experiência, completamente prostrado, como se tivesse esfregado um de seus frascos de essência de baunilha, como se um demônio tivesse se escorado nele.

Foi somente depois de ela ter se desenroscado para longe dele e começado a se vestir, naquele silêncio constrangedor, que ele teve cérebro para salvar a situação, oferecendo-lhe chocolate quente.

Ele fizera o melhor possível para reparar seu descuido. Calculara cada movimento e palavra, a partir de então, para tentar que ela voltasse ao seu calor e aos seus braços. Ele quase congelara até a morte ao ficar sem camisa o tempo todo, enquanto preparava o chocolate quente. Mas se a visão a tivesse deixado louca de desejo novamente, ela havia disfarçado bem.

Assim, ele não soube se o chocolate fizera o efeito esperado... Com as mulheres, nunca se sabia ao certo o que estavam pensando. Elas pareciam ter algum instinto de seguir em direções bizarras, ficar bravas, estranhas, só porque haviam transado. O certo seria pensar que o sexo as levasse para outra direção, para uma bem-aventurança que fosse adequada ao mundo, mas não. Era preciso ter cuidado com as mulheres o tempo todo, e aquele não havia sido o caso dele.

Alguns de seus esforços para garantir um futuro para aquela noite *claramente* não funcionaram. Ele havia pensado que uma fantasia sexual na forma de chantagem pudesse atrair uma mulher que se vestia de couro para invadir seu *laboratoire* e deliberadamente ser pega nele, mas ela parecia ter ficado mais irritada do que nunca. Ele ainda podia ouvir o barulho da xícara vazia batendo no mármore como um ferrolho deslizando inerte.

Se ele a perdesse, seria por sua própria culpa... *Ça serait vraiment, vraiment con.*

O celular de Sylvain começou a tocar.

O telefone de Cade tocava, tocava e tocava, enlouquecendo-a, como se ela estivesse sofrendo contínuas picadas de uma abelha, até finalmente forçá-la a acordar. Tinha dormido tão feliz, não se importando com nada.

Ela olhou para o telefone, viu a quantidade de chamadas perdidas de seu pai e de seu avô, e até mesmo de Jaime; em seguida, esfregou o rosto rijo e encaminhou as mensagens para o seu e-mail.

Sua caixa de entrada estava cheia, recebendo *downloads* de alertas e mais alertas do Google. *Verdadeira aflição.* O que Sylvain Marquis havia feito para chamar tanta atenção naquele momento?

Ela viu a primeira das notícias, um trecho de dez palavras do site do *The New York Times*, e viu não só o nome de Sylvain, mas também o seu e a palavra "ladra".

Isso lhe atingiu tanto o estômago que ela quase vomitou ali mesmo.

Seu telefone tocou um pouco mais, como uma colmeia enlouquecida. Ela se levantou, caminhou até o banheiro, e ajeitou-se junto ao vaso sanitário por um longo tempo, até que estivesse certa de que não fosse expelir os resíduos de chocolate quente da noite passada. Em seguida, voltou a ler os artigos principais. Depois, voltou ao banheiro, por lá ficando durante mais algum tempo. E então saiu e abriu o laptop novo que havia comprado na tarde anterior, e passou vinte minutos tentando fazer com que o Skype funcionasse antes que finalmente pudesse encarar a família.

Seu pai, com a barba por fazer e os cabelos grisalhos e amassados pelas horas de sono, ainda esfregava os olhos azuis para livrar-se da sonolência; ele quase não conseguia formar palavras: — Eu só... Não posso... Você ficou louca? Cade. Por quê? Temos *gente* para isso.

— Você não podia ser pega — o avô enfatizou sobre o ombro do filho. Ele era mais delgado do que seu filho troncudo, tinha muitas rugas e os cabelos brancos, e parecia tão lúcido como se estivesse fora da cama há horas, o que podia ser verdade. Ele só dormia algumas horas por noite. Seus olhos azuis eram mais pálidos do que os de Cade ou de Mack, seu filho e pai dela. No entanto, tais olhos ainda tinham o mesmo brilho da mais absoluta confiança em cada palavra que dizia, expressando com alegria as reviravoltas do mundo. — Eu lhe disse para não ficar em uma posição onde pudessem começar a especular sobre você.

— Quando você volta? — Indagou o pai.

Ela franziu a testa, brevemente preocupada. — Não volto. Ainda não.

O mais absoluto silêncio. No retardo do sinal de satélite, o pai, no vídeo, estava parado, olhando para ela. — Por que não? Que outros danos você espera fazer aí? Cade, estou atendendo a ligações do *The Wall Street Journal* aqui. Fiz apenas uma declaração simpática de cunho político, caso precisemos tirar você de alguma prisão da França. Você não é Jaime!

Sim, e de alguma forma, Jaime sempre fazia o que queria, em qualquer lugar do mundo que desejasse. Protestos nas reuniões anuais do G8, o que, certa vez, lhe valeu uma primeira capa ao ser fotografada sob o efeito do gás lacrimogêneo lançado contra a multidão anticapitalismo; havia também as viagens ao exterior como mochileira... Enquanto Cade havia trabalhado para a Corey desde a adolescência. Jaime havia sido capaz de *abandonar* todos os negócios e seguir *seu coração*, e o pai, e a própria Cade, davam-lhe tudo o que ela queria como recompensa. Um exemplo ocorreu quando a Corey financiou sua plantação de cacau, e outras coisas mais. Cade não podia deixar de pensar que, se quando na adolescência tivesse tido a audácia de aparecer na primeira página de um jornal, por participar de um protesto contra a Organização Mundial do Comércio, ela também poderia estar livre, neste exato momento. Livre para perseguir qualquer sonho que tivesse. Ah, e talvez *Jaime* fosse aquela a ficar presa com todo o Chocolate Corey em seus ombros, lamentando-se sobre sua irmã mais velha ter abandonado o negócio.

— Você sabe, a França provavelmente não vai se incomodar em extraditar alguém por ter invadido uma propriedade privada. Portanto, se você voltar para casa antes que eles assinem um mandado de prisão, você se livra da cadeia — o avô ponderou.

— Eu ainda não consegui o que queria ao vir para cá — disse ela, com teimosia.

— E ainda não descobri uma maneira de incorporar o espinafre ao chocolate — disse o avô. — Há algumas coisas que nunca conseguimos.

Ela olhou de esguelha para a tela. Seu avô estava desertando, era isso que ele estava fazendo. Ele sempre estivera ao seu favor antes que o nome Corey chegasse ao exterior. — Sim, mas você ainda está tentando. E o seu bisavô ainda tentou fazer o tal do chocolate ao leite, mesmo depois de ter queimado a fazenda inteira com seus experimentos. — De repente, resgatar essa memória foi reconfortante para ela. Por mais triste que sua família estivesse com os atos dela na França, a família do bisavô havia ficado ainda muito mais triste com ele por causa do incêndio da propriedade, onde todos moravam, em nome de um sonho, de um castelo no ar. E agora todos estavam muito bem de vida, graças àquele experimento.

Todos eles estavam... À mercê da vontade de um *chocolatier* francês, graças a ela.

— Deixe-me ver se entendi — disse Marguerite, a mãe de Sylvain, por telefone, falando de Provença, onde Sylvain ajudara os pais a comprarem uma casa quando se aposentaram.

Sorte dele. Sylvain havia pensado que estava recebendo ligação do *Le Monde*. — Uma das proprietárias ricas e mimadas da Corey Chocolate invadiu sua loja para roubar você? — A mãe de Sylvain manteve a voz modulada e agradável como sempre fazia, mas sua indignação vibrou por todo o seu corpo até chegar ao ouvido do filho como um espinho.

— *Maman*. Como você ficou sabendo disso tão rápido?

— Tenho um alerta do Google sobre você, é claro — ela respondeu prontamente. — Além disso, recebi dez ligações de amigos antes que pudesse sair do chuveiro hoje de manhã. Afinal, é verdade?

— Ela realmente ainda não conseguiu roubar nada, exceto chocolates — ele resguardou-se. — Não encontrou minhas receitas — não que as receitas fossem úteis. Ele somente arrolava os ingredientes para refrescar a memória. O *timing*, as temperaturas, tudo o mais estava em sua cabeça. — *Maman, une alerte Google?*

— Por que você disse "ainda" — a mãe exigiu saber. — Você não mandou prendê-la?

Sylvain tentou pensar na melhor maneira de dizer não. — *Maman*. Este é o mundo do chocolate. — Ele queria dizer *seu* negócio. *Recuar*. — Está tudo bem.

Obviamente, a mãe não entendeu a dica para que ela cuidasse dos próprios negócios. Ela nunca entendia. — Você não ordenou que ela fosse presa? — Mais uma vez Sylvain sentiu como que um espinho em seu ouvido, tamanha a indignação naquela voz normalmente elegante. — Você vai deixar que ela escape impune?

Não só isso, mas ele estava esperando que ela voltasse e roubasse um pouco mais dele mesmo. — É complicado, *maman*.

— O que é complicado aí? — Ela perguntou como se pudesse oferecer algum perigo.

— Bem, ela é uma gracinha — disse ele, tentando achar uma desculpa.

— Ah, Sylvain. *Por favor,* não me diga que você vai deixar uma pirralha mimada e riquinha usá-lo para roubar o que é o mais importante para você. E ainda partir seu coração.

— Não vou permitir — disse Sylvain com firmeza. *Merde,* aquilo já soava como uma mentira. Não era um bom sinal para ele.

— Sylvain — disse sua mãe com pesar. *Mas que diabos?* Será que todos tinham de ficar de luto por ele *antecipadamente?* — Você *nunca* vai aprender?

Era o tipo de manhã na qual Cade teria gostado de tomar um banho bem longo antes de enfrentar a vida e o que viesse. Mas quando ela tentou, basicamente deu uma chuveirada no papel de parede e sentiu-se congelada. Por fim, acabou enchendo a banheira e nela ficou imersa, somente com o nariz exposto para respirar. Havia anos que não tomava um banho em uma banheira... Mas sentiu falta de algo, quando o efeito estimulante passou. Além disso, estava certa de que a temperatura era de 16 °C naquele apartamento.

Vestiu-se e maquiou-se com muito cuidado, tanto quanto era possível a uma mulher no tocante à aparência: a sombra e o rímel perfeitos para os olhos, e a escolha do batom perfeito. Muito trabalho para escolher a calça comprida; precisava ser sexy e profissional ao mesmo tempo, e não podia em nada lembrar algo que parecesse couro preto. Quase escolheu uma marrom em tom chocolate, mas o fato de se lembrar da palavra "chocolate" a enfureceu e, assim, ela mudou para uma saia curta na cor grafite, calçando botas pretas de cano longo e meia-calça com listras também na cor grafite. Um suéter vinho. Um pingente de pérola negra.

E sobre todas essas roupas, foi necessário colocar um longo casaco de lã. Estava frio demais para sair sem um casaco.

Mas se, por qualquer motivo, tivesse de tirar o casaco, queria que a camada de roupa seguinte tivesse boa aparência. De modo provocativo, escolheu o casaco de lã vermelha.

Havia uma fila do lado de fora da loja de chocolate, e Cade pensou, por um instante, em usar o código secreto roubado, em plena luz do dia, e entrar por trás. Mas tinha certeza de que a pessoa perto daquela entrada era um jornalista com uma câmera. Um jornalista ou um daqueles malditos blogueiros que escreviam sobre culinária.

Em vez disso, adaptou-se ao costume local e furou a fila com total autoridade, entrando na loja. Ou melhor, *tentando* entrar na loja. Na prática, aquilo se transformou em grande agitação e muita gente se apertando na multidão que, com entusiasmo, se inclinava junto às vitrines.

Ela segurou a porta que dava para o *laboratoire*.

— *Madame!* — Exclamou uma das mulheres usando avental marrom com o emblema SYLVAIN MARQUIS. — *Vous ne pouvez pas...*

— *Vous êtes Cade Co-ree?* — Ela ouviu um homem exclamar feliz.

Ela os ignorou, apesar de seu estômago doer ao ouvir seu nome sendo chamado em voz alta naquela loja. Particularmente o seu sobrenome. Graças a Deus a empresa de sua família era de capital fechado.

Sylvain e Pascal estavam inclinados sobre um fichário marrom e surrado, ambos usando toucas de papel, sendo a de Sylvain levemente mais alta do que a de Pascal. Sylvain endireitou-se imediatamente quando a viu e fechou o livro.

A energia parecia oscilar nele; e sorriu para ela, mas com cautela. Ela apertou os olhos para ele. — Posso falar com... — Ela parou, percebendo que seu conhecimento da língua francesa a deixava, agora, com uma difícil escolha linguística. Ela poderia usar o *vous*, perfeitamente formal e profissional, ou o *tu*, uma mudança repentina para a intimidade que seria como que desnudada na frente de todo mundo que pudesse ouvi-la. Preferiu mandar os pronomes para o inferno. Fingiu ter voltado ao seu curso "O francês em 101 lições", mas, mesmo assim, não conseguiu lembrar os usos. — Posso falar em particular?

Em frações de segundos, e tarde demais, ela percebeu que praticamente havia feito a mesma pergunta que na primeira vez, quando acabou sendo colocada para fora do *laboratoire* de Sylvain. Se ele arqueasse as sobrancelhas, recusando-se, e lhe dissesse "Isso é importante", ela muito bem podia queimar todo o conteúdo do fichário. E onde é que ele guardava aquilo quando não precisava? Ah, ela teria procurado por toda parte.

— *Bien sûr* — ele disse. — Posso ouvir?

Ela ficou arrepiada, desejando ter uma espécie de chicote para bater contra a própria perna de maneira ameaçadora ou algo assim. Ele a pegara fazendo coisa pior do que passar por um aperto sobre escolher entre *tu* e *vous*. Ela notou que habilmente ele mesmo evitara qualquer preferência sobre a segunda pessoa.

Ele havia usado *tu* na noite passada. Ela não conseguia se lembrar do que ela havia usado. — *Par ici, Mademoiselle Corey* — Sylvain pegou-a pelo cotovelo. Apesar do casaco e do suéter, um choque elétrico correu por todo o corpo dela. — Não acredito que você já esteve em meu escritório — disse ele com certo carisma irônico, uma vez que ambos sabiam que ela havia invadido o local várias noites seguidas. E ele usou o *vous*.

Ela entendeu a ironia.

Sylvain guiou-a a seu escritório e fechou a porta. Soltou-a e inclinou-se para trás, contra sua mesa, e sorriu para ela. — *Bonjour* — ele tirou a touca de papel e jogou-a sobre a mesa; o cabelo preto deslizou até o queixo. Ela nem mesmo tocara em seu cabelo na noite passada. Tudo havia acontecido tão rápido! Os dedos de Cade se contraíram agora, lamentando a oportunidade perdida para descobrir se o cabelo era tão sedoso quanto parecia. Ela pensou que, se tirasse as luvas, poderia tirar a dúvida com as próprias mãos...

— Deixe-me explicar algo sobre chantagem para você — disse ela, com os dentes quase cerrados. — Se você quer chantagear alguém por causa de um segredo, não pode começar a contar o segredo ao mundo.

O olhar dele estava perdido no casaco vermelho que ela usava. Demorou um pouco para ele perceber que ela havia parado de falar. Ele olhou para seu rosto. — O quê?

— Se você quer fazer uma chantagem sobre uma coisa, você deve mantê-la em segredo.

Ele estava olhando para o peito de Cade, como se estivesse tentando penetrar no casaco pesado. — Desculpe-me. O quê você está dizendo?

— Você está me ouvindo?

— Estou tentando — ele admitiu, bufando. — Mas não dormi muito na noite passada. E estou pensando sobre os motivos.

Graças a Deus, graças ao casaco. Assim, pelo menos, ele não podia ver seus mamilos enrijecerem nem suas coxas se apertarem.

— *Pensei* que você disse que ia me chantagear. Eu estava contando com isso!

A curva de sua boca se aprofundou. Seus olhos escureceram. — Então você gostou da ideia? Diga-me, você está novamente usando um pijama sob o casaco, ou o quê?

Ele se conteve e tentou se concentrar.

Voltara a usar o *tu*, ela notou. Estaria ele tentando levá-la à loucura? Ela não tinha ideia do terreno em que estava pisando com ele.

Bem, tratava-se de um jogo para dois. Ninguém aqui parecia aceitar que ela falasse francês. Ela podia misturar *tu* e *vous* em uma mesma frase e agir como se tudo estivesse na mais completa inocência. — Teria sido melhor se você não me tivesse chamado de ladra no *The New York Times*. Você deveria ter pensado um pouco mais antes de contar a eles o que contou.

As sobrancelhas dele se arquearam. — Você acha que *eu* disse isso a eles? Você acha que sou um *imbécile*?

— Você recusou um contrato milionário e então decidiu me chantagear. Ainda estou tentando decidir seu grau de inteligência.

Ele apertou os olhos. — Eu não era o melhor *chocolatier* em Paris quando nasci. Tive de trabalhar muito para chegar aqui. Você, no entanto, já deve ter nascido proprietária do Chocolate Corey.

Aquilo era irritante e cruel. Era o que as pessoas pensavam o tempo todo a respeito dela. Diziam que ela havia herdado bilhões, e que aqueles bilhões hereditários tornavam-*na* inútil. O fato de ter nascido proprietária era verdadeiro, mas ela trabalhava muito na Corey. Administrar a empresa da família havia sido seu propósito de vida a partir do momento em que fora colocada no ventre materno, fazendo a mãe vomitar por causa do cheiro de cacau.

Todo aquele esforço estúpido para possuir um pedaço de um chocolate meio amargo de Paris foi uma das primeiras escolhas sobre seu destino que ela conseguira fazer.

Antes que pudesse falar, ele decidiu pará-la. — Espere! O que fazer chantagem tem a ver com aquela sua ideia ridícula de contrato? Você achou que eu iria chantageá-la por *dinheiro*?

Ela hesitou.

A indignação ardia nos olhos de Sylvain. — Ontem à noite, quando eu disse o que disse, você pensou que tudo era por causa de *dinheiro*? — Ele se distanciou da mesa com um empurrão abrupto, o que o trouxe para bem perto dela no pequeno escritório. — E você acha que eu sou um cara que não é muito inteligente, não é? É assim que você define inteligência? Como a capacidade de manter o controle sobre seis zeros depois de um número?

Nove zeros, ela pensou. Conseguiu morder a língua antes de corrigi-lo. Era melhor assim. — E como você define *inteligência?*

— A capacidade de reconhecer algo de valor quando você o vir — disse ele prontamente. — Ou prová-lo. Ou tocá-lo.

Ela começou a enrubescer. Ele estaria falando sobre uma filosofia de vida, em termos gerais, ou sobre ela? Ela era algo de valor? Em um sentido não financeiro?

Em seguida, novamente... Ela com certeza o provou e o tocou. Seu rubor aumentou, ficando quase da cor do casaco, quando se lembrou do gosto dele, de como era senti-lo. Talvez ele quisesse dizer que *ele* era algo de valor que *ela* deveria reconhecer pelo paladar e pelo tato.

Isso seria apenas arrogância por parte dele, não? — Eu realmente reconheço o valor — disse ela, vacilando nas palavras. — É por isso que eu tenho invadido este lugar, tentando roubar suas receitas de chocolate.

De chocolate. Não você.

O que quer que fosse que ela desejasse conseguir com aquela sentença, ela podia contar como um fracasso, porque, visivelmente, ele quase perdera todas as suas emoções. As palavras apenas pareciam voltar para ele.

— Ou posso conseguir que Dominique Richard me venda as receitas dele — ela acrescentou perversamente, forçando ainda mais uma cisão entre eles.

A boca de Sylvain se abriu. — Diga-me uma coisa, então. Você transaria com Dominique Richard por causa do chocolate dele, também?

Não. Porque Dominique Richard tinha apenas boa aparência, nada mais do que isso. Ela não perdeu toda a capacidade de reflexão quando olhou para as mãos dele. Ou para a boca. Ele não era *bonito,* não tinha todo movimento perfeito.

Mas ela não ia dizer isso a Sylvain Marquis. Especialmente não agora, quando o insulto dele se abrandara e o rubor dela desaparecera, deixando-a branca e fria e com aparência de doente. — Não quero o seu chocolate. Não quero você — *sim, eu quero, sim, eu quero,* ela gritou dentro de si. *Cale-se, cale-se.* — Eu retiro a oferta do contrato — ela mal conseguia se lembrar de como dizer aquilo em francês, mas disse do jeito que pôde. Tal situação havia aparecido em um dos livros didáticos sobre negócios que o seu professor apreciava, mas ela não dera muita atenção. Nunca passou pela cabeça que um dia viesse a precisar usar tal expressão.

E havia outra coisa que ela nunca tinha aprendido a dizer em francês, então ela mudou para o inglês e mostrou os dentes para ele, dizendo: — Foda-se, Sylvain Marquis!

Ela virou-se e saiu a passos largos.

Capítulo 15

— Merde — Sylvain disse em voz alta em seu escritório. — *Putain de bordel de merde.*

Ela estava certa, ele era um *imbécile*. Por que ele era tão burro especificamente em relação a ela? Toda vez que ele dizia a si mesmo para ter cuidado, lembrando-se das regras de sedução, ele se transformava e fazia algo pior. Ela tinha vindo para vê-lo, *não*? Não tinha se escondido.

Ela havia chegado para a guerra, mas tinha voltado, novamente procurando-o.

Por que deixava que o comentário sobre valorizar seu chocolate o perturbasse? Ele *sabia* que era assim que funcionava.

Mas algo se rebelara dentro dele. Algo dizia: *espere, se o chocolate é a única coisa que importa, por que fez sexo comigo?* Dominique Richard foi escolhido *meilleur chocolatier de Paris* no ano passado. Na verdade, havia sido um erro de julgamento por parte do prefeito, que morava no mesmo bairro que Dominique. Mas... Certamente havia algo mais que ela vira para diferenciá-lo de alguns dos outros principais *chocolatiers* parisienses, além da maneira como eles faziam chocolate.

Ele recuara por um desejo súbito e tempestuoso em fazê-la admitir isso para si mesma, pelo menos, ainda que não admitisse em voz alta.

Tudo o que ele conseguira foi comportar-se como uma criança pirracenta que ganha do Papai Noel um avião em miniatura para montar e que, depois de passar muito tempo entretido na construção do modelo, acaba por destruí-lo por causa de um ataque de raiva, só porque não conseguiu encontrar um adesivo que julgasse adequado para colar no brinquedo.

Ele voltou para o *laboratoire*, mas viu-se completamente incapaz de se concentrar em suas receitas.

— Deixe que eu decida as coisas por aqui — finalmente disse Pascal, frustrado. — Hoje você está inútil. Inútil, de fato. Ele pensou na maneira como o rosto de Cade Corey, inexplicavelmente corado, foi empalidecendo até não sobrar nada nele; só seus olhos brilhavam e traziam uma cor.

— Vou dar um passeio.

Ele tirou o *tablier*[15] e o jaleco de *chef* na sala anterior, e vestiu o casaco de couro que havia usado naquele dia em honra ao ladrão de chocolate. Ele foi para os Jardins de Luxemburgo. O vento de novembro agitava galhos desprovidos de folhas e resfriava suas bochechas. Seus pés produziam ruídos característicos sobre o cascalho. Os jardins estavam praticamente vazios, em comparação às multidões que se reuniam ali na primavera e no verão. Agora, mesmo com o frio que fazia, sempre havia pessoas que procuravam o local em busca de refúgio. Fotografavam a grande lagoa perfeita em forma octogonal na frente do palácio. Os turistas visitavam Paris mesmo em novembro, ou se amontoavam e se punham a meditar em cadeiras ou nas escadas; outros apenas caminhavam.

Um mendigo havia reunido oito cadeiras para formar uma espécie de cama, e instalara-se lá, com cobertores usados e uma jaqueta nova em folha, que devia ter encontrado em algum lugar. Muito feliz, comia depressa algo que estava em uma caixa com aparência familiar.

O queixo de Sylvain caiu quando percebeu que o homem estava comendo algo contido em uma caixa marcada com seu nome. E não era só isso: ele tinha uma sacola enorme com o nome de Sylvain, que estava carregada de, pelo menos, outras oito caixas de chocolates. — Onde você conseguiu isso? — Ele perguntou com rispidez, embora, enquanto fizesse isso, já começasse a adivinhar. Sentia-se furioso, apesar de lembrar-se de que devia manter o autocontrole.

— *Une femme* — o homem acenou vagamente para uma das alamedas. — Ela me deu um *chocolat de merde* um dia desses, e eu fui sincero com ela, reclamei. Pelo jeito, ela se sentiu culpada, porque voltou no outro dia e me deu uma caixa cheia de coisas boas. Sylvain Marquis — contou o homem com gratidão. — Nunca pensei que fosse comer algo feito por Sylvain Marquis.

— Isso é mais do que uma caixa! — Exclamou Sylvain. Uma parte dele se sentia culpada, igualmente, ao ver um mendigo tão grato por comer seus chocolates. Ele precisava fazer algo a respeito. Mas outra parte dele estava

15. Avental. (N.T.)

fervendo de raiva. Ela mesma não estava comendo seus chocolates? Não estava lá em cima, no apartamento dela, saboreando pedaço a pedaço dele, Sylvain?

O homem fechou a sacola depressa, imaginando que seu interlocutor representasse uma ameaça. — *Ouais*, ela me entregou isso aqui há poucos minutos. Ela deve ser complexada por causa daquela Barra Corey que me deu na primeira vez. Ah, e também me deu esta jaqueta. O mendigo a abraçou possessivamente, evidenciando como se sentia quente e protegido com ela. E então fungou. — O que não gostei foi do jeito dela, mandona e querendo meter o nariz na minha vida. Ela tentou me convencer a ir para um abrigo, quando eu tenho todo esse jardim bonito para mim...

Ela havia invadido seu *laboratoire*, roubado seus chocolates, para, em seguida, dá-los, sem qualquer preocupação, a um mendigo nos jardins? Quem era ela afinal, *Robin Hood du Chocolat?*

Sylvain deu 10 euros ao homem e caminhou na direção que ele havia indicado de modo vago; logo identificou um casaco vermelho. Cade Corey caminhava entre castanheiros e bancos verdes e vazios, depois das estátuas brancas das rainhas francesas. Caminhara muito para alguém do seu tamanho. O vento puxava seu cabelo, e ela andava com as mãos nos bolsos, com a cabeça baixa. Uma ou duas vezes, ele a viu colocar o queixo para cima, mas logo se protegia novamente.

Ela parou à beira da fonte de Médicis, ficando de pé em uma das extremidades da longa *bassin d'eau*, olhando para as águas escuras, bem como para a estátua dos amantes surpreendidos por um ciclope no final de uma gruta. Guirlandas de hera estavam amarradas em um belo arranjo verde colocado entre plátanos nus. Algumas folhas caídas mais recentemente boiavam na água escura.

Aproximando-se dela por trás, ele viu a mão levantar e limpar o rosto na altura dos olhos.

Será que estava chorando?

Putain. O estômago de Sylvain apertava como se ela o tivesse arrancado para fora do corpo e acertado um soco.

Non, ele pensou, lembrando-se do delicado jogo da força de Cade com ele na noite anterior. Parecia um soco de alguém mais forte do que ela. Talvez ela tivesse muito mais poder do que pudesse imaginar.

Talvez ele precisasse aprender rápido como apertar os músculos do estômago contra o próximo golpe.

Quando um braço roçou o ombro de Cade, ela se afastou automaticamente. Indivíduos burros e de baixo nível social continuavam a colidir contra ela em todos os lugares onde ela estivesse. Ela olhou para os vagabundos e praticamente deu um ataque quando viu que era Sylvain.

Ele se virou para ela, mantendo as mãos nos bolsos do casaco. O fato de ser um casaco de couro era alguma gozação por causa da calça que ela usava ao agir como ladra? Ele usara lã no outro dia. — *Ne pleure pas.*

Não chore.

Ela lançou-lhe um olhar furioso. — Não estou chorando. Está frio, e está ventando.

— Ah. Então me permita protegê-la do vento. Ele mudou de posição, de modo que seu torso a blindasse do vento forte; assim, eles ficaram bem próximos.

Ela apertou os lábios, determinada a fazer com que seus olhos e seu nariz parassem de arder. Devia levar um minuto para que os olhos parassem de lacrimejar por causa do vento. E assim aconteceu. Aquela foi a razão pela qual as lágrimas pareciam piores agora que ela estava protegida pelo corpo de Sylvain.

Havia algo de extraordinário sobre tê-lo fisicamente entre ela e o vento.

Bastard.

Era muito provável que ele também estivesse calculando esse tempo.

Sylvain começou a falar, parou, recomeçou e, finalmente, soltou um longo suspiro. Ela pôde acompanhar tal suspiro levantando o couro do casaco dele. — Foi um lote ruim de chocolates ou algo assim? — Ele perguntou, com decepcionante suavidade.

Se ela tivesse imaginado a reação dele, *o que ela não havia feito,* ao doar todos os seus chocolates para o mendigo... Pois não esperava que o gesto o deixasse com raiva. — Não — ela contorceu os lábios para ele. — Eles estavam me fazendo mal.

— *Vraiment* — ele recuou um pouco para estudar o rosto de Cade. Ela tinha a esperança de insultá-lo e, em vez disso, ele parecia ter vislumbrado intrigantes buracos em sua armadura.

Ela virou o ombro na direção dele. — Vá embora.

— *Je m'excuse. Pour tout à l'heure.*

Ele estava se desculpando? *Um completo e absoluto canalha*. Ela cerrou os punhos nos bolsos, com a cabeça baixa, lutando contra o vento frio que fazia seus olhos arderem.

— Mas você não queria fazer isso, queria? — Ele perguntou.

— Dar o seu chocolate? Eu distribuiria um pedaço para todas as pessoas, no mundo inteiro, se fosse possível.

Ele tirou a mão esquerda do bolso do casaco para fazer um gesto rápido de provocação e disse: — Durma com Dominique Richard.

Cade lembrou-se, nitidamente, do homem caindo no rio Sena no dia anterior, e se perguntou qual seria a profundidade daquela *bassin*.[16] — Você é o único que está tão obcecado por ele. Você que durma com ele.

Sylvain lançou-lhe um olhar indignado. Ela girou e continuou caminhando, sem exatamente saber para onde estava indo. Mas ele era bem mais alto do que ela. Assim, não teve problemas para alargar o passo de modo que logo estivesse caminhando ao lado dela e perguntou: — Isso significa que você está obcecada por mim?

Ela não parava de andar, mas lançou-lhe um olhar confuso. Ela disse que aquilo devia ser uma brincadeira, mas... Sua obsessão devia ser obviamente humilhante naquele momento. Ficou ruborizada, afundou mais ainda as mãos nos bolsos do casaco, e focou o olhar no cascalho.

Ele não disse mais nada. Entretanto, quando ela lhe lançou um olhar sorrateiro um momento depois, a aparência dele era a de felicidade com a sorte que voltava a ter na vida.

Bem, aquilo não era maravilhoso? Alguém estava feliz.

Ele caminhou com ela de volta ao apartamento dela e ficou observando o painel numérico descaradamente, enquanto ela digitava o código de segurança de seu prédio.

Algo se mexeu, quente e escuro, dentro dela. O que significava todo aquele interesse dele? Que uma boa invasora merecia um bom invasor? Ela nunca mais seria capaz de ir para a cama usando confortáveis calcinhas de algodão e um velho moletom.

Ele se inclinou para perto dela, no que quase seria o prelúdio de um beijo e sussurrou. — Você ainda tem a chave da minha loja?

Com a mão no bolso, Cade apertou a cópia que havia feito. Olhou para ele, em silêncio.

16. Lagoa, bacia. (N.T.)

Ele manteve os olhos nos dela por um momento, até que a chave começou a arder contra a palma da mão da invasora.

Sua respiração ficou ofegante até que ela começou a sentir que a única maneira de obter oxigênio seria em um boca a boca.

Ele não pediu a cópia da chave. Virou-se e hesitou. Virou-se para trás e afastou a mecha de cabelos que estava nos lábios dela. Um polegar protegido pela luva descansou um momento no arco que a boca da moça fazia.

Em seguida, ele atravessou a rua e foi na direção do seu *laboratoire*.

Capítulo 16

A CHAVE A enlouqueceu completamente durante a noite em que saiu com os alunos. A noite foi ótima. Sair com parisienses reais que não faziam ideia de quem era Cade Corey, pessoas da mesma idade, que pareciam ter apenas a responsabilidade de desfrutar a vida de estudante enquanto podiam. Passaram por um bar e depois foram dançar em uma festa cheia de pessoas nos seus 20 anos que agiam como adolescentes. Ou melhor, deram uma nova perspectiva sobre como outras pessoas de 20 anos tendem a agir. Foi tudo muito divertido.

E era *Paris*. E ela fez parte de tudo.

Mas ela não parava de pensar na chave. Ficava imaginando se ele estava esperando por ela no escuro em seu *laboratoire*. Ou se entraria no apartamento dela, com planos de violentá-la na cama.

A possibilidade perturbou-a a noite toda, desviando sua atenção da festa, consumindo-a de modo sombrio. Ela tentou ignorá-la, esforçando-se para se concentrar na noite de diversão que era muito mais saudável e muito melhor para ela do que qualquer obsessão estúpida.

Mesmo assim, a possibilidade deixou-a maluca. Ela passou a noite toda excitada, no limite, tentando não mostrar isso. Seus mamilos continuaram sobressaindo por baixo do top de seda que estava vestindo, à medida que pensamentos sombrios varriam sua mente, em uma excitação contínua que levou um dos estudantes a pensar que ela estivesse interessada nele.

E ela não estava. Nem um pouquinho.

Quando um táxi a deixou na frente do apartamento, às 4 horas da manhã, a sensação era de saudade enlouquecedora e frustrante. Ela chutou para longe as botas e caiu na cama em suas roupas cheirando a cigarro, e depois disse a si mesma, firmemente, que havia feito a escolha certa para a noite.

Mas acabou se sentindo como um viciado em drogas ao fazer a escolha de passar uma noite em abstinência.

O que era ridículo, porque certamente não se pode ficar viciado em qualquer coisa com apenas uma dose.

Sylvain tinha tudo planejado. Faria um daqueles chocolates que a fascinava tanto. E a ensinaria todos os passos: fusão, ebulição, manuseio, difusão, toque, degustação e arrepio com o prazer do sabor. Ele iria seduzi-la lentamente, atormentando os dois deliciosamente com a lentidão, seus dedos nos dela enquanto misturavam o chocolate derretido, seu corpo roçando no dela por trás, as mãos acariciando as costelas, descendo até a barriga e subindo até os seios enquanto levava às mãos dela algo para mexer, provocando-a ao misturar a obsessão dela por chocolate com a sensação de suas mãos. E ele não se esqueceria do relaxamento dessa vez.

Ele havia pensado nos aromas que queria que ela cheirasse, nos sabores que ele queria que ela provasse, enquanto a seduzia. Ele tinha frascos e *pistoles*, vários sacos espalhados pelo balcão de mármore.

Mas ela não apareceu.

Ele ficou lá a noite toda. Tentou desistir e voltar para casa, admitir que ela não viria. Mas foi tomado por uma dúvida. E se ele sentisse falta dela? E se cinco minutos depois que ele fosse embora, ela finalmente chegasse?

Então, voltou a tirar a jaqueta e esperou. Mas ela não apareceu.

Capítulo 17

— Você passou a noite inteira aqui? — Pascal perguntou incrédulo. Olhou para as panelas sujas, o material espalhado, os chocolates novos brilhando na forma de grandes gotas quase pretas, ainda não refrigerados. A luz da manhã de outono entrava pelas janelas altas e cintilava por cima deles até alcançar as paredes. — O que deu em você, ficou inspirado?

— Na verdade, hoje não quero falar com ninguém sobre nada — disse Sylvain. — Desculpe-me.

Pascal lançou-lhe um olhar perscrutador e abriu a boca, provavelmente para perguntar se ele estava bem, mas Sylvain levantou uma das mãos e afirmou. — Sobre nada. *Pardon*.

Outro olhar perscrutador, mas Pascal concedeu-lhe o respeito que merecia um *maître chocolatier* em seu covil e não insistiu. Deixou-o sozinho e sinalizou com a cabeça para que os outros que se aproximavam fizessem o mesmo. Chegou inclusive a interceptar Francine, quando esta tentava dizer-lhe que havia mais convites para entrevistas.

Sylvain terminou o resfriamento dos chocolates que havia feito no final da noite e então precisou achar algo para fazer, algo que compensasse a espera fracassada. Ele passou entre *les petites dames blanches*, pegando um dos pequenos sacos que usava para embalar chocolates individualmente para servir em jantares de gala ou casamentos. Amarrou o saco com a fita que tinha a sua marca registrada e saiu para a frente da loja, enquanto interrompia um dos funcionários que estava lidando com as filas.

Sim, o primeiríssimo evento da manhã: já havia filas. As pessoas realmente adoraram aquela história do ladrão de chocolate.

Ele puxou o balconista de modo que não fossem ouvidos pelo público. — Você poderia levar este aqui até o outro lado da rua e deixá-lo em uma porta? É no sexto andar. Não tenho certeza quanto ao número do apartamento, mas sei que é o apartamento que fica de frente para cá. Aqui está o código de entrada.

Cade dormiu muito tarde. Acordou ainda cheirando mal. Era o cheiro da fumaça da festa. E sentia-se mal com aquele cheiro e, além disso, estava profundamente decepcionada.

De banho tomado e vestida passou algum tempo tentando fazer com que seu novo e-mail funcionasse no laptop. Em francês, porque não conseguia descobrir como mudar o idioma padrão do computador. Ela normalmente tinha pessoal técnico para esse tipo de coisa.

Por fim, acessou o grande volume de mensagens pelo telefone, incluindo aquela na qual pedia à sua equipe técnica que lhe enviasse, durante a noite, uma nova configuração em língua inglesa para o computador.

Vencida pela fome, saiu do apartamento. Mesmo ela não poderia viver de chocolate para sempre. Começou, porém, a sentir-se mal.

Inspirada pela festa dos estudantes, e também pelo fato de que um ladrão de chocolate deveria ter um determinado código para o vestuário, vestiu uma calça estampada de renda e pegou uma túnica de malha cinza menor do que a jaqueta de couro que havia vestido por cima. Botas de couro grandes e de cano longo, e brincos enormes de lápis-lazúli, completavam o conjunto; o cabelo estava levantado de maneira que deixasse os brincos à mostra.

Quando ela fechou a porta do apartamento atrás de si, seus dedos bateram em algo. Tratava-se de um saquinho pendurado na maçaneta, amarrado com uma fita que continha uma versão em miniatura da marca SYLVAIN MARQUIS.

Seu coração disparou. Sua respiração ficou curta, as coxas tensas e uma sensação percorreu todas as suas zonas erógenas, como se ela tivesse acabado de vê-lo pessoalmente, parado, perto da porta do apartamento.

Pegou o saquinho e ficou segurando ele por muito tempo na mão, antes de abri-lo, com todo o cuidado do mundo. Obviamente era um lindo chocolate. A forma era nova, nada que ela já tivesse visto entre os chocolates feitos por ele. Era meio que redondo, com uma onda e uma sutil elevação, dando-lhe a sensação do trabalho de um artista e não de uma máquina. O exterior era totalmente preto, ou quase; não havia como distinguir por causa da iluminação deficiente do patamar.

Ela olhou para o chocolate por muito tempo. Talvez tivesse sido envenenado. Seria morta por um chocolate de Sylvain Marquis...

Levou-o à boca; os lábios roçavam a suavidade, os dentes venciam a menor resistência exterior. Era amargo. Bom Deus, era amargo. Escuro, escuro, escuro, praticamente sem açúcar. Pertencia à classe dos amargos. Seus dentes venceram a delicada *robe* e alcançaram o amargo mais macio, sedoso, liso que uma língua um dia pudesse conhecer. Havia apenas um rastro, uma pitada de canela, uma promessa ilusória de doçura, conforme derretia; mas tal promessa foi rapidamente dominada pelo amargo, por aquele derretimento, por aquele amargo suave. Em sua vida, ela nunca havia pensado que algo amargo pudesse ser tão agradável no contato com a língua.

Pegou a outra metade e olhou a marca de seus dentes no *ganache*, que era tão escuro dentro quanto fora.

Foi para a rua e o encontrou vestindo jeans e jaqueta diante da porta de seu *laboratoire*, dando o que parecia ser uma entrevista improvisada para várias pessoas com câmeras sofisticadas, microfones e gravadores. —... Desesperada — ele deu de ombros. — Posso entender o desespero dela por um bom chocolate.

Como de costume, quaisquer que fossem seus pensamentos e suas emoções para procurá-lo, o fato de vê-lo conseguiu incitá-la a uma raiva instantânea.

Ele parecia uma vítima de causar dó perto da raiva que ela sentia agora. O cabelo despenteado, a barba por fazer, os olhos vermelhos de quem não dormira, e ela reconheceu tudo aquilo de suas muitas noites resolvendo problemas urgentes na Chocolates Corey. No entanto, ainda estava sexy. Ela podia apostar que ele apareceria bem nas fotos dos jornais, mesmo abatido em decorrência dos ataques que recebera da detestável corporação multinacional, mas ainda sustentando o ideal do apelo sexual francês.

Tentava pensar rapidamente em qualquer coisa que pudesse fazer para melhorar a própria imagem naquelas fotografias, mas sabia que era bonita demais e não conseguiria parecer tão mal. Ela ia fazer o papel de vilã da história. Assim, tentou posicionar-se mais para trás, em seu prédio, antes que os jornalistas a vissem, mas a porta estava trancada.

Levaria alguns segundos para digitar o código. Se eles a vissem voltando para seu apartamento e a encurralassem, ela não saberia quanto tempo teria de ficar escondida. Era o fim da picada em termos de fracasso, ser encurralada em seu apartamento em Paris, com medo de sair, tendo de manter-se viva com as próprias barras de chocolate, as Barras Corey.

Rapidamente foi para a esquina mais próxima, esperando que ninguém a localizasse. Afinal, será que eles teriam estudado bem as fotos dela? De maneira geral, não era alguém que as pessoas reconhecessem de pronto, e sua aparência era bastante neutra; cabelo castanho claro liso, olhos azuis, até mesmo as feições...

Desnecessário dizer que Sylvain Marquis a reconheceu na mesma hora. Com o rosto fechado e o olhar que a alfinetava.

Ela ainda conseguia sentir o sabor do chocolate amargo em sua língua. Talvez ainda houvesse um pouco dele nos dedos.

— Ela é como a pobre menininha rica do chocolate, se pensarmos a respeito — disse Sylvain, levantando a voz.

O que ele estava fazendo para ela? Uma espécie de caridade? Estaria tentando dar a entender que transara com ela por pena, por causa do desespero dela?

E então ela parou de andar e virou-se, furiosa.

Antes que pudesse fazer algo meio que suicida, como desafiá-lo na presença de todos aqueles jornalistas, ainda alheios à sua presença, alguém a agarrou pelo cotovelo. Um homem de estatura mediana, com cabelos escuros e encaracolados, sorriu para ela com prazer.

— *Mademoiselle Co-ree* — disse o homem, em voz baixa, de modo que não chamasse a atenção dos que estavam do outro lado da rua. — *Je peux vous offrir un café?*

Ela achava que, em algum momento, teria mesmo de falar com a mídia. E havia algo maravilhosamente parisiense em fazer isso junto a uma xícara de café. Além disso, havia melhores chances de, quem sabe, ser retratada sob um aspecto positivo.

— Se você conseguir fazer com que seus colegas não me vejam, a resposta é sim — ela ponderou.

— Se isso me tornar um apoio e um cúmplice, eu serei um homem muito feliz — ele suspirou longamente e manteve o corpo entre o dela e os jornalistas, escoltando-a ao virarem a esquina. Ela desejava voltar para ver a expressão de Sylvain, mas com a ajuda daquela mão segurando seu cotovelo, conseguiu conter-se. Em grande parte porque aquele que a salvara dos jornalistas mantinha-se muito firme para que ela se virasse, como se tivesse medo de que ela tentasse escapar.

No café, que ficava numa esquina, eles passaram pela *tabac* com sua parede cheia de maços de cigarros e por um homem que raspava bilhetes de loteria, e se dirigiram a uma mesa junto às grandes janelas de vidro das quais se podia ver a outra rua.

Seu quase raptor pediu café; e ela pediu um copo de leite, porque seu estômago estava roncando àquela altura. Afinal, ultimamente ela só vinha se alimentando de chocolate! Um copo de leite frio e puro parecia maravilhoso.

O garçom não tirava os olhos dela, como se ela tivesse acabado de descer de uma espaçonave vinda de Marte. — Aqui é um café. Não temos leite.

O homem desconhecido olhou discretamente para o outro lado, o que seria esperado de alguém forçado a testemunhar quando alguém passa por uma situação constrangedora diante dos outros.

— Em algum lugar você deve ter leite para acompanhar o café, certo? — Ela alegou. — Pago o que você quiser por isso.

— Não vendemos leite — disse o garçom.

— Será que você o venderia por 20 euros? Trinta euros?

— Há uma épicerie[17] nesta mesma rua — disse ele com educação. — Se quiser o leite.

— Que tal um *chocolat*? — O homem de cabelos encaracolados sugeriu diplomaticamente. — Ou algum suco?

Cade pensou no *chocolat chaud* que Sylvain havia feito para ela. — Suco. Este é mesmo um país muito estranho para quem tem dinheiro.

— Como assim? —O homem de cabelos encaracolados perguntou, confuso.

Ela fez um gesto. — Não posso comprar nada.

— Bem... Não o leite para um café — disse ele, como se ela tivesse tentado comprar frutas em uma joalheria ou algo assim.

— Ele tem leite. Poderia ter um lucro exorbitante se o vendesse. Será que... O quê? Será que vai contra os princípios dele vendê-lo para mim?

— Acho que provavelmente ele só não quer dar ideias aos americanos. Vocês sempre pedem para colocar leite no café. Uma vez que se deixa alguém escapar impune por algo assim, quem sabe aonde isso pode levar?

— A outro produto rentável no cardápio? — Cade perguntou de ma-

17. Mercearia. (N.T)

neira seca. A fome estava deixando-a de mau humor. Além disso, ela continuava vendo o rosto fechado de Sylvain Marquis, sentindo aquele sabor de chocolate amargo na língua, e ouvindo-o dizer: "desesperada".

O homem de cabelos encaracolados deu um jeito para deixar o assunto de lado antes que tomasse um rumo que viesse a estragar a conversa. — Por falar em escapar impune, você é minha heroína — ele sorriu para ela. — Sou Christophe. Christophe, *le gourmand*.

Por um momento, Cade pensou que apenas na França o sobrenome de alguém pudesse ser Gourmand. Então ela se tocou: — Ah, do blog de culinária, *Le Gourmand*? Você é a pessoa que começou essa história toda de ladrão de chocolate!

— Admita, gostava mais da ideia quando pensava que o blogueiro fosse alguém muito pobre tentando roubar segredos e receitas, *mais ça va*. E essa história que o Sylvain estava contando sobre a pobre menininha rica do chocolate tem um pouco de verdade.

Cade cerrou os dentes e tentou lembrar-se de que falar com aquele homem não ia melhorar sua imagem como a vilã da história. Ela tinha certeza de que a Corey Chocolate preferiria que ela surgisse como a vilã a ser a pobre menininha rica do chocolate. Todos os executivos da Mars e da Cadbury deviam estar rindo de orelha a orelha.

— Então, diga-me, como você fez isso? — Ele perguntou ansioso. — Será que você fez uma espécie de rapel de uma daquelas janelas altas que ele tem por lá? Por favor, confirme isso!

— Como eu fiz o quê?

— Está bem, você não pode admitir ter feito isso. Não queremos que você acabe seus dias na cadeia. — Ele abaixou a voz e cochichou: — Você... Você ainda tem, por acaso, um daqueles chocolates? — Ele olhou em volta para se certificar de que ninguém estava ouvindo. — Não vou contar a ninguém, juro. Só quero vê-lo...

A porta do café se abriu; uma forma masculina, muito familiar, entrou.

— Dou todos os chocolates do Sylvain Marquis para os moradores de rua nos jardins — Cade afirmou de modo claro. Bem, pelo menos aquela era sua política oficial na tarde do dia anterior. Ela não ia mencionar o número de caixas que havia comido antes de ter decidido repudiar o homem. — Não que eles fossem roubados, evidente!

— *Oh-laaaa* — Christophe agarrou o próprio peito. — Acho que você acabou de cravar um punhal no meu peito. Você *rouba chocolates para dar aos pobres*? Sério, acho que preciso de hiperventilação. Posso renomear o meu blog com seu nome?

Cade piscou. — Eu...

— Jure para mim que você come pelo menos duas barras a caminho, no escuro, pendurada em sua corda de rapel, quando ninguém pode ver. Antes que você derreta seu coração para distribuí-lo aos outros, para o bem dos que sofrem.

— Não, eu como os de Dominique Richard — Cade disse no momento em que Sylvain chegou a eles. — Não consigo dar esses.

Sylvain apertou os lábios, olhando para eles: — Nada de cordas de rapel, Christophe.

— Como você sabe? Você já a viu? — Christophe irradiava cobiça; seus olhos brilhavam. — Pegou-a no flagra?

— Aquele lugar é o *meu laboratoire* — Sylvain o lembrou, mas com uma ênfase peculiar, como se quisesse deixar claro que o local era seu e não de qualquer outra pessoa, de qualquer cabeça-dura.

A cabeça de Cade, provavelmente.

— Por que você não vai dormir um pouco e nos deixa em paz? Parece que você precisa descansar — Cade disse.

Ele lançou-lhe um olhar tão amargo quanto o chocolate que havia deixado em sua porta.

Ela engoliu em seco. Na verdade, as trevas daquele olhar fizeram com que sua respiração ficasse curta, fizeram-na sentir suas entranhas estremecidas e derretidas.

— Eu também estaria cansado se uma ladra tão bonita tivesse invadido meu *laboratoire* — disse Chistophe, denotando alegria. — Eu não conseguiria pregar o olho.

Sylvain parecia estar seriamente considerando fazer algum tipo de violência ao outro homem. Cade não tinha ideia do que o blogueiro de culinária havia feito para aluciná-lo tanto. Para ela, parecia que aquela história de ladrão de chocolate havia causado danos a ela e sua família, bem como aos 30 mil funcionários, e aos seus fornecedores e comerciantes — e nenhum problema a Sylvain.

O garçom reapareceu com o café de Christophe e seu suco de damasco. Sylvain balançou a cabeça ao ver o suco. — Como você consegue consumir tanto açúcar?

— Tentei pedir leite — Cade proclamou em defesa própria. — Não quiseram vendê-lo para mim.

Sylvain ergueu as sobrancelhas e foi até o bar. Cade o viu trocar algumas palavras com o homem atrás do balcão. Em seguida, colocou duas moedas minúsculas sobre o balcão em troca de uma caixinha de leite. Voltou e colocou-a na frente dela sem nada dizer.

Quando ela pegou a caixa, teve uma sensação estranhamente semelhante àquela de quando segurou seu talismã, a Barra Corey, como se estivesse segurando algo que lhe desse uma sensação especial, a de sentir-se amada.

Ela tinha mesmo que segurar a caixa.

E percebeu que ele usara *tu* ao dirigir-lhe a palavra. *Tu*, como um selo de propriedade, enquanto Christophe usara *vous*.

Tu e leite e o chocolate amargo, amargo. Ela sorriu um pouco, tocando a extremidade da caixa de leite.

Sylvain sentou-se com eles sem ser convidado, pegou o copo fino e alto que viera com a garrafa de suco de damasco, e derramou o leite no copo, passando-o para as mãos de Cade. Ela fixou os olhos no copo, sentindo-se mais uma vez como uma gata. O que faria dele... O quê?... Seu dono, já que ele estava colocando leite para ela?

Sob a mesa pequena, as pernas dele apertaram as dela.

Engraçado como ela sabia que as pernas eram dele, e não as de Christophe. E desejava que ele estivesse fazendo aquilo de propósito. Mas o fato era que a mesa era minúscula. Onde mais ele poderia colocar as pernas?

Como ela poderia passar uma melhor imagem sua para Christophe, para que ele a divulgasse na mídia, quando Sylvain estava lá a distraí-la, roubando o foco que inicialmente era seu? Ela se perguntava se poderia contratar alguém que se tornasse um famoso blogueiro de culinária a fim de difundir imagens positivas da Corey Chocolate.

É claro que sim. Era o que chamavam de publicidade. Ninguém trata mal quem lhe dá dinheiro. — Ando pensando que a Chocolates Corey deva levar vantagem quanto ao potencial de publicidade dos blogueiros de culinária — disse ela, com um sorriso dissimulado. — Você aceita anúncios no seu site, não?

— Isso é interessante — Christophe falou. — Ontem mesmo a Mars me contatou a respeito.

Aqueles tubarões. Ela podia ver seus sorrisos maliciosos ao tomarem a iniciativa.

— Mas acho que haveria um conflito de interesses — ele ponderou. —

Honestamente, prefiro apenas manter a publicidade dos pequenos *artisanat*. É algo mais de acordo com o que sou.

Cade caiu, derrotada. Haveria um único problema que o dinheiro pudesse resolver para ela naquele país?

Silêncio. Os dois homens trocaram olhares frustrados. Mas nenhum parecia disposto a entender a mensagem do outro e ir embora.

O garçom apareceu com um expresso duplo para Sylvain. Ele lançou-lhe um olhar cansado, como se o melhor para ele agora fosse uma cama. Enfim, bebeu um grande gole do café.

— *Tu as aimé ton chocolat?* — Sylvain perguntou para Cade.

Ela sentiu um calafrio passar por todo o corpo, uma mescla de prazer e penumbra. — Estava muito bom — respondeu ela com vagar. — Mas era muito amargo.

— Você aceitaria outro depois de comer o primeiro?

Acho que eu aceitaria qualquer coisa que você me desse — ela pensou, com os olhos nos dele por um momento. Em seguida, forçou-se a desviar o olhar. — Como consumidora? Talvez um, na hora certa. Mas, aí, eu gostaria de algo um pouco mais doce.

— Você criou um novo chocolate? — Christophe interrompeu com interesse. — Um amargo? Que fascinante! Posso experimentar?

Sylvain tamborilou os dedos de uma das mãos na mesa, provavelmente para não bater na cabeça de Christophe. — Não estou planejando vendê-lo na loja.

Balas ricochetearam no entusiasmo de Christophe. Sylvain as disparava de dentro. — Um chocolate único que eu pudesse ser uma das raras pessoas a experimentar? E você disse que era amargo? Um chocolate amargo? Posso provar?

Teria ele feito o chocolate apenas para ela? — Cade pensou. *Só um, só para ela?*

Ela estudou aquele rosto cansado. Sylvain dissera a um grupo de jornalistas que ela estava desesperada por ele, uma pobre menininha rica do chocolate. Em seguida, tomou seu leite.

O que, exatamente, deveria pensar sobre ele?

Sylvain não havia planejado segui-la nem mesmo xingá-la de novo. Ele passara a noite inteira esperando por ela, mas ela nem mostrara a mínima preocupação em aparecer. Não iria, agora, rastejar atrás dela.

E estava cansado. Havia passado a noite em claro e, na anterior, dormido apenas quatro horas.

Mas então, na calçada, Christophe pegou-a pelo cotovelo, como se finalmente tomasse posse da própria fantasia, e ele viu o homem escoltar aquelas pernas finas que usavam rendas pretas e calçavam couro. Com o olhar fixo naquelas pernas e na aparente falta de saia para cobri-las, ele teve de assistir até que Christophe desaparecesse com ela no café da esquina. Tinha de passar pelo café no caminho para seu apartamento, pois precisava dormir um pouco.

E agora o homem estava sendo tão gentil que Sylvain não queria nada, exceto passar por cima dele. Difícil. Com certeza, ele provavelmente sentiria como se tivesse chutado um filhote de cachorro caso se submetesse a tal impulso. — Você não tem de escrever ou fazer algo no blog?

— Ah, tenho o meu laptop — disse Christophe, radiante. — Na verdade, podemos fazer uma pequena entrevista ao vivo agora mesmo, se vocês quiserem. A câmera de vídeo está embutida.

— Você está me gravando agora? — Cade perguntou abruptamente, examinando o blogueiro à procura de sinais de qualquer outra câmera pequena ou gravador.

Sylvain não achava que fosse o estilo do homem gravá-la sem pedir permissão. Mas como ele não tinha uma receita de bilhões de dólares sob sua responsabilidade, não precisava ficar paranoico como ela. Não tinha vontade de dizer o que quer que fosse em defesa de Christophe. Que ela desconfiasse dele. Invasor, borbulhante, ladrão fantasiado de pseudojornalista.

— Não, é claro que não — falou Christophe, surpreso. Mas se você concordar com uma entrevista exclusiva para o meu blog, você me faria um homem muito, muito feliz.

Por que Cade Corey deveria fazer dele um homem muito, muito feliz?

— Como é que você consegue fazer dezenas de bilhões de dólares com as Barras Corey? — Sylvain perguntou, para tirar o foco de Christophe. Ele vira o rendimento da Corey Chocolate na noite anterior, entre as muitas outras coisas que havia feito para passar o tempo enquanto esperava por ela. Era difícil imaginar dezenas de bilhões de dólares sob a responsabilidade de uma mocinha. Quando digitou o nome dela no Google, vieram incontáveis resultados, muitos fazendo referências a doações ou uma aparição em um evento de caridade; tais resultados remetiam a artigos sobre os negócios e as iniciativas da empresa. Em verdade, muito trabalho. Ela parecia considerar seu papel na família Corey com seriedade. Daí os cerca de 50.000 resultados da busca no Google.

Depois disso, digitou o próprio nome por curiosidade. Era a primeira vez em sua vida que lhe ocorrera fazer isso, e descobriu mais de 250.000 resultados. Ele se esforçou para não parecer convencido.

Não se podia ficar convencido sobre a ordem natural das coisas.

— Não entendo — ele continuou. — Isso significa que as pessoas teriam de *comprar* dezenas de bilhões por ano. Há apenas seis bilhões de pessoas no mundo. Certamente a maioria deve entender que o melhor chocolate está por lá.

Cade lançou-lhe um olhar levemente caloroso. *Bom.* Pelo menos seu foco era nele, não em Christophe. — Bem. Temos muitas subsidiárias que vendem outros produtos além de chocolate...

— Ah! — Exclamou Sylvain, aliviado. — Isso explica tudo.

Ele conseguia ver seus dentes perfeitos e pequenos cerrados. Será que ela estava ficando tão frustrada quanto ele ficara na noite anterior? *Dificilmente, caramba!*

— Mas, sim, nós vendemos bilhões deles. É a barra de chocolate mais popular nos Estados Unidos, por exemplo. Há milhões e milhões de pessoas que comem centenas delas por ano.

— País muito estranho esse, a América — disse Christophe, como se repetindo um provérbio popular. — Nem poderia ser chamado de chocolate aqui até uns poucos anos atrás, quando a União Europeia aprovou esta lei idiota.

— As Barras Corey *não* têm quaisquer outras gorduras vegetais — Cade corrigiu determinada. — Apenas manteiga de cacau. Elas *sempre* foram legalizadas neste país. E, para deixar tudo claro, pressionamos muito *contra* a aprovação daquela lei que permite o uso de gorduras vegetais. Se o seu povo tivesse deixado que o dinheiro comprasse algo, para variar, outras gorduras vegetais ainda não seriam permitidas sob o rótulo de chocolate até hoje.

— Você tem uma barra com você? — Christophe perguntou. — Não me lembro de ter comido uma delas desde minha infância.

Cade hesitou por um tempo relativamente longo antes de colocar a mão na bolsa e pegar uma barra.

Sylvain quase se demonstrou simpático. *Ele* ficaria incomodado em exibir uma Barra Corey. Se ela tivesse aparecido na noite anterior para roubar seu local de trabalho, Sylvain poderia ter tentado desviar a atenção de Christophe para afastá-lo dela. Se ela tivesse aparecido na noite anterior, ele nem estaria aqui; talvez eles ainda estivessem em uma cama gostosa e aconchegante. Os lençóis de sua cama eram impecáveis e limpos, no máximo cheirando a delicado sabão em pó. Lembrara-se de trocar os lençóis no dia anterior, cheio de esperança, e também concluíra que ela merecia o que tinha. Ela estava ganhando bilhões com o produto; certamente tinha todo o direito de defendê-lo em público.

Ela tomou um longo gole de seu leite; os músculos de sua garganta trabalhavam, e seus olhos se fechavam enquanto ela esvaziava o copo. Então, abriu os olhos, alinhou os ombros, e esperou.

— Eu gosto da embalagem — elogiou Christophe. — Sempre gostei. Dourada, marrom, letras simples, o selo da marca bem nítido. É pretensiosa em sua tentativa de não ser pretensiosa. Não se exibe; é o que é, naturalmente. Você faz a mesma coisa, Sylvain, porém de maneira mais sofisticada.

O homem estava ficando irritante. Sylvain nunca mais seria simpático com outro blogueiro de culinária.

Cade estava quieta. Sua mão repousava de modo que as pontas dos dedos ainda roçavam a borda da embalagem de papel, como uma criança adormecida que precisava manter algum contato com um ursinho de pelúcia, apenas o suficiente para saber que ele estava lá.

Só para experimentar, Sylvain puxou um pouco a embalagem para fora de seu alcance. Seus dedos esticaram-se automaticamente antes de ela os recolher.

Interessante. De todas as atitudes despertadas por seu chocolate, ele estava disposto a apostar que o afeto de uma criança pelo seu ursinho de pelúcia não era um deles.

Sua mente começou a trabalhar automaticamente, imaginando que chocolate poderia inventar para despertar tal afeto como uma pitada de nostalgia ou uma reação quase infantil.

Christophe desembrulhou a barra de modo ordenado, cuidando para não rasgar o papel nem a lâmina dourada. Ele partiu um quadrado marcado com a letra C e mordeu.

Cade olhou para Sylvain.

Será que ele já havia pensado em chegar a esse ponto, o de comer uma Barra Corey, para competir com um blogueiro de culinária em nome de chamar a atenção de uma mulher? Ele partiu o "O" e mordeu.

O rosto de Christophe se contorceu. — Simplesmente não entendo. Por que as pessoas gostam tanto? Tem aquele sabor agridoce.

— Se algum daqueles *chocolatiers* suíços tivesse permitido que meu bisavô roubasse seu segredo do chocolate, em vez de tentar reinventá-lo, nós não o teríamos. E agora a maneira como o criamos é o nosso segredo mais bem guardado.

— Por quê? — Sylvain perguntou, espantado. — Quem iria querer roubá-lo? Agora você já sabe como se faz um chocolate de verdade.

Ele ficava extremamente irritado quando ela o olhava assim, cheia de seda e luxo e equilíbrio, mas com seus olhos azuis borbulhando com o desejo de estrangulá-lo. *Vá em frente,* ele pensou. *Jogue-se por cima da mesa e venha atacar minha garganta. Podemos lutar juntos quando você quiser.* Ele queria saber o que poderia falar para que ela mordesse a isca e voasse para o seu pescoço.

A fantasia o distraía; o corpo dela lutando contra o seu, suas mãos deslizando sobre ela, enquanto tentava controlá-la, talvez seu peso ao arremessar-se o derrubasse para trás de modo que ela ficasse em cima dele...

— As pessoas *gostam* — ela afirmou. Cresceram com ele, e por isso o preferem. Esse chocolate os faz sentir amados. Felizes.

— Ele deixa um satisfatório sabor na boca — Christophe permitiu-se dizer. — Você está certa, não há outras gorduras vegetais — disse ele a Cade.

O olhar no rosto dela ao ouvir que estava certa sobre os ingredientes das Barras Corey era impagável. Quase compensou o fato de que Christophe tivesse atraído sua atenção.

Não poderia o homem ir para casa, em vez de tentar agarrar fantasias de Sylvain para si mesmo?

Em seguida, Sylvain poderia ir para casa. E dormir. Em vez de estar ali, correndo atrás de uma mulher que não se preocupara em entrar no seu *laboratoire* e roubá-lo na noite anterior. Ele se jogou na cadeira de maneira desengonçada, fazendo com que suas pernas empurrassem as dela de maneira mais agressiva. E acidentalmente bateu com força nas pernas de Christophe, afastando-as das pernas dela. As botas de Cade raspavam sua panturrilha através dos jeans que ele vestia, lançando-o de volta às fantasias.

— Sua opinião profissional? — Christophe cutucou Sylvain.

Ele queria dar uma mordida no seu novo chocolate amargo para limpar a boca do sabor leitoso, fraco, levemente azedo; aquela era a opinião profissional de Sylvain. Mas ele também queria lutar cada vez mais com Cade Corey entre seus lençóis recém-lavados, ou no mármore frio do seu *laboratoire*, ou no apartamento dela, ou em qualquer lugar que ela quisesse. Portanto, tentou ser diplomático. — É um chocolate produzido em massa para as crianças, com um mínimo teor de cacau. Ele encolheu os ombros. — O que você espera?

Ele não entendeu por que sua opinião lhe rendera um olhar ardente. Qual o nível de simpatia que ela esperava que ele fosse ter sobre as Barras Corey?

— As crianças e os americanos — Christophe corrigiu.

Sylvain espalmou as mãos, sentindo que qualquer tentativa de identificar crianças e americanos no que se referia ao paladar seria uma declaração de guerra. Ele realmente tinha negócios com turistas, exilados e um contingente de americanos ricos que recebiam seus chocolates em embalagens térmicas, que lhes eram enviadas uma vez por semana, mas ele sempre entendeu seu gosto como uma exceção à regra.

Cade Corey era definitivamente uma exceção, e em tantos níveis, que ele queria agarrá-la e abraçá-la como seu prêmio, mais do que qualquer coisa que ele desejasse havia muito tempo. Sentiu como se estivesse revivendo seus dias de paixões avassaladoras e desesperadas do ensino médio.

Que nunca terminavam bem para ele. Elas amavam o sexo, adoravam o chocolate, mas as mulheres sempre, sempre mesmo, tinham outras coisas em mente.

Onde ela teria passado a noite? Como ela poderia não ter vindo?

— As pessoas adoram-nos — completou Cade. — Escrevem cartas para nós e nos dizem quanto amam os nossos chocolates. Temos uma parede em nossa sede com uma colagem das nossas cartas favoritas.

— *Vraiment?* — Sylvain indagou perturbado. — Recebo cartas dizendo a mesma coisa sobre os meus chocolates. Geralmente são assinadas por pessoas famosas, incluindo um presidente francês, um americano e várias estrelas de cinema dos diferentes continentes. — Ele as lia e sorria, compartilhando-as com os demais no *laboratoire*, e arquivando-as discretamente. Nunca lhe ocorreu grudá-las em uma parede. Soava como se fosse o desejo desesperado de pessoas que precisavam de garantias constantes.

Como as Barras Corey recebiam o mesmo tipo de cartas que o seu chocolate recebia?

Havia, realmente, um monte de degustadores idiotas no mundo.

— Na verdade, é fascinante quanto vocês dois têm em comum! — Christophe deu um sorriso forçado.

Sylvain virou-se e olhou para ele.

Ao perceber a raiva despertada por Christophe em Sylvain, Cade inclinou a cabeça e fixou o olhar em suas mãos sobre a mesa. Sylvain se conteve. Ela parecia... Cansada, talvez. Triste? *Merde*, teria ele ferido seus sentimentos de novo?

Ele parecia enfurecê-la, de uma maneira tão perversa que chegava a ficar evidenciada em seu exterior. Mas agora era a segunda vez que ele havia atingido um ponto sensível. Ela tinha esse lado frágil, como se parte de sua força fosse chorar quando precisasse e, em seguida, erguer-se novamente e voltar à luta.

— Acho que vou buscar algo para comer — ela disse, enquanto pegava a bolsa. — Christophe, foi bom conhecê-lo — ela deslizou um cartão sobre a mesa para ele. Sylvain enrijeceu. Teria ela acabado de dar seus números diretos e e-mail? Para *Christophe*? Ele nem sequer tinha essas informações.

Quase tão ruim quanto presenteá-lo com informações particulares, ela esperou um momento, com a mão estendida, até que Christophe lhe oferecesse a própria mão. Sob a mesa, Sylvain apertou o punho contra a coxa.

Os dois homens se levantaram automaticamente quando ela se levantou. Só por um segundo, quando ela pegou o casaco, ele pôde vislumbrar o efeito total de sua indumentária, a malha cinza agarrada ao seu corpo esguio, o pescoço fino tão vulnerável e exposto, com destaque para os brincos azuis, o desafio da calça de rendas pretas, e as botas de cano alto, o alongamento e a flexibilidade de seus músculos quando ela pegou a jaqueta de couro e deixou-lhe ver apenas as pernas para seu deleite. .

Ela apertou a mão de Christophe, daquele jeito americano de mostrar confiança, mas apenas acenou para Sylvain.

É claro, o que ela deveria fazer? Um aperto de mão ou *bises*[18] pareceriam completamente falsos, e um beijo na boca, uma presunção sem tamanho. Era como o dilema entre *tu* e *vous*. Na verdade, o que um representava para o outro?

18. Beijos. (N.T.)

De certa forma, ele gostava desse dilema. Era emocionante. Era uma brincadeira engraçada. Mas ele não tinha certeza de quanto tempo queria ficar ali, só brincando.

— Uau — Christophe sussurrou enquanto Cade e suas pernas chegavam à porta do café. Sylvain fuzilou-o com o olhar, mas o homem não estava olhando aquelas belas pernas. Ele estava olhando para o cartão de Cade, segurando-o com as duas mãos, e levando-o ao seu rosto, para que Sylvain não conseguisse ver nenhuma informação. — Quando escrevi meu primeiro artigo no blog, nunca, realmente nunca pensei que fosse acabar aqui.

De repente, Sylvain teve vontade de rir. Se não tivesse sido por Cade Corey, ele teria gostado do homem. — Quando fiz meu primeiro chocolate, eu também não pensava assim.

Principalmente porque sua primeira tentativa havia sido um desastre. Somente quando fez seu terceiro lote é que soube como de fato planejava acabar seus dias.

Ele sempre tivera um olho bom para tudo o que quisesse. E a persistência e o foco para atingir seus objetivos.

Cade Corey havia saído do café na direção do seu apartamento. Sylvain ficou de pé, depois se virou. — Não me siga — ordenou a Christophe com firmeza.

O blogueiro de culinária soltou uma gargalhada. — Sylvain, eu amo o seu chocolate, tanto quanto o homem que está na mesa próxima. Mas eu seguiria a ela.

— Você sabe muito bem o que é que eu quis dizer — Sylvain saiu do café.

Capítulo 18

Ela havia desaparecido. Onde diabos havia se metido? Ele aproximou--se e desceu a rua, verificando restaurantes e lojas e a épicerie.

— *Coucou* — uma voz alegre chamou. Ele olhou para cima, assustado, após suas tentativas de observar por uma janela de vidro as profundezas escuras do bar, a algumas portas do seu prédio.

Chantal acenou da calçada em frente ao prédio e veio em sua direção para dar-lhe calorosos *bises*. — Você gostaria de tomar alguma coisa?

— Eu... Não hoje à noite, me desculpe — ele examinou a rua. Talvez devesse verificar as quadras vizinhas. Chantal enrolou uma das mãos em volta do braço dele, suas delicadamente impetuosas sobrancelhas se fecharam. — O que há de errado?

— Nada — ele queria puxar o braço para longe dela e continuar caçando. Quem mais estaria caçando aquelas pernas agora? Com certeza, ela tinha todos os homens da redondeza ao seu encalço. Qual seria a probabilidade de ela cair em uma daquelas cantadas esfarrapadas sobre seu sorriso encantador e permitir que alguém lhe pagasse uma bebida?

Ela parecia ser muito arrogante e muito inteligente para ter esse tipo de vulnerabilidade. E, mesmo assim, acabou se tornando uma obsessão para ele.

Chantal continuou a observá-lo. A alegria desapareceu de seu rosto. Por um momento, ficou triste. Então, arqueou as sobrancelhas e deu-lhe um minucioso e provocante olhar. — Li sobre o ladrão de chocolate. Vergonhoso, não é mesmo? Será que é realmente a Cade Corey? Aquela americana rica do restaurante da outra noite? Ela está tentando *roubar* suas receitas?

— *Pardon,* Chantal — Sylvain disse abruptamente, curvando-se para dar um beijo rápido em cada bochecha. — Vamos almoçar juntos em breve. Tenho de ir.

A expressão de provocação sucumbiu. Ela olhou para ele com enorme seriedade, como se olha para alguém que está indo a um funeral. No último segundo, enquanto ele se afastava, ela deixou a mão deslizar para baixo do braço dele e pegou na sua mão. — Sylvain — ela o puxou.

Ele olhou para trás, tentando ser educado e paciente com sua velha amiga. Os olhos dela imploravam para ele. — Não se magoe. Você sabe que sempre faz isso.

Ele não conseguiu encontrar Cade. Verificou os quarteirões ao redor, olhando pelas janelas, até que finalmente se sentiu tão ridículo e tão desesperado para dormir que voltou para seu apartamento. Lá, caiu de roupa e tudo na cama, acordando apenas na manhã seguinte.

Sempre que ia para a cama sem tomar banho, seu travesseiro ficava cheirando a cacau por dias.

Ele chegou tarde ao *laboratoire* na manhã seguinte, e descobriu que seus funcionários haviam deixado um grande espaço de mármore isolado, como se fosse a cena de um crime. Lá havia uma combinação muito estranha: dois *biscoitos* lisos e castanhos, um *marshmallow*, e um pedaço de Barra Corey, todos misturados. Em algum momento, metade do *marshmallow* havia queimado.

Seu coração começou a bater mais rápido. — O que é isso?— Bernard, que estava mais próximo, balançou a cabeça. — Não sabemos. Estava assim quando chegamos aqui hoje de manhã.

Ela havia voltado. Talvez novamente naquelas calças de couro, ou naquelas rendadas com botas altas. Sua temperatura corporal subiu pelo menos 3° C e seu coração bateu em extrema atividade.

E ele sentia saudades dela. *Putain de bordel de merde.*

Ele pegou o estranho sanduíche e ficou em dúvida. Será que está envenenado? Por que razão deixaria algo tão mal feito para ele? — Fico me perguntando como ela conseguiu queimar um *marshmallow*? — Falou, meio que em voz alta.

Ninguém tentou responder. Ele se perguntou como ela havia encontrado um *marshmallow*, ou os *biscoitos*, em seu *laboratoire*. Estava trazendo os próprios ingredientes?

O que aquilo significava? Ele achou que ela deveria estar desesperada para entrar em seu mundo. Um ladrão que deixa presentes muito estranhos em vez de roubar alguma coisa... Que absurdo é esse?

Deu uma mordida naquilo cuidadosamente e fez uma careta à medida que migalhas caíam desajeitadamente e o *marshmallow* ficava grudado aos lábios. — É muito doce — ele disse. Ele olhou para cima e encontrou o *laboratoire* inteiro olhando para ele, com a mesma atenção que se dá a uma cobra. — Bem, talvez pontos pela criatividade?

Ele não tinha nenhum desejo de dar outra mordida, mas também não conseguia jogar aquilo fora. Levou para o escritório e colocou sobre a mesa. Depois saiu, atravessou a rua e subiu as escadas.

Ela não estava lá.

Cade estava no apartamento de Christophe, aprendendo a fazer um *tarte* de chocolate que supostamente receberia o seu nome. *La Cade.* Isso a fez sorrir. Ele a fez rir. Seu entusiasmo por tudo era descarado e contagioso.

Ela passou a manhã lá, sentindo-se como uma criança a brincar, e até mesmo permitiu que ele a filmasse por uns dez segundos, para o blog, enquanto sorria e experimentava o *tarte*. Então pegou o trem TGV até Bruxelas. O pai dela queria que ela conhecesse os irmãos Firenze. Uma visita confidencial para sondar o interesse deles em relação a uma licitação compartilhada da Devon Candy.

Devon Candy. Uma de suas barras de chocolate tinha um invólucro rosa brilhante. Só de pensar ficava deprimida.

Sylvain, lendo o artigo do blog naquela noite, sentiu como se o topo da cabeça fosse explodir. Christophe havia *passado a manhã cozinhando com ela*? Havia nomeado alguma coisa de chocolate com o nome dela? Aquela era a função de Sylvain. E ele a teria feito muito melhor.

E naquele vídeo, que ele assistiu apenas dez ou vinte vezes, ela parecia muito radiante e feliz.

E a vontade dele era matar aquele homem.

Cade voltou no trem das 9 horas, que atrasou mais de meia hora por um problema na linha, por isso era quase meia-noite quando o táxi a deixou em frente ao seu prédio.

O táxi se afastou antes que ela pudesse digitar a senha do portão. Quando uma sombra desprendeu-se da escuridão do outro lado da rua, ela quase gritou.

Certo alívio percorreu seu rosto quando percebeu quem era, mas não foi um mero alívio de medo. Foi o alívio de ele estar lá, de ela estar lá, e de não terem se desencontrado outra vez. Alívio de não precisar descobrir o que fazer — invadir o *laboratoire* dele, ficar no apartamento dela, ou fazer algo normal como ligar para ele.

Seu corpo acabaria... Derretendo em outra noite intensa e escura, sem sombra de dúvida. Na verdade, já estava derretendo à medida que ele atravessava a rua.

Sem dizer uma palavra, ele colocou a mão sobre a dela e digitou a senha. Cade só queria enterrar a cabeça em seu ombro, completamente agradecida por ele estar lá. Não queria ter de resistir a ele mais uma noite, ficando na rua até tarde. Não queria ter de invadir seu *laboratoire* e ele nunca aparecer. Não queria imaginar ou duvidar ou ter esperança. Ela só queria se entregar.

E pôr um ponto final nisso.

Por cima do ombro, ele abriu a porta, e com o braço e o corpo a manteve cativa. — Você não devia estar sozinha na rua tão tarde da noite — ele murmurou, com um tom de voz sombrio e áspero. — Esta é uma cidade grande. Com muitas invasões por todos os lados.

— Por que você não coloca uma armadilha para pegar o ladrão?

— Já fiz isso uma vez. Mas cometi o erro de não algemá-la.

Sua voz denotava frustração, humor e sinceridade de maneira tão sombria e perfeita que ela chegou a pensar que ele poderia estar carregando algemas de veludo no bolso de trás das calças, prontas para uso.

Ela sentiu-se desorientada. Estivera trabalhando por doze horas diretas: fatos, cálculos, decisões, e-mails. Estava tão acostumada a trabalhar assim que se sentia centrada no próprio mundo, bem diferente de um covil qualquer em Paris.

Ao descobrir que continuava lá, um mundo não totalmente fechado a ela, quis se afundar nele completamente. Ela recuou, hesitante, tentando se certificar de que não dera nenhuma brecha para desencorajá-lo de sua perseguição.

Ele caminhou com ela, pelo hall de entrada escuro do prédio, seus corpos colados, de um jeito que ela não teria como se livrar. Ele deixou a porta fechar atrás de si, a escuridão impedia a entrada da luz pálida da cidade. Apenas um ponto minúsculo de luz laranja indicava o botão que poderiam apertar para iluminar as escadas.

Ela estendeu a mão automaticamente. Ele pegou sua mão. — Só um minuto — Ele puxou-a em seus braços, pressionando-a contra a porta e depois a beijou.

O corpo dela respondeu imediatamente, enrijecendo, flutuando. Seus braços em volta dos ombros dele, agarrando o casaco de couro. Ele tomou fôlego e beijou-a com muito mais intensidade. O prazer dele respondeu ao prazer dela, e o dela alimentou o dele, enquanto o beijo se intensificava, iluminado, transformado. Beijos que aprendiam um do outro.

— Não posso acreditar que você seja real — ele respirou, seus dedos esfregando as costas e costelas dela, onde a pele cedia às mãos dele, e onde não cedia. Ela ficou surpresa com aquela sensação, sentiu como se seus ossos estivessem derretendo. — Mas você é.

Foi bom saber disso. Ela não teve certeza da última vez. Mas queria muito que aquilo fosse real. E se sentiu muito, muito real.

Ela sentiu-se intensamente real, era como se a pessoa que havia sido antes de pegar aquele avião para Paris fosse um pobre fantasma finalmente investido de vida.

E capaz de experimentar e sentir e tocar e respirar e sofrer e odiar e *viver*.

A sensação do toque e do gosto dele — e, às vezes, até de seu ódio furioso — era tão inebriante que novamente a fez se esquecer de tudo de imediato, menos dele. Sua cintura magra, os músculos das costas e o torso sob os dedos dela. Sua coxa pressionando entre as dela. Seu cabelo tocando suas bochechas. Sua boca. Suas mãos.

Deus, suas mãos eram extraordinárias. Ela teve razão em ter uma queda por elas antes mesmo de conhecê-lo.

Hoje ele tinha cheiro de chocolate, é claro, e rum, e até de baunilha, na ponta dos dedos que acariciavam suas bochechas e empurravam o cabelo para trás.

Ela foi em direção à sua boca com imensa paixão, querendo tudo, tentando absorvê-lo em sua totalidade. Ele soltou um som áspero e supriu essa necessidade, enquanto tudo começava a escapar do controle.

Ela adorou sentir a respiração dele cada vez mais profunda e rápida, enquanto ele a pressionava contra o peito. Ela adorou a maneira como seus dedos flexionavam tensos e a acariciavam, como se pudessem fazer as camadas de roupas de inverno desaparecer. Ela adorou — mas talvez odiasse — o fato de ele ter tanto respeito por ela, ou controle, a ponto de levantar a cabeça e olhar ao redor. Agora que os olhos dela haviam se ajustado às pequenas janelas acima da escada, a luz fraca da cidade permitiu, embora muito pouco, que ela visse a linha de seu queixo, a sombra de seus ombros contra uma sombra ainda maior.

Ele não disse nada. Simplesmente a levantou em um único movimento, como se ela pesasse... Menos do que um vaso gigante de chocolate... E colocou-a no primeiro degrau.

Cade inclinou o corpo na direção dele, gostando da nova altura que tornou a boca e o rosto mais acessíveis, e que alinhou seus quadris...

Ele agarrou-a pelos quadris e girou-a, até que ficasse de frente para a escada e de costas para ele, pressionando um corpo contra o outro. Como ela não percebeu imediatamente a mensagem, ele a cutucou com o corpo e com toda sua excitação. — *Monte* — ele sussurrou. — Suba.

Ela agarrou o corrimão, e foi subindo as escadas escuras lentamente.

Enquanto ela subia, as mãos dele começaram a deslizar. Pelos seus quadris, suas pernas, à medida que ele permitia que ela seguisse em frente. Ele permitiu que a distância entre eles crescesse, ficando vários passos abaixo dela, enquanto suas mãos corriam pelas beiras de suas botas, um dedo deslizando para baixo, traçando a panturrilha, e depois percorrendo o caminho de volta. Em seguida, ele se aproximou novamente. Ela podia ouvir seus passos na escada, no escuro, uma presença ainda mais escura atrás dela. Ele deslizou as mãos por baixo da saia curta, e subiu as mãos, tocando nos interiores sensíveis de suas coxas.

Cade segurou o corrimão com força e parou, incapaz de arranjar a força necessária do corpo para seguir em frente. Um dedo tocou, apenas por uma fração de segundo, a virilha sobre a meia-calça e então recuou para empurrar seu traseiro. Forçando-a a subir em direção ao apartamento.

Ela começou a avançar novamente, e as mãos dele se ergueram, passos atrás, para desabotoar a jaqueta e encontrar o caminho por baixo do suéter que ela vestia, e acariciar seus seios até que derramasse lágrimas de desejo, suplicando por mais. Para tê-la ali mesmo, na escada, que ela não se importaria.

Mas ele sim, provavelmente porque um tapa levemente doloroso no traseiro dela a fez perceber que havia parado de se mover novamente, perdida em desejo. O tapa quase a levou à loucura. Tudo o que ela queria agora era curvar-se sobre o corrimão, permitindo que ele a espancasse loucamente, que fizesse qualquer coisa com ela, contanto que suas mãos voltassem para entre suas pernas, contanto que ele a possuísse.

E então suas mãos sumiram. Não voltaram a tocá-la. Ela respirou em um frenético suspiro, como se tivesse sido esfaqueada.

— *Continue* — ele sussurrou. — Ou vou parar.

Ah, cruel. Tudo o que ela tinha era desejo, mais nada. Nada mesmo. *Toque em mim, me abrace, sinta meu corpo, faça o que quiser comigo, por favor.*

Mas ele manteve a palavra, e não tocou mais nela. Ela seguiu em frente, cambaleando.

Eles já haviam percorrido mais do que a metade do segundo lance de escada, faltavam apenas mais três.

Ele a recompensou. Suas mãos acariciaram o interior das coxas dela novamente, quase a tocando no sexo, mas recuando em seguida.

Ela soltou um pequeno som, sem palavras, apenas implorando, e parou.

Ele recuou um passo para baixo novamente, rompendo qualquer contato.

Então, ela soltou mais um pequeno som de contestação, suplicando sem palavras. E obrigou-se a seguir em frente, desejando recompensa e detestando o castigo.

A mão dele foi parar direto no meio das pernas dela, e ficou lá brincando durante os cinco degraus seguintes, pressionando e esfregando os lábios do sexo cobertos pela calcinha, perguntando se ela vinha sendo uma boa menina.

— Ssss... — ela tentou dizer o nome dele. Mas não conseguiu mover a boca para dizer qualquer coisa que fizesse sentido.

Como recompensa pelo esforço, ele começou a descer a meia-calça e a calcinha, um pouquinho a cada passo. Ela aprendeu o ritmo rapidamente, a cada passo que dava, um pouco mais de sua pele ficava nua por baixo da saia. E seus dedos, seus lindos, hábeis e magistrais dedos — que seriam capazes de pegar os elementos brutos da terra e transformá-los em algo maravilhoso — roçavam contra sua pele.

Eles estavam a meio caminho do quarto lance de escada, apenas mais um lance para terminar, quando os dedos dele finalmente deslizaram até o sexo nu e loucamente úmido. Ele sinalizou com um som baixo de aprovação quando ela se contraiu freneticamente ao seu toque, e o próprio som a fez contrair-se ainda mais.

Ela estava quase enlouquecendo, à beira de chegar ao clímax. Quando o polegar dele pressionou duramente contra o clitóris dela, ela mordeu o braço da jaqueta e começou a gemer. Como uma última tortura cruel, ele tentou puxar o polegar para trás, para tornar sua espera ainda maior. Mas ela agarrou a mão dele e forçou-a de volta, consumida por ondas de excitação, uma após a outra.

Ela gozou incontrolavelmente, seu corpo em pleno prazer, em uma escada escura e estreita, com a palma da mão dele contra o clitóris dela, apoiada no outro braço dele e com o próprio braço na boca para abafar os gemidos.

Ele continuou até que ela terminasse, puxando-a com força de encontro a ele.

Em seguida, pegou-a nos braços e carregou-a apressadamente até o topo. Atrapalhada, ela procurou pela chave. Ele tomou-a de sua mão e abriu a porta, sem nenhuma dificuldade.

O apartamento era pequeno. Ele encontrou a cama rapidamente. Colocou-a lá e caiu sobre ela, seu polegar ainda a levava à loucura com incontroláveis ondas de prazer, e depois a possuiu, rapidamente e com força.

Ele gozou quase que de imediato, envolvendo os braços nos ombros dela e puxando-a para ele. Seus braços se flexionaram em torno dela e, por um único segundo, ela não conseguiu respirar à medida que ele chegava ao clímax.

Ele abraçou-a, prendeu-a com força, com a cabeça enterrada nos cabelos dela, enquanto o corpo ia relaxando lentamente.

Os dois pegaram no sono juntos, com uma das mãos de Sylvain sobre a cintura de Cade.

Ainda estava escuro quando acordaram. Sylvain emitiu um ruído baixo, satisfeito, como se acordasse de um sonho para perceber que era verdade. Ele a despiu, de todas as roupas, deixou-a nua entre os lençóis, completamente nua para ele pela primeira vez. Então, ela fez o mesmo com ele. Ela não conseguiu resistir. Seu corpo longo e nu era lindo. Acariciar aquela pele nua, e não encontrar nada que impedisse o toque, causava-lhe um prazer imensurável.

Com uma das mãos, ele começou a acariciar o corpo dela, primeiro o pé por onde havia acabado de tirar a meia-calça, e depois subindo pelo corpo nu, passando pelo quadril, pelas costelas, pelo braço estendido sobre a cabeça, até juntar seus dedos com os dela e aprisionar sua mão. Luz da cidade surgiu subitamente pelas janelas. Os olhos dele pareciam brilhar.

— Você pode fazer o que quiser comigo — ela sussurrou.

— Pode deixar — ele prometeu.

Capítulo 19

Quando ela acordou pela manhã, a cama cheirava a chocolate. Na verdade, tinha o cheirinho de sua casa, em Corey, onde o próprio ar cheirava a chocolate, sempre. Ela saiu do sono sorrindo um pouco, inalando aquele cheiro, cuja fonte era desconhecida.

A luz do dia brilhou pelo quarto e a desorientou. E as dores que sentia no corpo a fizeram acreditar que estivesse doente. Ela nunca dormia até tarde. Nem mesmo quando viajava.

Pouco a pouco, foi percebendo que estava muito, muito longe de casa, nua e completamente exposta na cama, debaixo de um lençol fino. E pegajoso. E a noite...

Ela ficou toda corada, da cabeça aos pés. E lutou para não abrir os olhos, mas acabou não tendo escolha.

Apesar de todo o treinamento com os namorados na faculdade, ela esperava ver Sylvain ali. Ela esperava ter de enfrentá-lo, nua e corada.

Mas o pequeno apartamento estava impiedosamente brilhantemente e vazio sob o Sol da manhã.

E do lado de fora da porta do apartamento, as escadas rangiam como se alguém estivesse descendo. O som que a acordara foi o da porta se fechando.

— Cade — Mack Corey disse, tentando ganhar sua atenção. Sobre o ombro, o avô dela a estudava. Com olhos brilhantes, parecia que o avô pressentira alguma coisa , mas era difícil dizer via webcam.

Cade sentiu-se miserável. Culpada, rebelde, sem saber como ser ela mesma. Como uma adolescente, talvez, exceto que não se sentia como uma adolescente. Ela havia se encaixado de modo perfeito naquele novo mundo, mas sabia exatamente o que fazer para ser a melhor Corey e tornar isso uma realidade. Apesar do desejo de mergulhar no mundo mais simples e doce do chocolate artesanal, ela havia assumido suas responsabilidades sem nenhuma reclamação, ao contrário da irmã, Jaime, que havia praticamente recusado as suas logo no início e partido para salvar o mundo de grandes e maus capitalistas.

— Você está bem? Fiquei preocupava quando você não respondeu minhas mensagens de ontem.

— Eu estava trabalhando — ela disse prontamente. — Fui até a Bélgica.

— Mesmo assim, você deveria ter respondido as minhas mensagens — disse o pai com firmeza.

Cade estava tentando desacostumar o pai da necessidade de falar com ela com tanta frequência. Ela sentiu-se como Maria Antonieta fingindo ser uma fazendeira no Petit Trianon. *Por favor, não quero mais correr pelo mundo. Será que posso fazer outra coisa por um tempo?*

— Tive de fazer algumas ligações para me certificar de que você não seria presa por roubo de chocolate.

— Não acredito que Sylvain Marquis planeje prestar queixa — não foi o sexo que a fez confiar nele. Longe disso. Foi a maneira como virou o corpo para protegê-la do vento enquanto caminhavam nos jardins.

— Então, está dando certo? — O avô perguntou. — Você está pronta para dar o bote? Será que ele vai se vender para nós?

Ah, sim, claro, a qualquer milênio agora. — Não.

— Na verdade, não faz mal — disse o pai. — Não estou convencido de que agora seja um bom momento para iniciar uma nova linha de chocolate. Mas se você tem *essa* certeza, por que continua aí? Preciso de você aqui, querida.

— Por que você nunca a deixa curtir as férias em paz? — Perguntou o avô. — Que história é essa de fazê-la trabalhar o tempo todo? Não entendo por que fiz bilhões só para ver minhas netas trabalharem em vez de se divertirem em Paris.

Mack Corey afastou-se da webcam e ficou encarando o pai. — Para começo de conversa, você fez milhões. Fui eu que fiz os bilhões. E em segundo lugar, que papo furado é esse? Você *me* fez trabalhar dezessete horas por dia!

— Eu era jovem e estúpido quando você era criança — disse impaciente o Corey mais velho. — E nós tínhamos apenas milhões. E a família Mars estava ficando arrogante, e precisávamos ter certeza de que não nos venceriam. Além disso, você era um menino.

Cade suspirou. Era um tanto irritante admitir que o sexismo do avô tenha sido sua melhor defesa.

— *E* fiz você viajar pela Europa, da mesma maneira que meu pai fez comigo — continuou o avô. — Não tenho culpa que tenha sido um desperdício e que você nunca tenha tentado roubar uma *chocolaterie* enquanto viajava.

— Ela passou um semestre no estrangeiro, enquanto estava na faculdade! *Não* tenho culpa por ela querer estudar mais... Ela viaja o tempo todo pela Corey. E já esteve praticamente em todos os países do mundo! Com exceção de alguns, onde temos de contratar um exército para garantir que ela não seja sequestrada. Hoje em dia é muito difícil conseguir um exército confiável.

O avô cruzou os braços. — Ou isso só serviu para aguçar o apetite dela, ou então não é o que ela está procurando, *ou* você precisa deixar que ela passe um dia inteiro em Paris, sem trabalhar e sem seus acessos de raiva. Ela se formou há quatro anos. Isso é muito tempo para alguém ficar sem férias.

— Não me importo que ela não esteja trabalhando — o pai dela disse de mau humor. — Ele não agia assim em público. — Embora não tenha sido o momento certo para isso, eu só queria ter certeza de que ela estava bem. Não é do feitio dela deixar de atender ao telefone, ou deixar de resolver problemas de imediato. Ela sabe que quero a opinião dela sobre os irmãos Firenze.

— O que poderia ter acontecido com ela? — O avô zombou.

— Um acidente de carro, sequestro, intoxicação alimentar, assalto; ou ter caído de uma escada e batido a cabeça, sem ninguém por perto para socorrê-la a tempo; ou um *chocolatier* francês enfurecido; ou, provavelmente, da maneira como tem se comportado, poderia estar na cadeia.

O avô observou o filho. — Ser pai é difícil, não é? — Perguntou com simpatia.

— Sim — afirmou Mack Corey, sem entender o significado real da pergunta. O pai dele lhe deu um soco no ombro para ter certeza de que ele havia entendido, mas Mack apenas olhou para o ombro sem expressão.

Cade escondeu o sorriso, sentindo saudades de casa de maneira estranha e dividida. Porque realmente não queria ir para casa.

Cade foi ao Louvre. Passou a tarde toda lá. Olhando para grifos assírios gigantes. Ficou vagando entre os artistas italianos, pensando se o fato de olhar para aquela arte extraordinária faria com que ela se sentisse melhor consigo mesma. Talvez ela devesse estar no Musée d'Orsay com van Gogh.

Ela ficou um pouco perdida entre sarcófagos egípcios, vagando entre mil anos de fundações subterrâneas e, por fim, saiu para a luz que caía suavemente pela pirâmide invertida e sob um maravilhoso pátio, um nível abaixo da superfície. Então, dobrou as pernas sob um dos bancos de pedra e sentou-se, quase no estilo Zen, por pelo menos uma hora. Enquanto ela era coberta pela palidez macia e luminosa das grandes estátuas de mármore que haviam um dia pertencido a jardins, o murmúrio das pessoas que caminhavam pelo pátio cercou-a como água corrente.

Os guardas mantiveram um olhar suspeito sobre ela, o que era engraçado. Ninguém olhava desconfiado para ela em casa. Talvez a recente experiência criminosa e o comportamento camicase tivessem criado uma aura sobre ela. Se houvesse um lugar capaz de revelar auras seria aquele pátio calmo. E se alguém sentasse lá por muito tempo certamente acabaria tendo sua aura purificada pela beleza.

Ela imaginou pessoas subindo pelas escadas rolantes, saindo do museu para o frio de novembro que caía sobre o pátio do palácio, cercadas por auras brancas. Retornando à vida novamente, recobrando as cores antigas.

Ela estava atravessando a ponte de madeira, Pont des Arts, em frente ao Louvre, quando o telefone tocou.

— Você come outras coisas além de chocolate? — Sylvain perguntou. — Onde você está? Você tem ideia do quanto é inconsistente? Você invade a minha *chocolaterie*, tenta comprá-la, suborna as pessoas — é verdade que você pagou 30 mil dólares para aquela mulher na oficina? —, mas quando convido você para sair, você não dá a mínima.

— Os 30 mil dólares não foram intencionais — ela realmente não havia pensado cuidadosamente nas possíveis consequências ao entregar seu cartão de crédito a uma estranha. — Quando você me convidou?

— Deixei uma mensagem no seu celular esta manhã.

Sério? Não é preciso deixar mensagens quando é sexo sem compromisso. Essa era uma das regras básicas. Seu polegar foi de encontro ao celular. E ela começou a sorrir. — Como você conseguiu meu número?

Escurecia cada vez mais cedo com a chegada do mês de novembro, e todas as luzes se acenderam ao redor dela, junto à ponta da Ilê de la Cité, com árvores nuas e casais ainda sentados lá, apesar do frio e da pouca luz. As lâmpadas de rua saltavam calorosamente à vida contra o crepúsculo do inverno, e a luminescência suave acordava ao redor do Louvre e da Catedral de Notre Dame e do Musée d'Orsay, com seu brilhante relógio ferroviário levemente verde. O vento soprava uma garoa sobre ela, empurrando-a para casa.

Infelizmente, ela não tinha uma casa lá. Apenas um apartamento alugado por pouco tempo para que ela pudesse olhar as coisas que queria.

E o dia de Ação de Graças estava chegando, e depois o Natal. Talvez ela devesse retornar a sua verdadeira casa.

Os olhos dela ficaram enrugados e o coração inquieto ao pensar em outro aspecto do seu conflito atual. Com as férias chegando ao fim, para onde ela deveria ir? Ela tinha um acordo com o pai de não ficar mais do que um mês ali. Um mês, que pareceu ser muito tempo de diversão quando ela concordou, mas que agora parecia um tempo muito, muito curto.

— Peguei um cartão da sua carteira, enquanto você ainda estava dormindo — ele disse com naturalidade.

— Você roubou de mim? — Ela ficou indignada.

Houve uma longa e incrédula pausa. — Você só pode estar *brincando*.

— Você roubou mais alguma coisa? — O estômago dela se contorceu de dor. Um cartão de crédito, por exemplo. Como se tudo fosse referente ao dinheiro que possuía...

— Como o quê? *Ton passeport*? Para que você não possa desaparecer com todos os meus segredos? — Se ela soubesse disso antes, ou se o "com todos os meus segredos" tivesse sido dito anteriormente? Talvez ela tivesse percebido que ele não se importava com seu desaparecimento, mas apenas com os segredos que havia levado consigo. — As pessoas que voam em jatos particulares precisam mostrar o passaporte?

— Sim, mas os carimbos da imigração são dourados.

Ele riu. — Tenho algo para você. Você come alguma coisa que não tenha açúcar? Posso fazer o jantar.

Parada ali na garoa, olhando águas turvas junto à beira gelada de uma ilha e a catedral de Notre Dame, ela sentiu o rosto todo se dividir em um sorriso. No entanto, ela tentou manter a voz o mais neutra possível. — No seu apartamento?

— Você não tem nada na sua geladeira que preste — ele disse com firmeza. Na verdade, ela tinha uma caixa de amostra de cada *chocolatier* importante da cidade — menos a dele, é claro. A dele tinha ido parar com um morador de rua nos jardins. Baseando-se no tom de voz que ele usou, ela presumiu que ele havia aberto sua geladeira e visto todas as outras caixas. — Portanto, vai ter de ser no meu.

Capítulo 20

Ele a encontrou na *chocolaterie*, onde o *laboratoire* havia fechado, mas a loja ainda ficaria aberta até as 9 horas, com uma fila enorme do lado de fora.

— Você acha que eu deveria pagar-lhe uma comissão? — Sylvain perguntou admirado. — Pegar você roubando meus chocolates foi ótimo para os negócios — além de ter sido melhor para mim, é claro.

Ela foi tomada por um olhar de ressentimento.

Entretido, ele apertou os lábios e levou-a para seu apartamento, parando apenas para pegar uma baguete na *boulangerie*. Ela olhou para ele com inveja. Ele fez isso com tanta facilidade, como se fosse tão natural quanto respirar, parar em uma padaria e pegar uma baguete no caminho de casa. O que, realmente, foi.

— Elas acabaram de sair do forno — ele estendeu a baguete para que ela compartilhasse o prazer. Ela tirou uma das luvas e fechou a mão sobre a baguete, sentindo o calor daquele pão, longo e fino, através do pequeno quadrado de papel que o padeiro havia enrolado em torno dele.

Ele partiu uma das pontas e entregou a ela, fresquinha e quente. Ela sorriu quando ele partiu outro pedaço para ele. Ele sorriu de volta. — Nada se compara aos pães que acabaram de sair do forno.

Ele morava na rua *Piétonne*, na mesma rua do restaurante em que se encontraram por acaso, a duas quadras da *chocolaterie* e na extremidade oposta de onde ficava o próprio restaurante.

O apartamento parecia agradável. Era tão limpo e arrumado como seu *laboratoire*, tudo muito bem organizado em seu devido lugar. Mas ele obviamente limpava os balcões do *laboratoire* muito mais vezes do que as estantes do apartamento.

A sala de estar era bastante espaçosa, e durante o dia devia ficar superiluminada graças ao tamanho das janelas, que podiam ser abertas para dentro como portas e que revelavam grades de ferro forjado. Um tapete de cores quentes adornava o piso de madeira polida. O sofá parecia bem usado, como se alguém gostasse de esticar-se sobre ele, para ler um bom livro ou assistir razoavelmente a grande TV de tela plana. Ela podia ver o desgaste no braço em que sua cabeça se deitava, sempre de frente para as janelas. Debaixo da mesa, junto à ponta do sofá, havia um álbum de fotos de couro marrom, estampado com suas iniciais. Deve ter sido presente de alguém.

Todas as portas ao final do corredor estavam fechadas. Ela pegou o álbum de fotos e voltou para a cozinha. A cozinha também era espaçosa, pelo menos se levarmos em consideração o fato de o apartamento ser para uma única pessoa, em uma cidade lotada como aquela. E, certamente, estava muito bem equipada.

Sylvain começou a tirar coisas da geladeira — cogumelos, chalotas,[19] carne embrulhada em papel. De uma prateleira debaixo do balcão, pegou uma garrafa de vinho. Depois, esperou até que ela se aproximasse do balcão de granito escuro para observá-lo. — *Tiens* — ele entregou a ela um pequeno saco de papel que parecia ter sido recentemente esmagado pelo bolso traseiro da calça de alguém.

— O que é isso?

Ele ficou encabulado. Sylvain, encabulado? Sorriso tímido, um tanto envergonhado, sem saber como seu presente seria recebido. — Apenas algo que vi quando saí para o almoço. Me fez pensar em você.

Ela corou imediatamente. E abriu o saco com cautela, esperando algemas de veludo.

Um pequeno ursinho bege, feito à mão, olhava para ela, seus olhos costurados com dois fios de linha preta. Ele carregava uma mochila minúscula nas costas, que abrigava um ursinho de pelúcia ainda menor. Era um boneco de dedo. E ela colocou-o no dedo sorrindo à medida que puxava cuidadosamente o bebê de pelúcia da mochila e o examinava, para depois colocá-lo de volta nas costas da mamãe urso. Era algo superencantador, mas não fazia nenhum sentido. Ela não era uma criança, e o relacionamento que tinham não era infantil.

19. Tipo de tempero. (N.T.)

Ela olhou para ele. Ele estava mais sorridente, menos acanhado, como se a visão do boneco no dedo dela o lembrasse do motivo da compra.

— Por quê? — Ela perguntou.

Ele puxou uma tábua de corte de madeira e uma faca de *chef* que brilhava afiada o suficiente para fazer a barba. — Porque achei que você não tivesse um. E que pudesse precisar.

— Precisar? — Será que ela estava deixando de notar alguma coisa a respeito daquele boneco de dedo?

Ele acenou com a cabeça. — Não serve para nada. É algo completamente fútil e infantil. Apenas uma pequena diversão. Um pequeno prazer.

Será que ele pensou que ela precisasse de um pouco mais de leveza depois do modo irresponsável como havia se comportado? Ela virou-se e curvou o dedo sobre o boneco, gostando de sentir a maciez do ursinho de pelúcia. Quem não gostaria de um boneco de dedo de ursinho de pelúcia?

Especialmente um que não fazia sentido. Havia tão poucas coisas na vida dela que não faziam sentido.

Ou, espere... Esta era a ideia.

— Este é o presente mais romântico que já ganhei — ela disse em voz alta antes de pensar.

Sobrancelhas negras arquearam-se. — *Vraiment?*

— *Vraiment.*

— *Dis, donc* — ele balançou a cabeça, virando-se para o balcão. — Vai ser fácil superar os outros caras, não é?

Ela ficou observando a parte traseira de sua cabeça de cabelos negros, a postura firme de seus ombros largos, ele era todo firme, todo aquele corpo magro e alto, à medida que ele cozinhava de maneira tão casual. Será que a intenção dele era a de superar outros homens românticos? Ele estava fazendo um ótimo trabalho, mas... Será que era de propósito? Sexo não precisava significar romance.

Ele umedeceu um pano e começou a limpar cada um dos cogumelos. — Você quer dizer que ninguém nunca lhe trouxe flores?

— Ah... Flores. Sim, claro. — Na verdade, ela ganhou muitas flores. Elas eram um presente falso. Fácil de encomendar por telefone, a oportunidade mais fácil para que um homem pudesse se aproximar do dinheiro dela.

— Ninguém nunca lhe deu chocolates?

Ela riu. — Não. Ninguém nunca me deu chocolates.

Ele mostrou-se solidário. — Isso deve ter sido difícil para você. Sempre querendo que alguém lhe desse chocolates de verdade, mas ninguém nunca ousou por causa de sua família.

Havia talvez um pequeno fundo de verdade naquilo, mas ela estreitou os olhos para ele mesmo assim.

Ele fatiou os cogumelos em cinco segundos, e depois largou a faca para procurar algo no bolso do casaco que havia colocado sobre uma cadeira. Ele retirou do bolso a menor das caixas que havia na loja, usada para chocolates em miniatura, tirou a tampa, e ofereceu o conteúdo a ela.

Nela havia quatro chocolates quadrados, sem adornos. Ela olhou dentro, e depois para a enorme mão que a segurava, para o pulso forte e para os pelos lisos e escuros naquele forte antebraço. Seu olhar foi escorregando até encontrar os olhos dele, quase da cor dos chocolates que pareciam sorrir levemente para ela.

Ela ficou distraída com os olhos dele por um momento, querendo apenas olhar para eles naquele momento de calma. Ele não parecia se importar com a demora, estudando-a, com a mão pacientemente esticada na direção dela.

Ela passou a mão pelos cabelos e olhou para baixo, focando nos chocolates. Quando mordeu um deles, estava escuro por dentro, é claro, impecável e com um pouco de canela. Desde que contou a ele que gostava de canela, ele continuou investindo nisso.

— O que você acha?

Ela aprovou, tão naturalmente como o próprio ato de respirar, ele superou qualquer outro homem que ela já havia namorado e com que transara.

Foi fácil para ele? Era uma fórmula, uma rotina de sedução? Ela deveria se importar se fosse uma rotina, ou simplesmente aproveitar o momento?

O sorriso dele desapareceu com o silêncio dela. — *Non?* — Ele fechou a caixa e disse: — Foi apenas uma experiência que eu fiz hoje. Tenho certeza de que precisa de mais trabalho.

— Não — ela balançou a cabeça freneticamente. — Não precisa de mais trabalho. Ele estava perfeito exatamente como estava. Perfeito.

Ela virou-se para o álbum de fotos, abrindo-o em defesa própria e também em profunda curiosidade. Como seriam as fotos de Sylvain, não aquelas das revistas, mas aquelas mais pessoais?

Ela sentiu mais do que viu o gesto que ele fez em direção ao álbum, como se fosse agarrá-lo. Ele interrompeu o gesto e voltou-se para as chalotas. Ele picou as pequenas chalotas tão rapidamente que ela teve certeza que ele iria perder um dedo.

Mas é claro que não perdeu. Ele jogou as chalotas picadas em uma panela e fez um gesto automático para a frente, como se quisesse esfregar os dedos em um avental de *chef*, mas então se lembrou de que não estava usando um e desviou os dedos para os jeans.

Era um tanto assustador quanto ela amava seus dedos. Ela queria que eles fizessem outras coisas além de deixá-la louca. Acariciar seu cabelo, brincar com os dedos *dela*, tirar algo para fora do rosto. Ela olhou de volta para o álbum de fotos. — Quem montou esse álbum para você?

— *Ma maman* — ele disse resignado.

Toda a percepção de uma mãe em relação ao homem que a tinha feito subir aquelas escadas na noite anterior deixou-a apreensiva, como se a mulher pudesse sair subitamente de trás de uma daquelas portas fechadas. — Onde sua mãe mora?

— Ela e meu pai se mudaram para Provença, alguns anos atrás, quando se aposentaram.

Os ombros de Cade relaxaram. Ela folheou as páginas, sorrindo um pouco ao ver as fotos de bebê e a falta de dentes, e a foto de um menino de 5 anos com rosto coberto de chocolate, na qual sua mãe havia escrito *Ça bien s'annonce*, com uma caneta de prata brilhante. O álbum parecia ter sido planejado para descrever a trajetória de sua vida. *Ele foi uma criança muita amada*, ela pensou.

Ela examinou uma foto de quando ele era adolescente. Ele não foi um desses adolescentes que florescem mais cedo. Aos 17 anos, era magro e desajeitado, e o cabelo caía nos olhos — ela deixou escapar um rápido olhar para os tufos compridos e suaves de cabelo que ele ainda preferia. O estilo dele era melhor nos dias de hoje, é fato. Continuava aquele mesmo menino que havia preferido o romance ou a sensualidade do cabelo um pouco mais longo. Na foto, ele tinha a pele manchada e os olhos que pareciam grandes demais para o rosto. Além disso, a forma física estava lá. Isso era nítido para um olhar mais observador, mas ele claramente não havia atingido seu auge durante os anos de colégio.

Ele parecia tímido e constrangido na frente da câmera. Parecia tímido e constrangido agora, ao vê-la olhando para o que a câmera havia registrado. Ele flexionou a mão e os dedos se estenderam em direção ao canto do álbum. Em seguida, a mão rapidamente dobrou sobre a palma, como se ele tivesse se contido para não arrancar o álbum da mão dela. Ela sorriu para ele, e ele arqueou um ombro e voltou seu foco para a cozinha.

— Você também comia muito chocolate quando era adolescente, não é? — Ela riu.

— Chocolate não é ruim para a pele — ele retrucou, mais aborrecido do que deveria com a leveza da piada que ela fez. — Isso é um mito.

— Eu sei. Nós financiamos o estudo — ela virou para a página seguinte. A mãe de Sylvain havia tirado uma foto dele no que devia ter sido a cozinha — um espaço apertado com balcões de linóleo — fazendo uma tremenda bagunça com chocolate. Na foto, o rosto dele estava voltado para o trabalho com a mesma intensidade que continuava mostrando em sua *chocolaterie*. Até o ângulo de sua cabeça era o mesmo, como também a linha reta do maxilar.

— Você era bonitinho quando adolescente — *meio nerd*, mas obcecado com a arte de cozinhar em vez de matemática ou computadores. Ela podia apostar que alguma garota tímida de sua classe tivera uma forte queda por ele, e ele nunca percebera. — Eu teria flertado com você.

Ele tinha a resposta na ponta da língua. — Não, você não teria.

— Teria sim — ela sorriu novamente, imaginando por que aquele momento não era tão leve e aconchegante como achava que deveria ser. — Eu sempre tive uma fraqueza por homens que sabem fazer maravilhas com chocolate.

Aquilo era verdade. Apenas a lembrança dele, amável e distante e intenso, focado em algum caldeirão mágico de chocolate, foi o suficiente para fazer com que seus hormônios saltassem, fazendo-a querer saboreá-lo. Mesmo agora, não envolvido por chocolate, ele era muito simpático e esperto, somente focado na redução de seu vinho tinto. Ou seria até bonito se parasse de fechar a cara. Ela, particularmente, nunca havia ficado excitada com alguém que vivesse fechando a cara.

— Sim, percebo — disse ele secamente.

Agora, o que aquilo significava? Não parecia algo bom, qualquer que fosse o significado. — Na verdade, acho que nunca namorei um homem que sabia mais sobre chocolate do que eu — ela completou, levando a conversa para um rumo mais seguro, ou eles terminariam brigando.

Ele arqueou uma das sobrancelhas e olhou de soslaio para ela, finalmente permitindo-lhe atenção o suficiente para que ela pudesse ver certo sorriso nos seus olhos.

— E também não estou certa de que esteja agora — ela não tinha certeza de que o estivesse namorando.

Ele se virou e indagou. — *Pardon?* Ela colocou seus cotovelos para trás na bancada e apenas sorriu para ele.

— Você acha que sabe mais sobre chocolate do que eu?

Ela provavelmente sabia mais sobre alguns aspectos. Mas ela ansiava ter o conhecimento dele, o domínio da magia, do mistério e da intensidade de chocolate. E... Ela o desejava. — Bem, sei como vendê-lo — disse ela com arrogância em vez de admitir que se questionava sobre o namoro. — Você sabe como vendê-lo por... Quanto as pessoas estão dispostas a pagar por...? Ele fez um gesto em direção a sua bolsa sobre a mesa, semelhante à maneira como alguém gesticularia em direção a uma ratoeira que segurava um rato morto que seria descartado.

Trinta e três centavos no Walmart. — Um dólar — ela respondeu. Nas salas de cinema era vendido por um dólar. Ou em máquinas nos aeroportos.

Ele balançou a cabeça, como se as pessoas nunca deixassem de surpreendê-lo. — *Américains*. Assim. Você sabe como vendê-lo aos americanos por um dólar. Você sabe como vendê-lo aos parisienses por 100 euros o quilo?

Ou quase 4 dólares por 31 gramas. Nesse ritmo, as Barras Corey seriam vendidas por mais de 12 dólares cada.

— Três dólares por barra, é o que eu estou pensando — ela calculou. — O suficiente para que as pessoas saibam que é especial, mas não o bastante para que elas não possam pagar.

Sua expressão era de náusea. Não era agradável fazer um homem querer vomitar enquanto estava preparando um jantar para você. — Com meu nome no chocolate — ele murmurou. — *Dans les supermarchés* — ele olhou incrédulo para a diminuição de vinho, como se perguntando como poderia ter acabado fazendo um jantar para alguém como ela.

— Por que não? Você morreria se o seu chocolate fosse acessível às massas?

A expressão de revolta no rosto dele respondia tudo. — Você é uma anarquista do chocolate!

Ela sorriu, encantada com o termo. Ela teria de contar a seu avô, só para ver como ele ia rir. Jack Corey adoraria ser chamado de um anarquista do chocolate.

Sylvain arqueou uma sobrancelha de censura ao ver o prazer dela, mas enquanto marinava os bifes, permitiu-se um sorriso no rosto.

Quem não estaria sorrindo? Os aromas de carnes grelhadas, vinho tinto e chalotas enchiam o apartamento. Dentro havia luz e calor; lá fora, escuridão, chuva fina e o brilho oriundo das janelas. Agora que ele havia conseguido tirar o álbum de fotografias das mãos dela, Sylvain estava surpreendentemente feliz. O álbum fora um doce presente de sua mãe, mas ele precisava se lembrar de manter suas fotos da adolescência longe da vista de belas mulheres que convidasse ao seu apartamento.

Ele realmente não podia pedir muito mais da vida do que isso. Preparar um saboroso jantar para uma bela mulher que sentia uma paixão incandescente ao ficar em suas mãos; estar protegido do frio da noite por tê-la ao seu lado; não queria estragar tudo, não queria reprimir o bom humor dela, o que a faria ir embora. Sabia que ela amava seu chocolate com tanta intensidade, e que mantinha uma atração irresistível na palma da mão, caso ela se aborrecesse com alguma coisa. Era bom discutir com ela e fazê-la rir.

Eles podiam comer, beber, rir, brigar, enrolar-se no sofá, ler um livro, adormecer. Eles poderiam acordar de manhã ou no meio da noite com um sorriso. Ele ia adorar isso. Estava tão desgastado depois da intensidade das últimas 24 horas que poderia realmente adormecer.

E então, novamente, se ela se enroscasse no sofá com ele, sentindo confiança e conforto ao aninhar seu corpo ao dele, ele podia sentir-se da mesma maneira.

De qualquer modo, isso não importava.

Serviu-lhe um copo de vinho enquanto se sentavam à mesa, para encorajá-la a também se sentir bem.

— Você gostou do *s'more?* — Ela perguntou de repente.

— Do quê? *Suh-more?*

— O *s'more* — ela tentou demonstrar o que era com as mãos. — Aquilo com a... A... Coisa de chocolate e *wafers* que deixei para você na outra noite.

A... A... Coisa deve ser a mistura meio-queimada de *marshmallow*. "A coisa" era, provavelmente, um bom nome para aquilo.

— Por quê? — Ele perguntou com toda a cautela. Será que a mistura estava realmente envenenada? Será que Cade estava intrigada por que ele não tinha morrido? Ou será que era um teste para ver se alienígenas tinham abduzido o verdadeiro Sylvain Marquis e colocado um impostor em seu lugar? Como ela podia acreditar que ele havia gostado daquela coisa.

— É uma dessas coisas divertidas que todo mundo faz quando criança nos Estados Unidos. Você gostou?

Bom Deus. Havia esperança nos olhos dela. Sylvain pensou como dizer a ela diplomaticamente que aquilo tinha gosto de *merde* e acabou perdido na busca por palavras.

O brilho nos olhos dela desapareceu. *Merde,* ele tinha de dizer algo. — Foi... Ah... Agora entendo por que as crianças acabam gostando — menos *seus* futuros filhos, é claro. Ele esperava ensiná-los a ter um gosto mais apurado.

O rosto dela murchou. Ele chutou a si mesmo. — O *wafer* não estava bom. Não consegui encontrar *Gram Crackers*[20] — ela disse, ou algo assim. — Além de não ser muito bom frio. Você tem que comer quando o *marshmallow* ainda está quente e pegajoso, e o chocolate está todo derretido.

Sylvain lutava para não deixar transparecer a dor.

— Um dia lhe ensino como se faz — ela afirmou categoricamente. Houve momentos em que poderia ser um grande problema o fato da derrota nunca mantê-la para baixo por muito tempo. — Você vai ver. É divertido.

Ele gostou da ideia de terem planos futuros juntos. E se fosse cuidadoso o *suficiente, seria capaz de convencê-la a desistir daquele pegajoso marshmallow* para *sempre.* Ela parecia vulnerável à distração sexual. Ele sorriu timidamente.

Ela voltou a se animar mediante o sorriso, e entendeu tudo errado. — A lareira funciona? Eu poderia lhe ensinar depois do jantar.

— As chamas são falsas — ele tentou fazer seu alívio soar como arrependimento. — Por lei, não podemos acender lareiras de verdade em Paris. Algumas pessoas tentam, às vezes, mas essa chaminé está bloqueada.

Ela ficou desapontada novamente. E então, fiel a sua característica, deu a volta por cima. — Você tem... — Ela interrompeu e fez alguns gestos novamente à medida que tentava substituir uma palavra concreta por uma visual — ... Coisas para aquecer panelas de *fondue,* certo?

Talvez. Sylvain tentou fugir da pergunta. — Não tenho *marshmallows* nem bolachas — nem Barras Corey, pelo amor de Deus, mas ela tinha a obrigação de ter pelo menos uma em sua bolsa. Não é mesmo?

20. Bolacha salgada muito consumida nos Estados Unidos. (N.T.)

Ela olhou para a janela molhada e escura e hesitou. Sylvain começou a relaxar. Em seguida, ela endireitou os ombros. — Podíamos sair para comprar. A *épicerie* fica logo no fim da rua.

Ela parecia uma combinação de cachorro *pit bull* com um boneco João Bobo. Ela ficou cabisbaixa, mas logo se animou. Quando estava determinada a fazer alguma coisa, nunca desistia.

E ele não estava reclamando. Ela estava determinada a ir buscar seu chocolate, e lá estava ele, aproveitando o máximo daquela situação. A determinação dela era erótica. Excitante. E fazia com que ele quisesse beijá-la e talvez distraí-la o suficiente para poupá-lo de comer *marshmallows* pegajosos, bolachas e Barras Corey, todos misturados.

— Da próxima vez — ele disse, e os olhos azuis dela piscaram. Ele sentiu um arrepio de medo. Apesar de ela ter dito antes "um dia", "da próxima vez" não parecia uma conclusão precipitada.

Ele teria de dar um jeito nisso. Ainda tinha muitas delícias de chocolate para oferecer a alguém tão obcecada como ela.

Ela comeu uma fatia do bife e fechou os olhos por um momento, fazendo quase a mesma expressão que ele tinha visto em seu rosto quando saboreou aqueles *ravioles du Royan*.

Ele sorriu, demonstrando uma satisfação feroz e sexual.

— Está delicioso.

Ele tentou parecer modesto, mas já sabia que modéstia não era uma de suas qualidades. — Não está nada demais. *Un petit truc*.

— E o vinho está perfeito. — Ela girou a garrafa para olhar o rótulo, que era muito rudimentar, provavelmente desenhada pelo sobrinho adolescente de algum amigo do *vigneron*. — Onde você comprou esse vinho?

— Quando visito meus pais, gostamos de ir a pequenos vinhedos da região. Vou... — Ele parou subitamente assustado. Ele quase disse, "Vou mostrar a você um dia", mas se eles não podiam sequer ter certeza sobre "a próxima vez", ele estaria cometendo um erro desastroso ao assumir em voz alta que, em alguns meses, eles poderiam acabar viajando juntos para ver seus pais. Ela ajudava a administrar uma empresa que faturava mais de 300 milhões de dólares por ano. Naquele momento, ela só estava passando férias. — *Non, attends*, acho que esse vinho comprei do Jacques.

Seus olhos azuis se intrigaram. E ele adorava aqueles olhos azuis. A cada olhar direto a pele dele se contraía, os músculos tentavam controlar a mente para que os braços a agarrassem.

— Jacques é um homenzinho que bate à minha porta todo outono e acaba me convencendo a comprar caixas de vinho de pequenos vinhedos que ele representa.

Os lábios dela se dividiram em um novo sorriso, e ele ficou muito satisfeito consigo mesmo, embora não fizesse a mínima ideia do que havia dito para deixá-la tão feliz. — Um homem bate a sua porta e faz você comprar vinho de pequenos vinhedos desconhecidos? Sério?

Parecia algo bem normal para ele. Especialmente porque Jacques sabia que ele era um verdadeiro otário. Sylvain, *la bonne poire.*

Era uma pena que aquele apartamento não viesse com uma *adega* maior. No ano anterior, Jacques convenceu Sylvain a comprar tanto que ele precisou estocar caixas no próprio quarto. No Natal, acabou presenteando uma dúzia de garrafas aos funcionários da *chocolaterie* para que pudesse reaver seu espaço de volta.

Subitamente algo transformou a expressão de felicidade dela em melancolia, e depois em desejo, que ele queria que fosse por ele. Por um lado, se fosse por ele, ele teria se levantado e abandonado sua refeição para satisfazê-la ali mesmo. Deus, ser desejado tão intensamente...

— Qual você acha que seria a melhor maneira de comercializar Barras Corey na Europa? — Ela perguntou de repente.

O quê? Era *isso* que ela desejava? Será que a mente dela só pensava em negócios o tempo todo? *Provavelmente,* agora que ele pensava um pouco mais sobre isso. A mente dele só pensava em chocolate, o tempo todo. — Nenhuma — espero, ele disse sem rodeios.

Ela estreitou os olhos e ficou visivelmente indiferente. — Aposto que os europeus adorariam produzir uma linha de chocolate *premium* com o seu nome.

— Se eles quiserem algo com meu nome, sabem muito bem onde encontrar.

Ela flexionou um punho de frustração. — Detestaria que a Mars ganhasse o mercado europeu. Ou a Total Foods — ela fez uma careta. — E sei que meu pai também.

Ele cortou e comeu uma grande fatia de bife, tentando conter sua vontade de opinar sobre Corey e Total Foods que competiam para satisfazer os gostos de seus conterrâneos. — Podíamos vender o país para o McDonald's de uma vez por todas — ele murmurou. *Droga, não é grande o suficiente.* — Por que você não aproveita para importar queijo processado?

Ela pressionou os dentes perfeitos e olhou para ele. — Vou perguntar ao Christophe. Aposto que ele tem algumas ideias.

Sylvain endureceu a expressão. — Se você quer culpar alguém, além de si mesma, por ser conhecida como o infame ladrão de chocolate, então culpe Christophe, que adora fofocar sobre a vida particular dos outros — e suas fantasias — em um blog.

— Eu sei, mas ele é um cara legal. Ele é divertido — Sylvain ferveu por dentro em silêncio.

— E ele é inteligente, e compreende os europeus, e talvez possa me ajudar se eu pedir.

— Já que eu não vou — disse Sylvain de maneira seca. Ele fantasiou em pegar Christophe e sacudi-lo como um cachorro molhado. Não, melhor ainda: dar a ele uma caixa de bombons envenenados, e depois observar sua expressão de surpresa enquanto caía. De preferência, tendo uma morte lenta e dolorosa. Que, pelo menos, seria uma vingança apropriada. — Christophe é um molengão. Eu mantenho certo nível.

— Talvez eu *devesse* comprar o negócio de alguém — Cade disse, como que pensando em voz alta. — Isso é o que o meu pai pensa. Valrhona, talvez. Pode ser algo mais eficiente.

— Mais eficiente em que sentido? — Sylvain exigiu saber. Sabia que deveria manter a boca fechada, mas mesmo para ter em suas mãos a intensidade apaixonada dela, ele não podia entregar sua alma e seu país dessa forma. — Reduzir tudo o que é bom sobre este país para quê? — Ele apontou para a bolsa dela e para a Barra Corey que certamente estava lá dentro.

Ela franziu o cenho. Por um segundo, ele não soube dizer se ela ia ficar brava ou revidar. Então, ela abaixou a cabeça e esfregou a testa enrugada. Ela parecia cansada e excepcionalmente séria. Fragilizada novamente.

Mas ele não podia ajudá-la. Ele não podia, não iria, ajudá-la a descobrir como conquistar o mercado de chocolate francês, nem a produzir uma versão corrompida de sua alma e sua arte em massa.

— Seja como for, por que você precisa disso? Você não tem dinheiro suficiente?

Ela fez um gesto com uma das mãos, mas não respondeu. O olhar sério não havia suavizado. Ela não queria falar sobre suas razões.

As mulheres têm *sempre* algo a mais acontecendo na cabeça. Ela não podia simplesmente desfrutar da noite? Ele suspirou. — Você quer que eu vá comprar alguns *marshmallows* e bolachas?

Seu rosto se iluminou. A distração havia funcionado. No entanto, ele sentiu como se tivesse sacrificado o próprio paladar como isca. — Você quer que eu lhe mostre como fazer *s'mores?*

— Claro — ele mentiu. Ele sabia como proceder. No entanto, gostava muito mais do olhar feliz do que daquele olhar sério e cansado.

E foi assim que Sylvain Marquis, considerado o melhor *chocolatier* de Paris e do mundo, viu-se preparando *s'mores* com *marshmallows,* biscoitos amanteigados, e chocolate barato de supermercado que ele não daria a uma criança de 3 anos.

Deus, com certeza aquilo a deixava muito feliz. Eles sentaram-se no chão, em frente à lareira em que ela havia colocado uma lata de Sterno[21] — porque ela insistiu que *s'mores* tinham que ser feitos no chão. Ela parecia uma garota animada, mostrando, toda orgulhosa, um desenho de um rosto com um sorriso enigmático para da Vinci.

Ele seria da Vinci, é claro. E não reclamou ao ver sua maestria em chocolate comparada com a arte de da Vinci.

Sylvain não comeu o dele. Ela parecia tão feliz esmagando os *biscoitos* sobre aquele *marshmallow* pegajoso. Ela levou o primeiro à boca dele, mas ele arrancou-o da mão dela e começou a beijá-la. Eles já estavam no chão, e por isso não demorou muito até que se deitassem, e ele apoiou-se sobre ela com os cotovelos e... Mostrou ter mais energia do que ele próprio acreditava.

A lata de Sterno já havia se apagado quando Cade lembrou-se dela. Mentalmente, ele deu a si mesmo um tapinha de parabéns.

Mas aquele sentimento de autossatisfação logo desapareceu.

Deitado lá, naquele chão duro, com migalhas de biscoitos roçando suas costas nuas e a cabeça dela em seu peito, Sylvain acariciou os cabelos lisos e sedosos de Cade e olhou pensativo para o teto branco em relevo. Ele podia sentir a respiração pesada dela em sua pele e, talvez, um ronco leve, de mulher. Ele devia estar radiante, satisfeito em seu mundo, mas a decepção pós-sexo já havia tomado conta.

Ela adorava fazer sexo com ele. Adorava seu chocolate. Ele não tinha certeza de que ela se importava com qualquer outra característica dele, embora, na verdade, ambos fossem pessoas dominantes.

Mas ele levava isso numa boa. Não fazia nenhuma diferença. Ele passou quase a vida toda tentando tornar seu chocolate irresistível; e não iria re-

21. Tipo de álcool gel. (N.T.)

clamar justamente agora que o chocolate estava servindo para seduzir um prêmio como aquele.

O problema era que ela nem precisava comprar uma passagem para ir embora. Poderia voltar direto em seu avião particular se decidisse seguir com a vida. E isso não ia demorar, certo? Porque ela estava ali só de visita.

Capítulo 21

Cade acordou com a luz do dia e os sons de Sylvain movimentando-se alegremente pelo apartamento, cantando algo baixinho, alguma música francesa que ela não conhecia. Ele tinha uma boa voz, um tenor forte e agradável.

— Vou pegar alguns *pains au chocolat* — disse ele; Cade ouviu a voz um pouco abafada, mas aquilo se devia ao fato de ela estar debaixo do edredom, bem quentinha. Ela gostava de estar ali. Era aconchegante, quente, escuro e cheirava a chocolate e a dois corpos humanos, e ela meio que desejava que ele dissesse "Ciao" e saísse, para que ela pudesse ficar lá e não fazer nada.

Como ela mesma, por exemplo. E pensar em suas responsabilidades na vida. Se ela não tivesse a ideia da linha *gourmet* para colocar em prática, sabia que precisaria voltar para casa, voltar para seu verdadeiro trabalho.

— Ou você prefere uma *tarte aux framboises* de novo?

Ela fez um som que, na verdade, não formava nenhuma palavra, mas ele deve ter entendido, porque, pouco depois, ela ouviu a porta do apartamento fechar. Então, levantou-se e foi tomar uma ducha, determinada a não ser pega na mesma desvantagem que no dia anterior. Ele tinha um chuveiro *de verdade*. Havia um boxe de vidro e o chuveiro era fixo à parede, de modo que ela não precisava segurá-lo. Havia, inclusive, uma agradável série de jatos para cima e para baixo, no próprio boxe. Ela se banhou e enxaguou no calor e no vapor com alegria, curtindo o tempo.

Levantara o rosto para receber o *spray* quando ouviu uma batida no vidro. Sylvain, com um sorriso inesperadamente possessivo no rosto, estava segurando uma grossa toalha marrom e observando seu corpo molhado, nu... — Acho que está na hora de sair — disse ele com um sorriso. — Estou exausto. Preciso de algumas horas.

Ela corou, desejando saber, no íntimo, se ele a achava uma ninfomaníaca. Desde que se conheceram e ficaram íntimos, ela se sentia e agia como uma ninfomaníaca: portanto, havia grandes chances de ele pensar assim. Sendo homem, ele talvez não estivesse reclamando, apenas apreciando a relação.

Literalmente, ela pensou, com um toque irônico de constrangimento.

Eram aquelas mãos dele. Eram exatamente como a fantasia que ela carregara consigo desde que viu aquela fotografia no site que ele tinha na internet. Era a foto da mão direita dele colocando um granulado de cacau em um chocolate minúsculo. As mãos combinavam perfeitamente com o homem alto, sexy, de cabelo escuro, apaixonado que vivia com todos os seus sentidos, que era tão arrogante e tão certo, que a dominou com sabores e texturas. Ela queria combinar a paixão dele com a sua. Queria que aquelas mãos a manipulassem. Mas não conseguia obter o suficiente delas. Não conseguia obter o suficiente dele.

E aí, quando pensou que o sexo puro e apaixonado era um fim em si mesmo, e que aquilo era bom, e que eles não precisavam de mais nada, só de chocolate... Então, de repente, ele fez algo, e não era o que deveria ser. Não era um fim em si mesmo, e ela teve a necessidade de algo mais.

Como agora. Ela se vestiu com roupas de ontem e adentrou a cozinha com o cabelo úmido e preso em um rabo de cavalo; não usava maquiagem. E ele a olhou por um longo momento, seu rosto foi ficando fechado e contido daquele seu jeito, como se vê-la tivesse lhe causado algum tipo de dor.

Por quê? Será que lhe causava náusea dormir com alguém da família Corey?

O cheiro de manteiga e de fermento vinha do saco de papel branco e da caixa retangular que estavam sobre a mesa. O saco de papel continha três *pains au chocolat*, barras duplas de chocolate generosamente espreitando de cada extremidade de suas lâminas douradas. A caixa retangular aberta revelava uma seleção de três *tartes*, incluindo uma *tarte aux framboises*. — Só para garantir — ele ponderou.

— O que é isso? — Ela apontava para uma torta amarela com maçã, cuja textura parecia a de omelete. — Há ovos e frutas nessa torta? Isso é praticamente um desjejum de onde venho.

Ele olhou para a torta e depois para ela. — Os americanos são muito estranhos. É uma *tarte normande*. Talvez alguém na Normandia a tivesse inventado para fazer a felicidade de algum soldado americano — disse, dando de ombros.

— Não é tão semelhante — Cade comentou secamente ao dar uma mordida. A base, quase como uma *quiche* levemente doce, mesclava perfeitamente com as maçãs. Cade lembrou-se um pouco de uma panqueca de maçã alemã, mas, no contexto da Segunda Guerra Mundial, talvez fosse melhor não questionar tal origem como uma possibilidade. — E provavelmente é mais saudável para mim do que o *pain au chocolat*. Mais proteína, algumas frutas, menos gordura e açúcar.

Sylvain deu de ombros novamente e disse: — Tenho iogurte na geladeira, se você quiser. E o resto daqueles chocolates, caso você esteja tendo sintomas de abstinência por ficar quase oito horas sem chocolate. Sem o *meu* chocolate — ele esclareceu, com um sorriso deliberadamente presunçoso.

Seria uma desmoralização voltar para sua loja e comprar mais chocolate de um de seus funcionários arrogantes. E se ela não conseguisse viver sem chocolate, ou se não conseguisse se humilhar para comprá-lo de novo, estaria fadada a continuar com ele por todos os pedaços que desejasse.

E ele ia dominá-la por completo.

Seus olhos se dilataram, e a boca encheu-se de água, e ela rapidamente olhou para a *tarte normande*.

— Preciso ir — disse ele. Ela piscou e se encolheu por dentro. Tentou detectar um tom de pesar em sua voz, mas não conseguiu. — Tenho um *stagiaire* começando hoje, e gostaria de estar lá enquanto ele estiver, caso eu precise interpretar.

— Que idioma? — Ela perguntou, surpresa. Será que Sylvain falava outro idioma? Um *stagiaire* era um estagiário, um *trainee*, ela lembrou-se da palavra.

Ele balançou a cabeça. — Dialeto. Entre mundos. A *banlieue*[22] de onde ele vem é muito diferente do sexto distrito de Paris.

— Então, como é que você pode servir de intérprete? — Ela indagou, confusa. Ela sabia vagamente, tendo em conta sua biografia, que ele havia nascido nos arredores de Paris, *en banlieue*, mas os arredores não pareciam uma distinção importante da própria Paris na época.

— Eu cresci na mesma *banlieue* — disse ele já se levantando. Claramente não desejava falar muito sobre sua infância...

Ela achava que isso era bom. Sylvain não estava tentando usar o sexo como um trampolim para um relacionamento íntimo. Nenhum esforço para se inserir em sua vida e se casar com bilhões, pelo menos.

22. Periferia. (N.T.)

Ele era romântico, mas também confuso. Os bilhões de Cade sempre estiveram lá para garantir que os homens se interessassem por ela. Sem eles, ela se sentia como se tivesse caído em uma cidade estrangeira, sem cartões de visita, sem telefone, sem nome; somente com as roupas nas costas e sua inteligência para sobreviver.

Ele limpou as migalhas do *pain au chocolat* de suas mãos e parou diante dela, no local onde estava sentada, segurando sua *tarte normande*. Ele hesitou, então se inclinou e beijou-a muito rapidamente, roçando seus lábios nos dela.

E saiu.

Cade ainda ficou por lá, paralisada, por alguns minutos, até que seu telefone tocou. Dessa vez, ela reconheceu a origem. — Pode vir, se você quiser — disse Sylvain. — Vou mostrar-lhe como fazer uma coisa.

Um sorriso iluminou o rosto da americana. Ela foi até a janela para olhar e o viu de pé no meio da faixa de pedestre, olhando para a janela. Ela não tinha certeza se ele realmente conseguia vê-la, ou se o reflexo da luz agia como um escudo.

— Mas é para mostrar para você, não para a Chocolate Corey — ele disse. — Portanto, não vá vendê-lo. E, pelo amor de Deus, não ponha meu nome, caso você o venda.

Capítulo 22

No *laboratoire*, um pó levantou quando Pascal cobriu um lote de trufas com pedacinhos bem moídos de amêndoas caramelizadas, passando-os por uma peneira grande, em gesto que em tudo lembrava o do agricultor ao separar a palha dos grãos. Longe o suficiente para evitar qualquer risco de contaminação dos pedaços perdidos que vinham do local em que um adolescente se destacava — não apenas por sua juventude, mas porque era o único negro no salão e parecia dividido entre o orgulho e a falta de jeito no trabalho. Ele estava mexendo uma panela gigante de chocolate.

Com muita destreza, uma mulher aplicava um garfo de três dentes em pequenos chocolates retangulares, conforme saíam da máquina dosadora, brilhando em seus invólucros recém-fechados. Quando o garfo levantava, deixava para trás um padrão que Cade reconhecia tão de imediato quanto um *ganache vanille*. Outra mulher estava pulverizando moldes de um *pistolet*, revestindo cada concha com um leve brilho de *chocolat*.

Não muito longe do adolescente, o próprio Sylvain usava o polegar para empurrar algo que parecia uma pálida tinta verde para fora de uma espécie de escova de dente, de modo que a tinta ficasse sobre uma folha flexível de plástico. Ele pegou outra "escova de dente" e mergulhou-a em um lote verde mais escuro do que aquilo que devia ser realmente colorido com chocolate branco, e não com tinta.

Ele olhou para cima quando Cade entrou e olhou para ele de modo tão demorado que ele se transformou em um sorriso. Pascal Guyot também olhou para cima, revirou os olhos, lançou um olhar de esguelha e irônico para Sylvain, e voltou a focar em seu trabalho, ignorando-a. O adolescente, que devia ser o *stagiaire*, arqueou as sobrancelhas, olhou para Sylvain e sorriu.

Naquele momento, e com segurança, ele começou a levantar a enorme panela de chocolate derretido, mas vacilou quando surpreendido com todo aquele peso. Sylvain deixou cair a escova de dente e pegou o caldeirão dele com facilidade, levando-o para a máquina dosadora, e rindo ao despejar o chocolate na máquina, manipulando o peso de maneira que parecia nem senti-lo.

— *Et les muscles dans tout ça, Malik?* — Indagou um dos homens, rindo.

Malik, que devia ser o nome do adolescente, parecia um pouco envergonhado; flexionou os ombros, consciente de si mesmo, como que para tentar garantir que seus bíceps estivessem visíveis, apesar do avental apropriado que vestia. — Não tenho mais tempo para frequentar a academia, pois estou aqui o tempo todo — protestou.

— Talvez precisemos lhe dar mais panelas para carregar, para mantê-lo em forma — o homem magro de óculos brincou. — Tome, tente esta aqui — entregou-lhe uma tigela de metal do tamanho de uma tigela comum de batedeira.

— Ou esta aqui, se é que não é muito pesada — disse o homem corpulento, puxando para baixo uma panela minúscula que parecia ser pequena demais para qualquer finalidade prática no *laboratoire*.

— Tudo bem, tudo bem — Malik gemeu. — *Consigo* carregá-la. É que fiquei surpreso, só isso.

Não era de se admirar que quase todos ali parecessem tão magros e em tão boa forma, Cade pensou, tentando avaliar o peso verdadeiro da panela de chocolate. Mais de 20 quilos, certamente. Uns 35 quilos, ou até mais? Quantas vezes por dia eles transportavam coisas tão pesadas? Provavelmente tantas vezes que nem conseguiriam contar.

Sylvain estava parado ao lado de Cade, seu rosto ainda iluminado com bom humor. Olhando para aquele rosto sorridente, ela sentiu algo dentro de si, como um longo e esplendoroso suspiro. — Hoje você pode pegar um dos meus aventais — ele lhe ofereceu. — Parecia que você estava se afogando no de Bernard. Ah, e coloque o seu cabelo aqui. Ele entregou-lhe a touca de papel que todos usavam, exceto ele mesmo e Pascal. — Ninguém nunca vai encontrar um fio de cabelo em um dos *meus* chocolates.

Cade imaginou que Bernard fosse o homem corpulento. Mas o avental de Sylvain também não foi uma boa opção. Ela dobrou as mangas, levantando-as cada vez mais, desejando saber por que ele não a deixou pegar um dos aventais das mulheres. Talvez ele se sentisse especial por emprestar as próprias vestimentas para ela...

Usar o avental dele fez com que Cade tivesse um ataque de risos que chegou a ser embaraçoso. Ela ainda se sentia frágil ao estar em sua companhia em público, depois de todo o sexo selvagem que haviam feito, mas não exatamente da mesma maneira que antes.

— Para que é isso? — Ela perguntou, na frente do plástico delicadamente salpicado com dois tons de verde.

— Estou experimentando uma nova decoração para o meu *chocolat*, a *Curiosité* — ele respondeu. — *La ganache au basilic* — acrescentou, no caso de ela haver provado enquanto passava pelas mais variadas caixas de seus chocolates, sem perceber que *Curiosité* era delicadamente condimentada com manjericão. Na verdade, ela não teria sido capaz de detectar o sabor se não fosse pelo pequeno encarte brilhante explicativo de cada chocolate. Manjericão, por incrível que pudesse parecer! Não era de se admirar que ele achasse que a preferência de Cade por canela fosse tão *datée*. — Uma vez enrijecido, vamos aplicá-lo ao topo dos ovais que saem da máquina. E ver se aprovamos a aparência.

— Quantos tipos diferentes de *ganache* você tem? — Ela indagou, porque gostava de ouvi-lo pronunciar a palavra *ganache*. Assim como *chocolat*, que soava como a carícia da tentação.

— Vinte e quatro *ganaches au chocolat* atualmente — ele contou.

Ganaches au chocolat. Juntas, aquelas palavras lambiam o corpo de Cade, aquecendo-o com pequenas línguas de fogo contra seu sexo, os seios, o interior dos pulsos, a nuca e o pescoço.

— Dezenove *noirs*, de diferentes graus e sabores, e cinco *au lait*.

— Qual é a sua favorita? — *Diga novamente*, ela queria implorar. Diga *ganache au chocolat* novamente.

Ele balançou a cabeça negativamente e disse: — Não tenho uma favorita. Se eu não acreditasse que todas fossem as melhores, eu não as venderia.

Cade deu um curto suspiro e lembrou-se que as Barras Corey eram as melhores de *seu* tipo. Aquele era o tipo vendido aos bilhões por estar ao alcance das mãos nas filas dos caixas de supermercados e mercearias.

Não, não era só isso. Aquele era o tipo que conquistou o carinho das pessoas, que representava um aconchego, que lhes passava uma sensação de segurança, como que parte de sua infância. O tipo que fazia com que as pessoas ficassem sentadas alegremente em frente a uma lareira, rindo e fazendo *s'mores*.

— Qual *ganache* você come mais?

— Realmente não como muito chocolate por lazer. Há sempre algo que estou experimentando aqui. Ou, às vezes, um novo *chocolatier* ganha a atenção da crítica, e então eu quero provar o que ele está fazendo. Há tanto para testar o tempo todo que não acho que é o mesmo prazer para mim, como para você, sentar e abrir uma nova caixa de chocolates e decidir qual experimentar em primeiro lugar.

Não, provavelmente não. Ela sempre sentia que estava abrindo um baú contendo um tesouro, depois de vasculhar o mundo em busca dele.

— Para mim, o prazer da descoberta está no início, quando o crio, e fico provando-o até que esteja concluído; e então decido se está perfeito da maneira como está ou se precisa de algo diferente. — Ele pegou uma nova folha de plástico enquanto falava, posicionando-a na frente dela e passando a escova de dente para a mão dela, fechando-a por baixo de sua mão masculina, para mostrar-lhe como empurrar com o polegar. O verde respingou abundantemente no polegar de Cade. Havia um truque para isso, para conseguir que o empurrãozinho fosse dirigido ao lugar certo. Ele esfregou a articulação do polegar da moça com o próprio polegar, áspero por causa dos muitos anos de lida com todos os tipos de equipamentos e, então, tentou mostrar-lhe novamente.

— Adoro essa fase. Mas, para mim, se algo se compara à maneira como as pessoas se sentem ao abrir uma caixa de chocolates, suponho que seja sentar-me em um excelente restaurante pela primeira vez e olhar para o cardápio, com todas as possibilidades do que posso comer, coisas que alguém imaginou e preparou para mim.

Cade perguntou quais eram os restaurantes elegantes em Paris que ele ainda não visitara. Seu coração cintilou de felicidade quando uma fantasia passou por sua cabeça, uma fantasia em que ambos estavam sentados em um restaurante elegante; ele estudava o cardápio atentamente, saboreando cada item em sua imaginação, enquanto tentava decidir o que pedir. Ela tinha certeza de que ele ficava maravilhoso nas roupas elegantes que usava. Ela o levaria para qualquer restaurante que ele nomeasse. Alugaria um helicóptero para levá-lo a um restaurante de três estrelas no sul da França, caso ele desejasse isso. Ela faria...

— Acho que o chocolate que mais quero provar novamente, agora, é aquele amargo que fiz para você — disse ele, pensativo.

— Você realmente o fez para mim? — Ele parecia ser um astro do rock, fazendo cada mulher acreditar que ele havia escrito uma canção de amor para ela.

— *Oui, bien sûr* — disse ele, claramente confuso caso ela perguntasse mais.

Bruto ou refinado, Sylvain não parecia ter muito tempo para fingir coisas, Cade pensou. Ou ele fazia algo da melhor maneira possível, ou seja, cem por cento, ou não fazia.

O que isso significava, em relação a ela?

— Você já pensou em vendê-lo? — Ela perguntou.

— Quando o criei, não. Mas continuo querendo prová-lo novamente. O que significa que sim, que poderia agradar a determinado segmento do nosso público. Eu poderia chamá-lo de *L'amertume*.

Amargura.

— Ou *Déception*.

Decepção?

Ele puxou a folha de plástico manchada para longe dela e deu-lhe uma nova. — Tente novamente. Então, o que você acha? Devo oferecê-lo ao público?

— É estranho, dá vontade de comer compulsivamente — ela se permitiu dizer. — Mesmo agora, continuo pensando que gostaria de dar outra mordida.

Um brilho passou pelo rosto de Sylvain; havia humor, surpresa, cautela. Além disso, haveria um ligeiro rubor em suas bochechas. Ele olhou para ela. — Ainda estamos falando sobre o chocolate? Ou sobre a vida? Ou...?

Ela fixou seus olhos nos dele. — Chocolate. Em sua vida ela não procurava momentos escuros, amargos. Mas aquele último e aberto "ou..." fez com que um rubor dominasse seu rosto. — Mas quando você o come, você para. Você não quer absolutamente mais nada. O que, no meu mundo, é sinônimo de marketing ruim, mas no seu mundo, quem sabe? Provavelmente você poderia vender cada um por 500 euros, e as pessoas iam comprar. E então não importaria se você vendesse mais.

— Não por 500 euros, mas você me dá uma boa ideia. Vamos vendê-lo em embalagens individuais pelo dobro do preço dos nossos outros chocolates. Na verdade, exatamente da mesma maneira como ele o tinha oferecido a ela, ou seja, em um pequeno saquinho. Cade pensava no fato de ela ter sido uma inspiração para o seu mais escuro, mais amargo, mais suave, mais rico chocolate. *Bom*.

— Aposto que se tornará uma "febre" por algum tempo — disse Sylvain com satisfação, mais uma vez refletindo em voz alta, sem consciência de sua plateia. — Em especial como um presente entre amantes passando por problemas.

Cade olhou imediatamente para sua folha de plástico, como se a palavra "*amant*" os tivesse lançado a um terreno frágil. Uma ponte de cascas de ovos com uma lacuna longa e perigosa, talvez, e vai saber o que estava do outro lado, porque ninguém nunca conseguia chegar ao outro lado sem quebrá-la.

Ela era Cade Corey, de Corey, Maryland. Um monte de gente dependia dela. Até mesmo pensar na possibilidade de um outro "lado" era criar uma impossibilidade. E se algo era impossível, que a pessoa desistisse e voltasse para casa.

Ela empurrou o polegar sobre a escova de dente e uma partícula de chocolate verde bateu-lhe bem no olho.

Sylvain riu baixinho, tomou-lhe o queixo e virou-a para ele.

Ela sentiu como se fosse dele até mesmo publicamente. Pensou que era seguro dizer que todos os outros homens, fora os de sua família, que já haviam tentado dominá-la em público, haviam, na verdade, tentado botar as mãos na sua fortuna.

E ao falar isso, sentiu os pés pisando em cascas de ovos.

— Há pontinhos verdes espalhados por várias partes do seu rosto, do avental... — Ele esfregou os polegares nas bochechas dela; em seguida, nas sobrancelhas, sempre limpando aquele verde. Ele estava rindo, mas agora sentia algo muito parecido com afeto. Ela ficou imóvel, quase a ponto de não respirar; os olhos abertos para o rosto dele, fechando apenas quando seu polegar roçava em seus cílios ou perto deles.

Posso pular em seus braços e pressionar meu corpo contra o seu e simplesmente ficar aqui pelo tempo que eu precisar? — Pensou. Porque se ele deixasse seus braços se fecharem em torno dela, ela seria capaz de ficar lá para sempre. *Isso seria bom?*

Mas, é claro, bom para quem? Com o quê? Ele provavelmente a levaria sem perder o equilíbrio. Parecia que ele levava as mulheres que se jogavam nele sem perder o equilíbrio. Mas será que *ela* manteria o equilíbrio?

Ela se voltou para os respingos de verde, sentindo o roçar dos polegares dele nas bochechas e nas sobrancelhas por um bom tempo.

Capítulo 23

— Está pronta para voltar das suas férias? — Mack Corey perguntou esperançoso.

— Pai! Tenho trabalhado a maior parte do tempo! Pelo menos, a metade do tempo. Você chama isso de *férias?*

Ela havia acabado de passar a tarde visitando Chacun Son Goût, um produtor francês — de médio porte, dirigido pela família — de barras de chocolate conhecido e respeitado por sua qualidade. O tipo de lugar que seu pai havia recomendado comprar, em vez de tentar produzir a linha *premium* de chocolate de Sylvain Marquis. Não era o que ela queria, mas poderia servir de desculpa para passar mais tempo na França.

Ela imaginou o que Sylvain diria sobre a ideia de comprar uma empresa inteira apenas para ter uma desculpa para ficar com o amante em Paris.

E ele era o amante em questão, e isso provavelmente o levaria às estrelas. O pai dela, entretanto, não ficaria muito feliz com isso...

Na verdade, era um comportamento irresponsável e egoísta. Exatamente o tipo de coisa que se pode esperar de uma pirralha bilionária e mimada.

— Bem, você sabe — pela webcam viu a mão acenando desajeitadamente. — Termine de visitar Paris e as *chocolatiers* parisienses, e volte para casa. O dia de Ação de Graças está chegando. Nós sentimos sua falta.

O dia de Ação de Graças era muito especial para a família Corey. Festivo. Cheio de alegria. Foi sempre muito importante para eles, desde as mortes da mãe e da avó, manter as comemorações vivas. Ela colocou entre os dedos um pedaço de fio que foi usado para lacrar uma barra de chocolate amargo. Lentamente, enrolou o fio em torno do dedo mínimo, e depois o desenrolou. — Pai, você não acha que precisamos fazer alguma coisa na Europa? A Mars está conquistando todo o mercado aqui.

Mack Corey franziu a testa. — Os europeus são tão arrogantes, é por isso. Não posso acreditar que eles prefiram um chocolate escovado em vez de um chocolate verdadeiro e sólido.

— Eles não gostam do nosso chocolate verdadeiro e sólido. Acho que precisamos buscar o caminho da diversão, como a Mars, ou produzir um chocolate sólido mais sofisticado e mais perto da ideia deles de como deve ser um chocolate — ela respirou fundo e apertou o fio no punho. — Talvez isso seja algo que eu deva assumir.

Um silêncio longo se seguiu. Longo o suficiente para ela ter esperança de que a transmissão de vídeo tivesse congelado, mas também para descobrir que não tinha. — O que você quer dizer com assumir? O que você quer "assumir" exatamente?

Respirou fundo de novo e disse: — A Europa.

Ele ficou olhando para ela. — Pensei que você estivesse tentando encontrar uma linha de chocolate para trazê-la para cá!

— Sim, mas... Talvez isso seja mais importante. Precisamos introduzir um chocolate *premium* de qualidade nos Estados Unidos. Mas vai nos custar uma fortuna conseguir um espaço de prateleira na Europa, para competirmos com Mars e Total Foods, se não agirmos rapidamente. Se não funcionar na Europa, poderíamos tentar também nos Estados Unidos, buscando reconquistar o crescente grupo demográfico de consumidores de chocolates sofisticados.

— Preciso de você *aqui*! Sua irmã está perambulando pela Costa do Marfim em cima de uma motocicleta novamente, pelo amor de Deus. Quem é que vai assumir a empresa quando eu me aposentar?

Ela. É claro que será ela. Isso ficou sempre claro. E, com certeza, fará um grande trabalho.

O fio ficou úmido no punho dela. Ela não queria seguir pelo caminho largo e reto da Corey. Queria arriscar um caminho sinuoso e ver no que daria.

— Você tem apenas 50 anos, pai. Vou ter muito tempo para aprender. E concorrer na Europa seria um excelente treinamento.

Concorrer na Europa. Ela viu a cara que Sylvain fez quando ela disse aquilo, os olhos dele brilharam em disputa apaixonada.

Ela não *queria* concorrer na Europa, lutar por um espaço nas prateleiras, visitar fábricas. Ela queria afundar as mãos em sacos de pistache e passear por mercados à procura de produtos exóticos. Ela queria visitar *laboratoi-*

res e aprender a sua magia. Ela queria construir mais do que Sylvain havia criado — *chocolatiers* lindos, ricos e mágicos. Ela não queria acabar com eles com seu imenso poder financeiro.

Houve outro silêncio longo e amargo. — Olha, quando você voltar, vamos falar sobre isso. Vamos apresentar essa ideia às nossas equipes de pesquisa de mercado. Não se esqueça de que ainda estamos de olho na Devon Candy. Isso causaria mudanças consideráveis na Europa.

Faria o papel deles na Europa ser exatamente como já é nos Estados Unidos — produtores em massa de chocolate padrão. É claro que ela provavelmente argumentaria para ficar se a Devon Candy fosse deles.

— Não vou voltar ainda — Cade insistiu.

— Claro, fique mais uma semana. O papai tem razão: você precisa se divertir um pouco. Além disso, tenho certeza de que você está aprendendo muito sobre nossas opções. Essa pesquisa toda vai nos ajudar muito se decidirmos tomar outro rumo daqui a alguns anos.

— Daqui a alguns anos?

A vida apareceu diante dela como um abismo escuro, sem Sylvain e com um futuro indefinido. Seu estômago saltou até a garganta como se tivesse sido jogado de um precipício para dentro daquele abismo, lutando arduamente contra a queda.

— Tudo depende do que fizermos com a Devon Candy, não é verdade? Fique mais uma semana, como eu disse. Vamos falar sobre isso quando você voltar para o dia de Ação de Graças.

Daqui a duas semanas.

Cade sentiu-se tão mal quando terminou o telefonema que precisou sair do apartamento para escapar daquele sentimento. Ela caminhou pelo sexto distrito, tentando não pensar.

Pensar não era algo que estava dando certo naquele momento. Quando pensava, acabava chegando à conclusão de que o pai estava certo.

As pessoas passavam por ela com indiferença quando ela parava para observar brinquedos antigos em uma vitrine ou respirar os diversos aromas produzidos por uma padaria. Ninguém falava muito sobre os aromas do Paraíso, mas se ela estivesse planejando o Céu, padarias e *chocolateries* certamente estariam no projeto. Subitamente, o odor de uma *fromagerie* caiu sobre ela. E, tentando não respirar muito, entrou nela e passou entre vários tipos de queijo e pedaços de manteiga, que um homem fatiou para que ela provasse. Ela observou o rosto do *fromager* à medida que ele contava histórias sobre os queijos e a convencia a experimentar um pouco de cada um — observou humor, crença e paixão no trabalho que ele realizava.

Quando se aproximou do prédio em que morava, ela viu que Sylvain havia acabado de sair do seu *laboratoire* e que estava com a cabeça inclinada para trás, olhando para a janela do apartamento dela.

Ela gostou da maneira como o corpo dele reagiu ao vê-la.

Ela parou a um ou dois passos diante dele, ainda sem saber ao certo como deveriam se cumprimentar. *Bises* em ambas as bochechas? Um beijo na boca? Ela optou por enfiar as mãos nos bolsos e manter uma estranha distância.

Sua boca assumiu uma expressão fina e apertada que apenas os franceses conseguem fazer tão bem.

— Sabe o que eu gostaria de fazer? Gostaria de dar uma caminhada — Cade disse decidida, para que não soasse como um convite. Ela estava apenas afirmando sua preferência, só isso. Ele poderia se juntar a ela ou não, estavam em um país livre. Bem, era a França, mas eles também se consideram um país livre. Ela não estava *pedindo* que ele a acompanhasse — e era isso que importava.

Ela não ia se expor daquela maneira, permitir que um olhar frio e distante pudesse destruir suas frágeis entranhas. Ele fez um movimento acentuado e surpreendente, mas freou bem no final, como se não quisesse tê-lo feito tão acentuado e surpreendente. Seus olhos escuros a estudaram atentamente, como se ele fosse chocolate e ela, digamos, queijo podre, e ele ficava imaginando o que os dois poderiam significar quando colocados juntos.

Ela sentiu o rubor aumentar, subindo por debaixo do cachecol e chegando ao rosto. Contraiu-se por dentro na esperança de que, se encolhesse o suficiente, seria inteiramente renegada, encolher dentro daquele pequeno elevador, e se esconder em seu apartamento, enquanto seu exterior faria coisas que os levariam a lamentar o dia em que nasceram.

— *Tu veux faire une promenade?* — Ele repetiu, como que verificando possíveis erros ao usar sua língua. Aqueles olhos escuros continuaram a estudá-la, como se quisessem fundi-la em algo que pudessem decifrar; por outro lado, aquele rosto contido e controlador nada revelou. Nem mesmo uma única sensação de súbito prazer com a proposta feita. — Comigo? — Ele perguntou para ter certeza.

Ela iria sozinha. Ou talvez subiria até o apartamento para se esconder. Se não fosse tão próximo do local de trabalho dele. Ou talvez se esconderia em uma pequena bolha e pegaria seu jato particular de volta para os Estados Unidos. Naquele momento, talvez essa fosse a melhor coisa a fazer.

— Você quer fazer alguma coisa comigo além de...? — Ele parou de falar. Com uma das mãos junto à barriga, ele fez um pequeno gesto entre eles, entre a *chocolaterie* e o apartamento dela. Em seguida, aquela mesma mão colocou a palma para cima, aberta e enigmática.

E ela chegou a acreditar que o jantar na noite anterior tivesse mudado o relacionamento deles de puro sexo para algo um pouco mais emocional.

Mas, aparentemente, cozinhar para ela era apenas outra maneira de levá-la para a cama.

Foi então que o rubor que sentia se tornou tão vermelho quanto seu lenço, e algo ainda pior pressionou seus olhos: lágrimas. Ela estava sempre chorando naquele país estúpido. Ela nunca chorava em seu país.

— Deixa para lá — ela disse em inglês, porque não conseguia se lembrar de como dizer aquilo em francês, e virou-se para a porta, levando as mãos aos bolsos do casaco.

Ele segurou a manga do casaco dela, fazendo-a parar. — Eu adoraria — ele respondeu cuidadosamente em inglês.

Ela piscou rapidamente, ajeitando o queixo contra as estúpidas e magoadas lágrimas que escorriam. O sotaque dele no idioma dela deixou-a totalmente desarmada.

Ele deslizou a mão no bolso do casaco dela até encontrar a mão dela e depois a puxou, revelando a união de ambas as mãos com dois pares de luvas entre elas, impedindo o toque da pele. A última vez que suas mãos se uniram foi quando ele estendeu o braço dela sobre a cabeça e o imobilizou no colchão. Após um choque estranhamente assustador, ela percebeu que aquela era a primeira vez que eles realmente davam-se as mãos. — É uma tarde boa para uma caminhada — ele disse.

Dependia. Fazia frio e o céu estava cinza, e o vento gelava a pele, e havia um toque de neve no ar que, provavelmente, terminaria em chuva fria. Era uma tarde boa para um passeio de mãos dadas, para nutrir algo quente e especial com alguém, sabendo que você poderia ir para casa e se enrolar com esse alguém, que não estava sozinho com a chegada do inverno.

Será que eles sabiam disso? Será que sabiam que não estavam sozinhos com a chegada do inverno?

Eles caminharam pelas ruas que ainda estavam molhadas pela chuva da noite anterior. Passaram por lojas cheias de coisas que seriam difíceis de imaginar em qualquer outro lugar. Uma vitrine mostrava carimbos velhos de madeira para marcar a manteiga de alguém, que fora feita do leite do próprio gado leiteiro desse alguém. Outra exibia os melhores tecidos, bordados à mão em roxo e cheios de lavanda. Outra loja exibia baunilha. Nada mais além de grãos de baunilha do Taiti, de Madagascar e da Martinica.

Ao alcançarem o rio, o anoitecer também chegou. Estava frio, mas suas roupas eram calorosas. Sylvain desviou seus passos à esquerda, ao longo dos cais superiores, atravessando a Pont Neuf. A estátua verde do cavaleiro Henrique IV surgiu sobre eles. Por baixo, ouvia-se o som de um barco, pronto para partir com sua carga de visitantes de Paris para uma viagem noturna no Rio Sena.

Cade ficou apenas olhando as vitrines. Ela estava lá havia apenas dez dias. Cada segundo da noite que caía sobre Paris era maravilhoso para ela.

A luz baixa tocava os dois cones da *Conciergerie* medieval, deixando ambos cor-de-rosa e, depois, na escuridão, como se estivessem em um conto de fadas. Barcos passaram, causando brilho sobre a água escura da noite. Um skatista passou por eles, com seu equipamento fazendo um som contínuo e cortante na calçada. Os cafés começaram a encher à medida que as pessoas saíam do trabalho e paravam para se aquecer e encontrar os amigos. A iluminação suave exibia o Louvre, uma das glórias de Paris, a todos os que passavam.

A Torre Eiffel brilhava sobre a cidade, refletindo sua luz como um farol. Subitamente, ela começou a cintilar. A mão de Cade apertou a mão de Sylvain com força. — Está brilhando!

Ela parou e encostou-se à parede de concreto do cais, para observar melhor. Ela só havia conseguido pegar aqueles famosos dez minutos de brilho duas vezes antes.

Ele inclinou-se ao lado dela, sem dizer uma palavra. Quando ela olhou para ele, o rosto dela iluminou-se de felicidade — ele estava olhando para ela, e não para a torre. Ele estava sorrindo um pouco, mas seus olhos pareciam desconfiados, muito escuros e cautelosos.

Por quê?

Talvez ele quisesse ir direto para o sexo e suspender a caminhada.

A Torre Eiffel terminou de cintilar, e as pessoas que pararam para observá-la começaram a se mover novamente. A maioria não havia parado, elas continuaram com seus típicos passos parisienses, rápidos e curtos. Na outra ponta da calçada, um homem se levantou de um banco, tentando assediar uma mulher que passava de casaco preto e botas.

Sylvain endireitou-se, mas a mulher não interrompeu seu passo acelerado, nem mesmo olhou para o homem, e o homem deu de ombros e virou-se, procurando outra possibilidade.

— Outro dia, joguei uma pessoa no Sena — Cade confessou envergonhada com um tom de satisfação.

Sylvain disparou uma risada. — *Vraiment?*

— Ele tentou sentar no meu colo! E agarrar um dos meus... — Ela apontou para os seios.

Ele não conseguia parar de rir, e até precisou apoiar as costas. — Então você o empurrou para dentro da água? Sério? *C'est bien fait pour sa gueule, alors.* Adoraria ter visto.

— Talvez não tivesse acontecido com você observando — ela destacou secamente. — Esses tipos só assediam mulheres sozinhas.

— *Imbecis* — Sylvain murmurou, desferindo um olhar sombrio ao homem que havia retornado ao banco. — Mesmo assim, teria sido algo interessante de se ver.

— Ele segurou meu laptop, tentando readquirir o equilíbrio, e acabou caindo com ele — ela disse, ainda irritada com isso. — Você sabe quanto é difícil configurar um laptop em francês?

— Ah, não — ele disse, entretido. — Você precisa de ajuda?

— Tenho os serviços técnicos da Corey para me arrumar um novo — ela admitiu.

Ele arqueou uma das sobrancelhas para ela.

— Você sabe como é, não posso deixar que um cara qualquer na loja configure meu computador — ela disse na defensiva. — A política de segurança da empresa não permite.

— Eu poderia ter ajudado você. Você sabe que eu não seria capaz de tentar roubar seus segredos.

Ele não disse isso como se fosse uma questão de honestidade, mas como uma questão de honra — pois a Corey Chocolate não possuía segredos que Sylvain Marquis achasse dignos de roubo.

Nem mesmo, ao que parece, o segredo de como ganhar muito dinheiro.

Ela sacudiu a cabeça com tristeza. Ela não duvidava dele. Mas ajudá-la a configurar o computador soava como algo que alguém, em outra vida, sem uma horda de assistentes, pediria que o namorado fizesse.

Ela lançou-lhe um olhar. Chantal parecia estar muito distante naquele momento; mas era inconcebível pensar que ela pudesse se tornar sua namorada. Mas também parecia inconcebível que Cade perguntasse a ele sobre Chantal e arriscasse estragar aquele momento.

— Então por que você está sozinha? — Ele perguntou de repente. — Falando em segurança. Você não deveria ter um guarda-costas? — Ele lançou um olhar sombrio ao homem no banco, quando passaram por ele. O homem nem percebeu, porque estava de olho em uma mulher do outro lado da rua com sua ganância casual.

— Não em Paris. Há um monte de pessoas ricas em Paris. E ninguém me conhece aqui. Eu sempre achei que Paris Hilton fosse maluca por andar com tantos seguranças. Você sabia que ela poderia ter escolhido levar uma vida reservada? — Cade gesticulou em espanto com as escolhas de outras pessoas.

— Não acredito que *existam* muitas pessoas aqui tão ricas quanto você — Sylvain disse secamente. — Aposto que, se calcularmos, vamos descobrir que Paris tem a maior porcentagem de ricos e famosos do que qualquer outro lugar do mundo. Alguns dos príncipes de Dubai que têm apartamentos aqui provavelmente me consideram como pertencente à classe média. Por um lado, acredito que você também seja muito rico, e até mais famoso do que eu.

— Bem... Não sei nada sobre ser famoso — Sylvain falhou completamente na tentativa de fingir modéstia. Depois balançou a cabeça, incrédulo. — E pensar que cresci na *banlieue*.

— Eu também, eu acho. Corey não é uma cidade muito grande. De certa forma, é constituída de subúrbios.

Sylvain lançou um olhar seco sobre ela. — Se você cresceu na *banlieue*, foi em uma como St-Germain-des-Prés, que nem sequer merece esse nome. Eu cresci em Créteil.

— E como era Créteil? — Cade perguntou com cuidado, pois obviamente alguma coisa não fazia sentido.

Ele deu de ombros. — *L'exemple classique*. Escolas ruins, drogas, violência, falta de emprego, de perspectiva, de dinheiro, um verdadeiro beco sem saída; carros eram queimados frequentemente. Mas nem todo mundo era ruim. Você só precisava desfazer a imagem que as pessoas tinham sobre sua vida e transformar-se em algo diferente. E isso é o que eu tento passar para Malik.

Cade ficou olhando para ele. Ela nunca teria imaginado aquele homem magro, elegante, com mãos que poderiam transformar qualquer ingrediente em algo maravilhoso, com uma arrogância inabalável quando se tratava de sua arte, com um francês lindo e perfeito que fazia seu sotaque parecer vergonhoso, desajeitado e americano, com sua paixão, com um senso discreto, mas claro, de estilo, com a habilidade de manter o controle sobre sua expressão na maior parte do tempo... Ela nunca teria imaginado que ele pudesse vir de um lugar que não fosse elegante e culto.

— Você não sabe quanto isso soa estranho, ouvir você dizer que alguém poderia considerá-la da classe média — ele disse.

Está certo, talvez ela tivesse exagerado um pouco. Cade ficou envergonhada quando percebeu como isso devia ter soado.

— Mas agora você tem dinheiro — ela ressaltou. — Com certeza — ela viu as pessoas fazendo fila na loja dele, e sabia como calcular. Ela era boa em margem de lucro.

— Claro que sim. Tenho tudo de que preciso. Mas não é a mesma classe de renda. Ninguém se torna um multimilionário com chocolate, você sabe disso.

Cade ficou olhando para ele até perceber que precisaria desembuchar alto e claro. De preferência, abrindo a cabeça dele com um martelo bem grande e colocando as palavras lá dentro. — Não, não sei — ela disse, com delicadeza louvável.

— Com chocolate de verdade — ele corrigiu.

Ela rangeu os dentes. — Você já se deu conta de quanto dinheiro *são* vários milhões? — Porque talvez, se ele pensasse direito, ela conseguisse convencê-lo a aceitá-los como produtores de uma linha de chocolate em seu nome. Ela podia apostar que daria a ela uma posição de destaque na Europa. E ela poderia coordenar a distribuição europeia, de Paris...

— Na verdade, não — ele disse. — Não consigo imaginar qualquer coisa que pudesse comprar para tornar minha vida melhor.

Uau, era tudo o que ela conseguia pensar. Ele disse aquilo tão calmamente, com tanta facilidade, como se de fato tivesse feito uma vida boa, boa o suficiente para que não gastasse tempo valioso invejando bens ou riquezas de outras pessoas. E aquilo era muito raro na vida.

Ele hesitou, abriu a boca, depois fechou de novo.

— Pense em alguma coisa? — Ela disse secamente.

— Não acho que poderia comprar... — Ele disse devagar. Então sorriu, um sorriso pequeno e rápido, que passou brilhando por ela como um raio, deixando vestígios de prazer em suas emoções. — Mas se pudesse, seria com algo que tenho de sobra.

E o que aquilo queria dizer? Que ele queria algo que pudesse ser comprado com chocolate?

Uma esperança estranha mexeu com ela por dentro, e ela imediatamente tentou removê-la. Porque *ela* poderia ser comprada com chocolate ou, pelo menos, ficar supertentada. Mas ela não pensou que fosse o que ele tinha em mente.

Eles continuaram caminhando, passeando por séculos de história, entre o Palais du Louvre e a antiga estação ferroviária do Musée d'Orsay, passando pela dourada e glamorosa Pont Alexandre III, com suas estátuas de ouro e lâmpadas ornamentais que fizeram Cade sentir-se como se devesse estar usando botas de botão e saltar de uma carruagem na ópera. Twingos e Smarts e Porsches passaram por eles, luzes cortando a escuridão. Um motociclista passou, superequipado, com a cabeça baixa e protegido contra o frio por um equipamento laranja dos mais caros.

Eles continuaram caminhando em silêncio, à medida que a agitação das ruas afastava-se do rio Sena e passava para as ruas próximas à avenida Champs-Élysées. Embora ainda fosse cedo, a noite parecia verdadeira quando chegaram ao Trocadéro do outro lado do Sena, para quem viesse da Torre Eiffel. As botas de Cade estavam causando um estrago em seus pés, mas ela nunca mencionou isso.

Sylvain puxou a mão dela e a conduziu até a esplanada que ficava acima da extraordinária fonte de Varsóvia. Daquele ponto estratégico, a fonte formava uma cascata sobre degraus e jorrava em grandes jatos abaixo do reluzente símbolo de romance e civilização que dominava a visão deles.

— Então, por que chocolate? — Ela perguntou.

Parecia uma pergunta boba. Por que as outras pessoas no mundo não escolheram o chocolate como uma maneira de ganhar a vida: aquela era a pergunta mais lógica. Como puderam resistir?

— Eu sempre adorei chocolate. Amo trabalhar com ele — Ele ficou olhando para ela de modo provocante. — As mulheres não conseguem resistir ao chocolate.

Ele disse isso na tentativa de fazê-la rir, mas ela não sentiu vontade de rir. — O caminho para o coração de uma mulher? — Ela disse com indiferença, tentando não demonstrar quanto a incomodava ser uma das muitas mulheres cujo coração era conquistado tão facilmente.

A mão dele foi de encontro à dela por sobre as luvas. Ele examinou a torre brilhante da sua cidade. — O coração das mulheres é um pouco mais complicado do que os sentimentos dela. Portanto, não. Não posso dizer que descobri o caminho para o coração de uma mulher.

— Você já tentou?

Ele não respondeu. Moveu o olhar pela água até a Torre Eiffel, e depois para ela, sem dizer uma palavra.

Um rosto limpo e elegante, suavemente iluminado por uma lâmpada de rua, olhos escuros, mais escuros à noite e cabelos negros, agitados pela brisa — talvez aquela fosse, em termos poéticos, a melhor das respostas.

No entanto, ela não conseguiu entender.

Capítulo 24

Eles pararam para comer em um bistrô que nenhum deles conhecia. A luz quente e os ruídos internos transbordavam para a rua; o pequeno espaço estava cheio de pessoas que pareciam felizes.

Não havia nenhuma semelhança com a experiência de jantar em um lugar formal ao qual ela imaginara levá-lo. Era melhor. Não havia silêncio nem elegância nesse bistrô. A comida era *pavés de boeuf, frites* e *sauces au Roquefort*. O lugar era meio abafado, e as pessoas acabavam tropeçando umas nas outras sempre que alguém precisava sentar-se em uma mesa próxima ou sair dela. Na parede, atrás de Sylvain, parecia que alguém, há uns dez anos, tinha começado a pintar uma cena, mas se distraíra e deixara a primeira parte de sustentação da Torre Eiffel pela metade, e nunca voltara para concluir o serviço. O vinho que o garçom trouxe para a mesa não tinha poeira visível e a safra era recente; não era o que Cade geralmente recebia.

Estava perfeito. Ela não conseguia se lembrar de já ter se sentido tão plena e perfeita.

Eles permaneceram no bistrô por horas. Sylvain pegou a conta distraído, sem se certificar de que ela ia perceber, nem mesmo realmente se importar, e então, finalmente, não conseguiram mais ficar naquele calor, entre as mesas e as gargalhadas de pessoas felizes e bem alimentadas. Sendo assim, deixaram o local e foram encarar o frio da rua. Cade estremeceu violentamente com o impacto da temperatura externa. Sylvain sorriu e ajeitou o cachecol dela até o queixo.

— Vamos pegar um táxi? — Ela perguntou, indecisa. Seria uma longa caminhada de volta, e já devia passar das 11 horas, e os pés de Cade estavam pulsando de dor, reagindo com amargura às tentativas de imitar as mulheres parisienses com suas botas de salto alto. Mas ela odiava que a noite estivesse acabando.

Perto do bistrô havia uma fila de bicicletas pesadas e prateadas, com aparência estranha, devidamente alinhadas em seus postos de aluguel; todas tinham cestas presas ao guidão e vinham com a marca VÉLIB e o logotipo de Paris. Cade tinha visto aquilo antes, em sua descoberta de Paris, as bicicletas da cidade que eram disponibilizadas gratuitamente para quem quisesse. Aquelas, em particular, ostentavam capas para os assentos feitas de látex rosa e os dizeres *ET VOUS, POUR VOUS FAITES QUOI POUR VOUS PROTÉGER? E você, o que você faz para se proteger?*

— Acho que um grupo de ativistas da aids esteve por aqui — disse Sylvain, com o olhar confuso. Ele acenou para os guidões, que ostentavam um sinal diferente. — Uma associação de combate à fome também passou por aqui, pelo que vejo — ele fez uma pausa diante dos assentos com pseudopreservativos e, de repente, sorriu e chamou sua atenção. — Você sabe andar de bicicleta?

Ela não estava exatamente vestida para tal, pois usava um casaco longo e botas de salto alto, mas, sentando sobre a maior parte do casaco e ajeitando o restante em volta das pernas, conseguiu agregar um assento desconfortável àquela que devia ser a bicicleta mais pesada do mundo. Ela deixou o látex rosa sobre o assento. Se ela estava começando a andar em bicicletas com assentos protegidos por preservativos, grandes eram as chances de que Deus estivesse tentando dizer-lhe algo sobre sexo e estupidez. — Estas coisas devem pesar mais de 10 quilos!

Ele fez que sim com a cabeça. — Para ter certeza de que ninguém vai roubá-las.

O frio terrível aumentou com a sensação térmica por causa do uso da bicicleta, mesmo com o nariz o mais enterrado possível em seu cachecol. Uma loucura, mas uma loucura divertida! Ela continuou rindo, e ele ficava olhando para ela e rindo de puro deleite.

Eles deixaram as bicicletas em um posto próximo do apartamento de Sylvain e fugiram daquela gelada noite de novembro para o calor interno.

— Ah, meu Deus, isso é que é frio! — Ela exclamou ao entrarem no apartamento, incapaz de parar de tremer mesmo com o calor alcançando sua pele congelada. — É muito frio, muito frio, muito frio.

Sylvain, mesmo sob protestos, tirou as roupas de Cade e colocou-a na cama, abraçando seu corpo e ainda rindo muito. Ele jogou as próprias roupas no chão, afundou-se debaixo do pesado edredom e se juntou a ela lá embaixo, envolvendo-a em seu corpo até que ela deixasse a fase de tremedeira e passasse para a fase do derretimento.

Ele, com certeza, sabia como controlar a temperatura das coisas, ela pensou mais tarde, quando adormeceu, aninhada na curva de seu braço, perfeitamente aquecida, perfeitamente satisfeita.

Capítulo 25

— Tenho duas notícias, uma boa e uma ruim — disse Sylvain na manhã seguinte.

O coração de Cade mudou de ritmo. Sabia, no final das contas, que ele iria deixá-la saber que tudo o que eles estavam vivendo não passava de uma brincadeira. Ele era simplesmente sexy demais para qualquer mulher. — Qual é a má notícia?

Ele hesitou. — Talvez eu deva dar-lhe as notícias, ou melhor, *a* notícia, e você decide qual parte você acha horrível e qual parte lhe parece divertida.

Ela segurou o iogurte que tomava com cuidado. O iogurte pouco adoçado. Aquela era a primeira vez em dez dias que tentava tomar um café da manhã saudável, e ele escolheu justamente aquele momento para trazer uma notícia que, ao que tudo indicava, era no mínimo confusa. Aquilo estava errado.

— Nós fomos convidados para uma festa de aniversário.

Ela ficou ainda mais assustada. — Quem convidou? O que quer dizer com "nós"?

Ele apertou os lábios. — Tudo bem, então, eu fui convidado para uma festa de aniversário. Normalmente, posso levar alguém comigo. Isso é um problema? Você prefere não vir?

Ela não costumava sair muito. E já não saía havia muito tempo. Aquilo parecia um convite para sair. Não, aquilo soava como apresentar uma namorada a um grupo de amigos.

Talvez fosse normal eles fazerem esse tipo de coisa na França...

— Festa de quem?

— Meu primo Thierry, que está fazendo 50 anos.

Apresentar uma namorada à *família*. Cade sentiu como se estivesse dirigindo por uma estrada sinuosa e, de repente, o assoalho do carro tivesse caído, e então ela percebesse que estava em uma montanha-russa.

Reuniões familiares não eram o tipo de coisa que ela curtia. Ela as evitava com frequência desde seus anos de colégio, por causa da pressão, por causa do poder imposto pela família e das situações forçadas que poderiam ser medonhas. Não era mesmo dada a essas coisas, como sair, ou encontrar amigos e familiares, nem mesmo fazer sexo, desde que jurou, ao terminar a faculdade, não manter ligações.

Até... O que ela estava fazendo agora, é claro! Talvez, se ela fosse mais normal, *soubesse* o que estava fazendo.

— Quem vai estar por lá?

Ele acenou com a mão vagamente. — Ah, *tout le monde*.

— O que quer dizer *todo mundo*?

— A família toda. Amigos. É um aniversário que marca a metade de um século de vida.

— Sua mãe virá da Provença?

— É a metade de um século de vida!

— Ela virá — Cade colocou os braços ao redor de si mesma, como que em busca de proteção. — Será que ela sabe quem eu sou?

— Cade, todo mundo sabe quem você é. Minha mãe recebe um alerta do Google sempre que meu nome aparece. Se você não quer ficar famosa, precisa pensar duas vezes antes de invadir a empresa de alguém e tentar roubar seu chocolate.

Cade piscou os olhos algumas vezes. — Na verdade, eu estava me perguntando se ela sabia da minha identidade alternativa. Não a de ladra de chocolate.

— *Tu as une identité alternative?* — Sylvain parecia confuso.

Cade tamborilou e exercitou a paciência, sem muito sucesso. — Sabe, eu não era conhecida como ladra de chocolate até poucos dias atrás.

Ele a analisou como um psicólogo estudaria um paciente muito complicado. — Você considera Cade Corey e a ladra de chocolate como duas identidades separadas?

— Você pode responder à pergunta somente? Sua mãe sabe quanto dinheiro eu tenho?

— *C'est possible* — Sylvain admitiu. — É de conhecimento público? Ela conseguiria achá-la na internet?

Em outras palavras, sim. Cade desmoronou. — Não estou pensando em números exatos...

Houve um momento de silêncio. — Você está bem? — Sylvain perguntou com aspereza. — Porque ainda não cheguei à parte que *eu* achei que você pudesse considerar como má notícia.

Ela colocou as mãos na borda da mesa e recuou-se na cadeira, como que para buscar forças.

— A festa será no *château* deles em Champagne, que dá cerca de uma hora de carro...

— Um castelo? — Ela interrompeu. — Você não estava me contando sobre sua infância na *banlieu*?

— Os *châteaux* são caros nos Estados Unidos ou algo assim? Você poderia comprar cerca de seis deles com o que esse apartamento vale em Paris. No entanto, boa sorte com a manutenção. De qualquer maneira, Thierry assinou um Pacto de Solidariedade Civil com um CEO.

— O que ele fez com um CEO? *Pax Romana?*

— PACS, *Pacte Civil de Solidarité*. É uma cerimônia legal — acrescentou Sylvain ao ver o olhar vazio de Cade. — Entre duas pessoas que não querem ir tão longe a ponto de se casarem ou, como no caso deles, quando a lei não permite. Eles são gays.

Cade esfregou o espaço entre as sobrancelhas, tentando encontrar equilíbrio. — Ainda estou esperando pelo que você acha ser a má notícia.

— Ah — ele respirou profundamente. — Prepare-se. Temos de ir fantasiados de agricultores.

Cade não conseguia parar de rir. Eles haviam parado em uma grande loja fora do *périmètre* de Paris e encontrado os mais hediondos conjuntos impermeáveis verdes, que os envolviam do tornozelo ao pulso, *en vrai paysan*, como Sylvain dissera. Na cabeça, usavam chapéus totalmente antiquados e de abas pequenas. Nos pés, calçaram botas de chuva de um amarelo muito vívido, aquele que chama a atenção. Debaixo de tudo aquilo, usavam roupas normais, atraentes, confortáveis, que Sylvain sugeriu para o caso de, com o passar das horas, poderem se livrar das fantasias. Ele não disse quando.

— Por que temos de usar essas coisas mesmo?

— Acredito que eu seja a única pessoa na minha família a não ser um completo exibicionista em qualquer oportunidade — Sylvain explicou com certo mistério, fazendo Cade se arrebentar de tanto rir novamente.

— Que foi? — Ele perguntou sem entender.

— Você acha que você não se exibe? — Ela tentou fazer com que seu riso divertido parecesse delicado e refinado. As botas de chuva amarelas estavam, definitivamente, aumentando sua disposição para rir, ela concluiu. Seria prejudicial para o estado de espírito manter uma cara séria enquanto estivesse vestindo aquelas coisas.

— Fui muito tímido na adolescência — ele contou, com algum orgulho.

Cade pensou no carisma e na habilidade com os quais ele fazia seu chocolate. Também pensou na maneira completamente despudorada com a qual ele a tinha seduzido na manhã em que ela participou da oficina, sem ser convidada ou sequer ter se inscrito. — Deve ter sido uma fase muito breve.

Ele lançou-lhe um olhar perplexo, fazendo-a perguntar a si mesma se ela estava se esquecendo de algo importante sobre ele. — Ainda sou tímido.

Ela começou a rir, incapaz de se conter. — Você é tímido?

Ele encolheu os ombros e, novamente concentrado na estrada, tentou não forçá-la a acreditar nele.

Do que ela *estava* se esquecendo? Por que ele achava que era tímido? De alguma maneira, estaria sendo tímido com ela? — Então, o que o exibicionismo tem a ver com vestir essas roupas medonhas?

— Eles gostam de vestir roupas extravagantes. No Ano-Novo passado, minha mãe e minha irmã fizeram com que nós três nos vestíssemos de vacas. Com as tetas e tudo mais — parecia que ele havia sido forçado a isso, mas ela tinha certeza de que ninguém conseguia fazer com ele o que ele realmente não quisesse.

Cade tentou imaginar o elegante e apaixonado Sylvain Marquis em um traje de vaca com as tetas bem caídas. Para sua surpresa, imaginar foi fácil. Em sua imagem, ele estava se divertindo, rindo muito da irmã de cabelos escuros que ela tinha visto em seu álbum de fotos.

Algo na imagem fazia com que o corpo dela se apertasse como se estivesse em queda livre, como se, de repente, descobrisse que seu coração tivesse sido arrancado para fora do peito.

— E para a aposentadoria de papai, tivemos de fazer uma paródia que me obrigava a interpretar os papéis de um gângster, um *cowboy* e de um vira-

-latas com manchas marrons, que foi o primeiro cão do meu pai, tudo isso em cinco minutos. Tudo culpa da minha irmã, juro.

Sim, certo. Ela podia apostar que ele havia encarado pelo menos metade desses papéis. Então, *por que* ele se achava tímido? — Você devia ter visto a paródia que minha irmã e eu fizemos para o aniversário de 80 anos do nosso avô. Se você um dia me embebedar o suficiente, talvez eu acabe por mostrar-lhe o vídeo.

Ela arqueou aquelas sobrancelhas expressivas, meio que demoníacas, para ele. — Acha mesmo que preciso recorrer a bebidas alcoólicas para conseguir o que quero de você?

Ela fingiu bater nele. Mas ambos estavam sorrindo.

— O exibicionismo com a fantasia de agricultor tem lá a sua história. É que o meu primo sempre sonhou em ter cabras.

Cade piscou alguns minutos, tentando imaginar-se sonhando em ter cabras. Em seguida, ela tentou sobrepor o fruto dessa imaginação às imaginações anteriores do castelo francês ao qual eles se dirigiam. De qualquer maneira, sua imaginação falhou bastante quanto a pensar nas cabras.

— Assim todos nos juntamos para dar-lhe as cabras. Também lhe demos um bando de patos. Ele também queria um burro, mas seu parceiro nos implorou que apelássemos para a razão. E para manter o tema, nós nos vestimos como agricultores.

Uma família louca e entusiasta que curtia a vida ao máximo.

Se eles não sabiam quem ela era, talvez a festa pudesse ser muito divertida. — Você poderia me apresentar com um nome fictício?

Sylvain achou que aquilo nem merecia resposta.

A *van* atravessou o campo nivelado, por vezes suavemente ondulado. Casas de pedra agrupadas em pequenas aldeias, roupas penduradas para secar mesmo em novembro. Choupos margeando a estrada, elegantes e em uma linha reta sem fim, evocavam um prazer profundo e suave em Cade. Sylvain escolheu ir com a *van* da loja porque ela poderia levar a escultura elaborada e enorme em chocolate que ele estava transportando, uma estrutura fantástica e quase impossível de ser imaginada. Teria ele feito aquilo durante toda a tarde, enquanto ela estava visitando Chacun Son Goût? Ela desejou ter estado em seu *laboratoire* para vê-lo como um verdadeiro escultor de chocolate.

Podia garantir que ele teria feito aquilo intensamente, com cuidado e paixão; e só de imaginar as mãos dele trabalhando, ela se sentia envolvida por uma sensualidade ardente, contorcendo-se por dentro.

Seu telefone tocou, surpreendendo-a, pois parecia que a região não recebia sinal de celular.

Seu avô explodiu, indo direto ao assunto: — O que você tem dito ao seu pai? Você deveria estar descansando! Explorando! Você não tem de ficar aí para trabalhar!

— Vovô, pensei que você sempre reclamasse sobre o meu pai não me deixar conhecer o mundo o bastante — ela olhou de esguelha para Sylvain, tentando imaginar quanto da língua inglesa ele entendia.

— Tenho 82 anos — o avô Jack disse com petulância. — Quantas vezes você acha que vou vê-la de novo, se você *viver* na Europa?

Durante toda sua vida, ela e o avô tinham visto um ao outro diariamente. Todos viviam em diferentes alas da grande casa branca no topo da colina que se erguia a partir de Corey. Ele parava no escritório de trabalho da neta, invadia o quarto dela em casa e a acordava para que experimentasse sua mais recente descoberta; os olhinhos azuis dele brilhavam de alegria.

E se ela se mudasse para Paris, as vezes que iria vê-lo novamente poderiam ser contadas. Plátanos passavam bem perto, ofuscando sua visão frontal enquanto ela os olhava fixamente, porém sem tentar rastreá-los.

— Tenho certeza de que eu faria voos bate e volta o tempo todo — disse ela, frágil, sentindo como se um punhal estivesse cravado em seu coração.

De repente, Sylvain apertou as mãos no volante. Olhou para os lados.

— Além disso, o senhor tem de vir aqui, certo? Tenho de lhe mostrar o truque de invadir algumas dessas *chocolateries* francesas. Se eu realmente ficasse na Europa, o que... Ah, mas agora só estou falando de opções.

Sylvain lançou-lhe um olhar duro.

— A Europa está cheia de esnobes — disse o avô com clareza.

Sim, mas ela gostava daqueles esnobes. Examinou a linha forte e limpa do maxilar de Sylvain, a boca fina e sensual, as sobrancelhas que podiam ser tão expressivas. Em uma colagem ao redor dele, ela parecia ver os rostos de todos os outros *chocolatiers* que conhecera, bem como os padeiros, e os *fromagers*. Ela gostava da atitude e da crença deles na individualidade e no ser o melhor.

— Quem você prefere ver todos os dias? — Jack Corey perguntou com um tom de adulação. — Um monte de esnobes ou o seu avô?

Cade sentiu como se seu estômago estivesse preso entre duas pedras, que agora, bem lentamente, trituravam juntas. — Vovô, eu só... — Ela só o quê? Que parte daquilo não desejava articular a si mesma, muito menos ao avô? — Estou apenas estudando as opções.

A boca de Sylvain se contorceu e ficou rígida; deixando a fisionomia carrancuda.

— Bem, estude as opções daqui a alguns anos! Quando eu partir — disse ele sem rodeios. — Por que tanta pressa?

Ah. Essas pedras triturando o estômago já estavam causando grande dor.

— A Mars — ela murmurou. — Participação no mercado. E se Sylvain...

— Se Sylvain o quê? Olhou para ele novamente. Droga, às vezes ela era tão objetiva, mas agora nem sabia como levar adiante um relacionamento com um homem.

— Sabe, Cade, eu costumava me preocupar com a Mars. Transformei seu pai em um maldito viciado em trabalho para vigiar a Mars. Não quero aborrecê-la com o fato de que estou velho o bastante para ser mais esperto do que todos vocês, porque, bem, você já sabe disso. Ainda quero superar a Mars. Mas, qualquer dia, vou colocar a família antes da nossa participação no mercado.

Houve um silêncio cauteloso depois que o avô desligou. Cade guardou o telefone na bolsa.

— Você está pensando em ficar na Europa? — Sylvain perguntou, quebrando o silêncio. Sua voz não denotava nenhum sentimento.

Ele teria morrido se expressasse esperança e alegria? — Estou estudando as opções.

As mãos dele se mantinham contraídas em torno do volante. Ele apertou a boca.

E ela apertou a testa contra o vidro frio da janela e olhou para os plátanos.

Para chegar ao *château*, eles passaram por baixo da rodovia, por uma rua estreita, entre casas de pedras. Sylvain dirigia com a mais absoluta confiança, apesar do fato de que, da perspectiva privilegiada de Cade, parecia que havia apenas uns três centímetros entre os espelhos laterais e os muros de pedras. A rua serpenteava por cerca de quase 200 metros, até um alto portão verde, que era largo o suficiente para passar.

— Aparentemente, os proprietários anteriores tinham medo de ter um portão amplo porque isso facilitaria a vida dos ladrões, que poderiam entrar com um caminhão para esvaziar a propriedade — comentou Sylvain. Ele estacionou a *van* no cascalho branco à beira do pátio e saíram.

Cade olhou para uma bela fachada branca, descascando aqui e ali, mas com muitas janelas brancas delicadamente enfeitadas e muito bem cuidadas, atrás de grades de ferro. — Napoleão III — Sylvain mencionou. A propriedade agigantava-se imponente e graciosa acima da multidão de camponeses que trabalhavam no engenho abaixo.

Camponeses alegres, que subitamente formaram uma verdadeira multidão. Cade se abaixou por causa da passagem de feno espetado em forcados.

— *Oup, pardon* — disse um encarregado ao plantar os forcados no cascalho. De repente, ela se viu em uma rodada extensa de *bises* com mais candidatos a agricultores do que ela já conhecera em sua vida. Uns usavam macacões e traziam palha nos dentes. Outros usavam grandes chapéus moles e girassóis enormes. Outros, ainda, tinham suspensórios coloridos e galochas. Alguns, um pouco envergonhados, usavam jeans e um boné de beisebol, como se aquilo fosse o melhor que tinham. Lá no final do pátio, um homem alto e magro parecia sobrecarregado com enxadas e pás para distribuir.

— Sério, não lhes diga meu nome — Cade pediu uma última vez, cochichando para Sylvain.

— *Maman!* — Sylvain exclamou, ignorando o comentário de Cade por considerá-lo lamentável. — Onde está papai? Como foi a viagem?

Uma mulher que parecia como se fosse a quintessência da elegância trajava em macacão enorme, talvez três números mais do que o necessário, abraçou Sylvain bem forte, pressionando seu rosto por um longo tempo ao dele, repetindo isso umas quatro vezes. — *Ça va, mon petit choux?*

— *Maman*, esta é Cade Corey.

Canalha! — pensou Cade. Ela sempre soube que ele merecia ser roubado.

A mulher parecia uma versão mais velha de Chantal. O cabelo era um pouco mais curto, adequado a sua idade, e provavelmente tingido de loiro, mas perfeitamente penteado e elegantemente alisado. Vestia-se da maneira econômica e elegante que as mulheres parisienses pareciam fazer tão bem, como se elegância tivesse tudo a ver com gosto, e nada a ver com dinheiro, embora, talvez por um palpite, Sylvain lhe tinha dado um cachecol da Dior que acrescia o toque perfeito de cor a sua roupa. Sua maquiagem era sutil e eficaz, e os óculos ajudavam a disfarçar as linhas do riso e as marcas da fumaça do cigarro em torno dos cantos de seus olhos. Ela deu dois beijos em Cade, sem mesmo tocar em suas bochechas. — Ah, então você é que é a ladra — disse ela sem rodeios.

Sylvain, *o canalha completo e absoluto*, já estava virando-se para apertar a mão de outro homem, para ser beijado por outra pessoa, rindo.

— É complicado — disse Cade. Sobrancelhas perfeitamente feitas se levantaram. E esperaram.

— Eu precisava fazer algo dramático para chamar a atenção dele — Cade tentou explicar apressadamente.

— Ele disse que o chocolate era mais importante do que eu.

— E ele estava certo? — Marguerite Marquis perguntou de maneira objetiva.

Cade ainda estava perplexa, tentando descobrir a resposta, quando uma voz muito lúcida exclamou junto a seu ombro: — *Bonjour!* Você é a ladra de chocolate? Não ouvi o suficiente a seu respeito. *Je m'appelle Natalie.*

— Minha irmã — Sylvain reapareceu para explicar, quando uma jovem, na casa dos 20 anos, magra e de cabelos escuros, beijou Cade no rosto.

O homem que estivera distribuindo enxadas e pás parou diante deles. Usava um chapéu grande e flexível, sob o qual era visível seu cabelo bem cortado e prateado. As enormes galochas pretas estavam chapinhadas de lama e palha. — Você deve ser Cade Corey. Sou Fréd, Fréderic Delaube. Bem-vinda ao nosso *château*. Ele se curvou para beijar Cade no rosto com a mais perfeita hospitalidade que, como consequência, deixou-a tranquila. — Gostaria de pegar uma enxada?

— *Tiens* — Sylvain entregou a Cade um par de velhas luvas de trabalho. — Para completar o visual. Você já conheceu meu pai? Cade, *je te présente Hervé, mon père.*

Um homem alto, grisalho, com abundância de linhas de riso ao redor dos olhos, deu-lhe *bises*, quatro *bises*, que mais do que compensaram os de sua esposa em termos de entusiasmo. — Confio em Sylvain, ele sempre conhece as mais belas mulheres do mundo! — Ele exclamou tão calorosamente que Cade não pôde deixar de apreciá-lo em sua tentativa de cumprimentá-la.

Então ela pensou melhor no elogio. Quantas mulheres bonitas Sylvain havia levado para as festas dos familiares?

— *Merci*, Papa — Sylvain disse, parecendo bastante satisfeito com o elogio, alheio ao fato de que ela pudesse ou não se importar em ser uma dentre uma infinidade de mulheres bonitas. — Você pode me ajudar a levar a escultura para dentro? Fréd diz que Thierry estará aqui em 15 minutos.

Oohs e *aahs* saudaram o aparecimento da fantástica escultura de Sylvain, asas grandes e detalhes caprichosos de chocolate branco, escuro, e colorido enroscando e elevando-se em torno de uma pequena cabra fêmea colocada no centro, com as pernas dobradas sob o corpo, toda esculpida em chocolate. A multidão de pseudocamponeses se reuniu em torno dele, formando um corredor de aclamação, com os *flashes* das câmeras piscando, conforme Sylvain e Hervé se dirigiam ao *château*.

— Então, por quanto tempo você ainda vai ficar em Paris? — Marguerite perguntou a Cade da maneira mais doce e amigável, enquanto os dois homens desapareciam na casa. — Você não pode ficar longe do seu negócio por muito tempo, pode? Você deve voltar a qualquer momento.

Sim, aquele seria um longo fim de semana.

Enquanto Sylvain e seu pai estavam arrumando a escultura sobre uma mesa com a toalha vermelha, localizada bem no centro de um salão do século XIX, Marguerite gentilmente levou Cade a um passeio para mostrar as demais peças no local. Armários de época, com portas de vidro, exibiam cristais preciosos e fotos da família.

— Esta é uma das minhas favoritas — Marguerite disse, abrindo o vidro para retirar a foto de modo que Cade pudesse apreciá-la melhor. — É do *réveillon* passado. Todos nós nos vestidos de vacas, foi *à mourir de rire*.

Aparentemente foi, de fato, *à mourir de rire*, porque todo mundo na foto estava morrendo de rir. Todas as três vacas, Marguerite, Natalie e Sylvain, e mais uma quarta pessoa. Na foto, Sylvain não estava, como Cade imaginara, rindo da irmã. Ele estava olhando para baixo e rindo de Chantal, que não usava uma fantasia de vaca, mas algo preto e sexy, e que, agarrada em seus cascos de vaca, olhava para cima, como que rindo para ele.

Cade olhou para a parte superior da foto, para estudar a mãe de Sylvain por um momento. Marguerite olhou inocentemente para ela.

— Incrível — Cade disse com suavidade.

— O que é? — Marguerite perguntou alegremente.

— Como é que uma pessoa pode ficar tão bem em um traje de vaca! — Cade devolveu a foto e deixou Marguerite tentando descobrir se ela devia tomar o elogio para si mesma ou em nome de seus filhos.

As cabras e os agricultores faziam um enorme sucesso. Thierry, diferentemente de seu parceiro, Fréd, alto e magro, era baixo e robusto. Conforme avançava em seu carro e viu uma multidão de camponeses que o aguardavam, ficou tão feliz que quase chorou. Os *flashes* das câmeras brilhavam em todas as direções.

— Cade Corey! — Thierry exclamou quando Sylvain os apresentou. — *Vraiment? Ta voleuse de chocolat, Sylvain?* Estou impressionado. Você finalmente trouxe alguém interessante.

Tudo o que Cade podia fazer era não deixar seus ombros desmoronarem. Ela estava começando a se sentir como uma lutadora que tivesse levado um soco forte demais no estômago. Assim. Era evidente que Sylvain costumava levar as mulheres que ele namorava às festas familiares. Ela era tão bonita quanto as outras, e talvez um pouco mais interessante, de acordo com a família dele, mas não era um caso especial.

Seus pés pesavam de lama quando eles caminharam entre os jardins graciosos e encharcados, até uma área cercada onde eram mantidos quatro cabritos e uma casinha nova, cuja serventia era de abrigo, e que tinha um coração esculpido na porta.

— Então, conte um pouco mais sobre essa coisa de invadir um lugar — Natalie inclinou-se ao lado de Cade sobre a cerca. — Você usa uma corda de rapel?

— Para dizer a verdade, oficialmente não invadi, não entrei.

— O quê? — Ela parecia desapontada.

— Os advogados não querem que ela admita nada — explicou Sylvain, reaparecendo ao lado de Cade. — Cade, por favor, não diga a minha irmã como invadir, como entrar.

— Eu só faria o mesmo como brincadeira, Sylvain — disse Natalie, indignada. — Não tenho tempo para esse tipo de coisa. Estou sempre estudando. Será que ele mencionou que estou para me graduar em administração? — Ela perguntou a Cade, sempre simpática. Sylvain, que parecia ser muito querido entre sua família, já voltara sua atenção para outro primo, que o chamava.

— Sério? — Cade sentia como se tivesse sido jogada de paraquedas de volta para a sua zona de conforto. O mais desconfortável mesmo era conversar com a mulher cujo filho ela namorava. Entendia que as pessoas tentavam travar relações profissionais por meio de conversas durante as festas. — Qual é exatamente a sua área de interesse?

— Ainda estou explorando — Natalie disse com alegria. — Fazendo diferentes estágios.

Ah. Cade segurava um punhado de feno e com ele alimentava uma cabrita com grandes olhos travessos. — Estágios, hein? — Ela, ou melhor, a fábrica Corey, vinha sendo considerada uma fonte de oportunidades desde que ela estava nos últimos anos do ensino fundamental.

— E também tenho um pouco de experiência com chocolate. Sylvain me deixou estagiar com ele quando fiz o ensino médio. Assim, combino qualificações tanto como administradora quanto como *gourmet* no negócio dos chocolates.

— E ela é irrepreensível — Sylvain mencionou secamente, voltando à conversa. — Isso é um alerta, não uma estratégia de vendas.

— Excelente — Cade riu. — Gosto disso em um estagiário.

Se havia uma coisa pior do que ser a "escolha" de uma mulher, era ser grata por isso, Sylvain pensou, segurando com força a faca de *chef* e demonstrando uma falta de jeito incomum ao cortar.

Mas, pelo menos, rodeado pela família e pelos risos, ele podia ignorar aquilo por algum tempo. Pediu a Cade que ficasse ao seu lado e cortasse os cogumelos, em parte porque sempre que ele a deixava por conta própria, ele nunca sabia o que iria acontecer. Ademais, sua mãe poderia envenenar o vinho dela. Sua irmã Natalie poderia entregar-lhe um currículo. E parecia haver um potencial infinito de combinações fatais com muito álcool e tantos forcados. Era praticamente impossível fazer com que sua família toda se comportasse durante um fim de semana inteiro.

Mas, principalmente, porque ele gostava de vê-la cortando cogumelos ao seu lado. Ele gostava de poder roçar seu corpo no dela de vez em quando. Gostava da enorme concentração com que ela cortava, como se estivesse com medo de que pudesse fatiar um único pedaço de modo equivocado, caso não prestasse atenção.

Adorava tê-la como parte de sua cozinha quente, feliz, ruidosa, quando todos se ajudavam no preparo das mesas de bufê, para enchê-las e alimentar os convidados.

Aquele era o tipo de coisa que ele amava e, por isso, não perdia uma festa de família por nada deste mundo. Todos de bom humor, todos rindo, todos irradiando energia com o objetivo de dar o melhor possível para Thierry, naquele seu aniversário de 50 anos.

— Ei, Sylvain, fique de olho nessa sua ladra! Não a deixe roubar nada! — Um dos primos gritou.

Sylvain riu, mas Cade ficou triste. Incapaz de se conter, ele colocou a mão na nuca dela e beijou-a com força. Ao endireitar-se, viu que cerca de cinco pessoas os analisavam na maior cara de pau, incluindo sua mãe, seu pai e sua irmã. Nenhum deles parecia envergonhado. Sua mãe sequer teve a dignidade de desviar o olhar; continuou a estudá-los de maneira crítica.

Ele saiu da cozinha para levar mais uma bandeja de canapés ao grande conjunto de mesas no salão do século XIX. Quando voltou, um de seus tios havia se colocado em seu lugar ao lado de Cade, que seguia em sua tarefa na tábua de corte.

— Entendo o seu interesse na produção artesanal de alimentos. Meu filho quer ser padeiro — o tio estava dizendo.

— Um padeiro e um *chocolatier* na família? — Cade sorriu. — Isso está ficando bom... O que mais vocês fazem?

— Ah, mas está difícil conseguir o financiamento para abrir um negócio — disse o tio de modo amável, com um leve rubor subindo-lhe às bochechas. Sylvain percebeu o que Tonton Fabien estava tentando fazer para o bem de seu filho: pedir a uma bilionária que acabara de conhecer que investisse na futura padaria do rapaz de 20 anos.

Ele recuou para o tio.

Cade, no entanto, parecia estar gostando da conversa. — Sim, o financiamento para pequenas empresas é complicado. Na França, não é assim tão fácil abrir um negócio, não é mesmo?

— É, um negócio como esse seria um grande investimento para... Alguém — disse Tonton Fabien, mostrando coragem. — Ele é um bom padeiro. Está prestes a terminar o aprendizado.

— Posso usá-lo um pouco, *Tonton?* — Sylvain pediu gentilmente, estabelecendo a distância de um braço entre os dois por causa da faca de *chef*. — Preciso cortar estes limões para o salmão. Ah, você se importaria de verificar na *cave* se temos mais *crème fraîche*? Não vejo nenhum na geladeira.

Seu tio saiu com uma expressão de desapontamento, e Cade arqueou uma sobrancelha para Sylvain.

— Esse tipo de coisa acontece muito com você nas festas? — Sylvain perguntou, mantendo a voz baixa o suficiente para não constranger o tio na frente do resto da família.

— Que tipo de coisa?

— Estranhos tentando que você financie seus projetos?

— Claro — ela se pôs a pensar por um momento. — Só por curiosidade, sobre o que as pessoas falam com estranhos nas festas?

— Na França, geralmente sobre comida.

Ela riu. — Bem, como você pode ver, eu reúno os dois assuntos, então — ela terminou de cortar seus cogumelos e movimentou-se em torno de Sylvain para lavar as mãos. Sylvain deslocou-se de maneira imperceptível para que os braços dela acabassem por roçar em seu corpo. — Mas ele levanta um assunto importante — ela ponderou, séria. — *Boulangers, fromagers, chocolatiers,* talvez os alimentos artesanais necessitem do mesmo que outros artistas... De pessoas dispostas a investir neles para que tenham a certeza de que seus negócios possam continuar a florescer. Um patrono, de certa forma.

— Um *patron*? Como em *noblesse oblige*?

— Um patrono das artes — Cade parecia um pouco irritada.

— Ninguém me patrocinou — Sylvain disse com frieza. — E também não precisei de ninguém para isso.

— Bem, é claro, *você* não precisou — ela rebateu com impaciência.

Ele tentou fazer uma careta com a boca, somente para que ninguém pudesse ver o orgulho tolo que o corroía desde a ponta dos dedos dos pés até as raízes dos seus fios de cabelos.

Mas seu pai, passando por eles por causa da *fleur de sel* no exato momento em que ela falava sua última frase, deu um sorrisinho.

— Não acredito que você a trouxe aqui — Marguerite Marquis, indignada, disse a Sylvain mais tarde, tendo-o arrastado para fora para fumar. Sylvain não fumava. Na época em que a maioria dos adolescentes começava a fumar, ele já estava entrando na arte e no negócio do chocolate. Seu paladar e olfato eram muito preciosos para ele. — A mulher que o roubou! E eu tenho de ser gentil com ela?

No interior, as pessoas ainda estavam se demorando no bufê, mas Natalie estava tentando ligar algumas caixas de som para trazer música ao ambiente.

— Você poderia tentar, *maman* — na verdade, Cade parecia estar lidando bem com a hostilidade de sua mãe. Será que aquilo significava que ela não se importava com o que sua mãe pensava dela ou que ela havia esperado coisa pior?

— Gosto dela — disse o pai inesperadamente.

Marguerite lançou-lhe um olhar indignado. — *Juste parce qu'elle est jolie.* Ele já teve namoradas muito mais bonitas, você não acha?

— Talvez tecnicamente. Mas elas não coravam da mesma maneira quando ele as olhava, e para conseguir o que queriam, só flertavam e tratavam de se embelezar. Elas não entraram em seu coração.

— Primeiro de tudo, gosto do fato de que ela parece pensar muito bem a respeito dele — Hervé disse calmamente.

— *Tu penses?* — Sylvain lançou ao pai um olhar penetrante, imaginando o que seu pai havia observado que ele não havia. Começou a sentir-se corando. *Putain.* Na frente dos próprios pais.

— E aprecio que ela tenha se arriscado tanto por ele. Prisão, escândalo público. O que ela lhe disse, Margo? Que ela não conseguiu outro jeito para chamar a atenção dele?

Vraiment? Sylvain sentiu um choque elétrico percorrer todo o seu corpo.

— É verdade — Marguerite admitiu, inclinando a cabeça pensativamente. — Crime é certamente um gesto dramático — ela falou como se fosse uma imperatriz romana ainda decidindo para que lado virar o polegar para obter um efeito dramático. — Indelicada, no entanto. Ninguém ensina às mulheres como flertar no país de onde ela vem?

— Gosto do jeito dela! — Exclamou Sylvain com alegria. — Ela realmente disse que fez o que fez para chamar a minha *atenção?* Não foi por causa do meu chocolate?

Sua mãe lançou-lhe um olhar de desgosto. — Você gosta de se decepcionar no amor?

— Não — Sylvain respondeu categoricamente. — Na verdade, eu realmente não sei.

— Eu o culpo por tudo isso, você sabe — Marguerite falou para Hervé.

— *Moi?* Ei, pelo menos umas vinte vezes eu o aconselhei a melhorar a segurança em sua *chocolaterie.*

— Não me refiro a isso, e sim ao fato de ele ser tão *naïf*[23] com as mulheres. Você era exatamente da mesma maneira.

23. Ingênuo. (N.T.)

— É verdade — Hervé confidenciou ao filho. — Eu não queria lhe dizer isso sobre sua mãe, até que você ficasse mais velho, mas ela foi e é... *Difficile*.

— E eu nem tento — disse a mãe, orgulhosa. — Isso vem naturalmente.

— Posso ser *naïf*, mas gosto da sua Cade — ponderou Hervé.

Sua Cade. Sylvain se pôs a imaginar o que ela pensaria desse pronome possessivo.

— Ela sabe ser diplomática com sua mãe, consegue negociar acordos comerciais internacionais, desceu até uma *cave* cheia de aranhas para nos ajudar a carregar *champanhe* alguns minutos atrás e é capaz de entrar à força nos lugares. Essas são boas habilidades. Acho que a única delas que conhecíamos em nossa família era a habilidade de transportar *champanhe*.

— Sou *eu* a diplomata com ela — Marguerite argumentou, irritada. — Somente no caso de...

Sylvain observou os olhos da mãe, sorrindo um pouco. — Somente no caso do quê, *maman*?

Marguerite fungou, indignada por ser contrariada. — Somente no caso de ela realmente vir a ser... Digna — ofendida por ter tido que admitir que considerava tal qualidade possível, ela apagou o cigarro e se afastou de altiva, para conversar com pessoas menos capazes de irritá-la.

Pai e filho acompanharam-na com o olhar. — Pareço *naïf* para você? — Hervé, indignado, finalmente perguntou a Sylvain.

— De acordo com *maman*... Mas como eu saberia? — Sylvain perguntou friamente.

— *Enfin, bon*. Acho que não posso garantir que você não se decepcione com Cade, mas, pelo menos, agora talvez isso seja mútuo. Sou obrigado a dizer que parece valer a pena uma nova decepção amorosa, só que dessa vez com uma ladra de chocolate.

No interior, Natalie havia conseguido conectar as caixas de som, e a seleção musical de sua irmã de 20 anos subitamente fez-se ouvir. Sylvain riu e agarrou a mão de Cade, puxando-a para a pista de dança em mármore branco, rodeado por sofás delicados com pernas finas e cadeiras com bordados com fios de ouro gastos pelos anos; a mobília toda estava recuada contra as paredes.

Natalie fizera todo o possível para incluir o melhor dos últimos cinquenta anos em sua lista de músicas. O som passava por uma caixa e depois para outra de modo irregular, e as danças iam mudando de acordo com os diferentes estilos. Quanto às pessoas, elas também se adaptavam. Por exemplo, quando foi reproduzida uma seleção da trilha sonora do filme "*Grease*", as pessoas levantaram seus colarinhos para imitar jaquetas de couro. Sylvain e Cade dançavam sem parar. A *joie de vivre* de Cade parecia incansável. Ela também se saiu muito bem nas danças folclóricas.

Por volta de 1 hora da manhã, o casal saiu para a paz e a tranquilidade do campo, pisando no cascalho branco sob o céu estrelado.

Sylvain conduziu Cade aos jardins que desciam a colina sobre a qual o *château* fora erguido. Os jardins terminavam às margens do rio Marne. Passaram por um portão ao lado de uma casa pequenina em forma de cone, como nos contos de fadas, que poderia ter sido uma capela, e chegaram a uma trilha lamacenta às margens do longo e largo rio.

— Está gelado — ele ajeitou o cachecol dela para garantir que não adoecesse. — Sim, está gelado, mas eu queria que você visse isso.

Sob a luz da lua cheia, o Marne corria escuro e enganosamente lento; a luz brilhava em suas águas. Na margem em que eles estavam, um salgueiro-chorão formava cachos com seus galhos elásticos, já anunciando a proximidade do inverno. Cade se inclinou para ele enquanto observavam a água.

Talvez ela estivesse buscando contato com ele, ou talvez apenas estivesse buscando se aquecer. Talvez seus pés doessem. Ele não pediu e também não se importou, pois gostava de ser o provedor de calor e de força para seu corpo.

Sua vida tinha mudado tanto em apenas duas semanas. Ele voltara a sentir que tinha uma boa vida. E agora, se ou quando ele tivesse de voltar para a vida sem ela, certamente se sentiria o mais miserável dos miseráveis do mundo.

— Gosto da sua família — ela mencionou.

As sobrancelhas de Sylvain se arquearam. — Sério? Até da minha mãe?

— Sim. Ela parece não gostar de nada em mim — respondeu Cade, admirada.

— E essa é uma característica cativante?

Cade fez que sim com a cabeça. — A maioria das mães logo gosta de mim, sejam seus filhos felizes ou não comigo.

Sylvain pensou a respeito. — Você está acostumada a comprar... Até mesmo as *mães*?

Ela encolheu os ombros.

— Não me admiro que você continue pensando que pode comprar Paris. Ela suspirou. — Na verdade, apenas um lugar.

Ele não sabia o que responder. Ele não estava à venda, mas seria seu lugar em Paris a qualquer momento que ela pedisse. Certamente isso era óbvio naquele momento...

Deus, ele não conseguia suportar mais aquela situação, o medo de que ela o deixasse. Mas como poderia pedir a alguém que conhecera havia menos de duas semanas que prometesse desistir de sua vida por ele?

Ele a apertou em seu braço e olhou para a água, exercitando a paciência. É como derreter chocolate, disse a si mesmo. *Só isso. Aproveite o tempo. Aproveite o hoje.* Talvez tal pergunta pudesse ser feita depois de *três semanas*. Seria o suficiente para estimular um compromisso?

Um filete de nuvem passou pela frente da lua, criando um jogo de luzes e sombras sobre a água. Ele sentiu um suspiro muito longo a percorrer o corpo de Cade, que estava grudado ao seu.

Ela fechou a mão em torno da dele, que abraçava sua cintura. — Sério, não posso convencê-lo a dar-me seu nome?

No período de dois batimentos cardíacos completos e fortes, ele chegou a pensar que ela quisesse dizer outra coisa. Ele quase disse que sim.

Seus lábios já haviam se separado quando ele lembrou o que ela queria dele. — Você quer dizer... Vender-lhe o meu nome para uma linha de chocolates? — Ele se afastou dela abruptamente, ficando à beira da água escura e dourada. O lado que ainda sentia o calor dela reclamou de frio.

As sobrancelhas de Cade se contraíram ao perceber o que dissera e o tom sombrio que detectou na voz de Sylvain. Talvez ela tivesse descoberto o outro significado de sua pergunta, pois seus olhos se arregalaram. Ela corou, lançando-lhe um olhar rápido e inquisidor, e segurou alguns fios do salgueiro em seus dedos. — Sim.

Ele colocou a mão que estivera entrelaçada à dela, a mão que ela havia tocado, no bolso. — Será que não podemos apenas desfrutar deste momento aqui? Por que isso importa tanto? Você não precisa do dinheiro. E você não precisa da Europa.

O rosto dela ficou sem expressão. Ela recuou para trás do salgueiro. Na primavera ou no verão, ela teria sido coberta por suas folhas finas e lineares, mas não havia como se esconder no final do outono, quase inverno. — Você não quer que eu ganhe a Europa.

— Você sabe que não quero.

— Nem você.

— Cade — ele arriscou. — Você é *capaz* de manter os negócios e o lado pessoal separados? — Ocorreu-lhe que ele tinha nascido uma pessoa que escolheu tornar-se um *chocolatier* quando era adolescente. Ela havia nascido em um negócio, e essa podia muito bem ser sua primeira tentativa de se tornar uma própria pessoa independente dele.

— Você quer que eu vá para casa? — Ela perguntou, muito baixo, muito fria.

Às vezes, a mais pura honestidade era a única maneira de conseguir as coisas, não importando quanto fosse arriscado. — *Non*.

Ela ficou olhando com cautela para ele; uma das mãos segurava os fios do salgueiro para o lado, como uma ninfa confusa que havia sido acordada com um susto antes da chegada da primavera.

— Você pode ser parte de algo sem possuí-lo, sabia? — Ele mantinha os olhos nos dela. — Você pode fazer parte da minha vida sem possuir meu nome em uma linha de chocolates.

Cade arregalou os olhos. Ficou olhando para Sylvain. Os olhos se arregalaram ainda mais, e os lábios se entreabriram, como se ela quase estivesse com medo.

Bem, *merde*, o que havia para se temer?

— Não entendo você — disse ele. — Você não pode fazer o que quiser?

As sobrancelhas dela se juntaram. — Ao acaso, somente *o que eu quiser*? Não. Você conseguiria imaginar quantas pessoas sofreriam as consequências se eu apenas agisse de acordo com o capricho?

— Não falo de qualquer capricho, em absoluto. Pergunto se você não pode decidir o que quer da vida e... E... Correr atrás disso? — Ele arriscou mais: — Parece que você tem tomado muitas decisões por aqui e corrido atrás delas. Não pode manter-se nessa rota?

Ela franziu as sobrancelhas.

— Na escola, aprendemos que era um ideal americano a *busca pela felicidade* — ele dobrou a língua para dizer a expressão inglesa "busca pela felicidade" com forte sotaque francês. Tentou imitá-la, mas não conseguiu: — Nossa, nem dá para falar isso em francês.

— Não soa como um ideal em francês; soa egoísta — ela retrucou. — É por isso. As pessoas dependem de mim.

— Eu não disse que você deveria manter um comportamento completamente irresponsável — mas ela já estava agindo assim. Interessante, haja vista que, claramente, ela se opunha a permitir-se ser irresponsável. Ele estendeu a mão para ela, com um sorriso cheio de intimidade e provocação. — Embora eu pessoalmente não me importe se você invadir a *minha* empresa, espalhar o nome de sua família por onde quer que passe, correndo o risco de ser presa.

— Provavelmente, com o que fiz, já esgotei minha cota de comportamento irresponsável pelos próximos vinte anos — ela murmurou, visivelmente deprimida.

O estômago de Sylvain deu um nó. — Não diga isso. Sou aquele que cresceu *en banlieue*, e você é quem age como se estivesse presa nas próprias circunstâncias, sem poder realizar os próprios sonhos. Cade, você não parece *querer* comprar a Europa nem administrar a Europa. Talvez esteja apenas brincando, mas eu poderia jurar que você gosta de estar no meu *laboratoire*, que você ama mergulhar os seus sentidos em tudo. Você deve desligar metade de si mesma quando foca nas fábricas e nas finanças.

E essa metade se enche de muita alegria e paixão. Se ela não pudesse ficar em Paris por ele, certamente poderia ficar por seu chocolate.

Ela olhou fixamente para Sylvain por muito tempo. Depois, contemplou a imensidão do Marne. — Meu avô tem 82 anos.

— Ah — o que ele poderia dizer a respeito? Poderia dizer-lhe para escolher Paris, *e para escolhê-lo*, em detrimento de sua vida maldita como produtora em massa de *merde*, mas não poderia dizer-lhe para preferi-lo em detrimento de alguém que ela amasse.

Mesmo que ela se permitisse amá-*lo* um dia, ele não poderia fazer isso com ela. Não poderia colocá-la contra a parede e forçá-la a escolher entre ele e alguém que ela amasse desde quando nasceu.

— E... Eu posso fazer muitas coisas. Tantas. — ela disse isso como se fosse uma maldição, e não uma dádiva. — Posso salvar pessoas. Posso mudar vidas. Posso influenciar as condições de trabalho em países inteiros. Trabalhar com chocolate em Paris... Não faz de mim uma pessoa melhor. Nunca vou melhorar a vida de ninguém se o fizer. Eu apenas... Amo isso. Mas não seria nada por ninguém, exceto por mim — ela parecia, ainda que por breves momentos, exausta.

— Você já fez algo por você?

Suas sobrancelhas se contraíram, como se a pergunta a deixasse perplexa. Ele conseguia vê-la quebrando a cabeça para chegar a uma resposta que bastasse. — Eu invadi a sua *chocolaterie* — ela disse, finalmente.

— *Acho* que se esforçou muito — disse ele com um leve sorriso. — Talvez devesse tentar isso mais umas vezes. Pare de pensar em tudo o que você poderia ou deveria fazer. Aprecie apenas o que você quer fazer. Certamente você se permitirá uns dois anos para viver o que a faz feliz.

Ela descansou a cabeça no ombro dele, olhando para a água, mas não disse nada.

Depois de um longo tempo, e deixando o cabelo cair em seu rosto, ela inclinou a cabeça para olhar para ele. — Você está vivendo o que o faz feliz?

Sylvain contemplou seu rosto pálido, no escuro, e sentiu o peso dela sobre ele, procurando seu calor. A única coisa que faltava naquele momento era a garantia de que ele poderia continuar assim.

— *Ah, oui* — ele acariciou o cabelo de Cade para trás da boca, do jeito que ele queria fazer naquela primeira manhã na padaria. — *Je suis très content.*

Capítulo 26

Quando o telefone começou a tocar feito louco, naquela manhã de segunda-feira, Cade estava xingando o chuveirinho da banheira do apartamento, ainda sob o efeito da ressaca depois de ter festejado com a família de Sylvain. Ao mesmo tempo, seu laptop transformou-se em um serviço de mensagens, tocando à medida que mensagens múltiplas chegavam uma após a outra. O telefone tinha ido para o correio de voz, e começou a tocar novamente no momento em que ela pegou uma toalha e saiu tremendo ao se distanciar dos aquecedores, permitindo que o ar frio atingisse sua pele ainda úmida.

— A Total Foods fez uma oferta agressiva para adquirir a Devon Candy — o pai dela disse, e todos os seus nervos dispararam e sua adrenalina ferveu, como se tivesse acabado de sair do banho e um tigre feroz pulado sobre ela.

— *Merde* — ela disse. — Estou a caminho.

Ela jogou alguns itens em uma bolsa de mão. E com o celular grudado à orelha, delegou a sua assistente, em Maryland, o trabalho de reservar o primeiro voo, ou um jato particular, o que fosse mais rápido. Colocou o boneco de dedo de ursinho de pelúcia na bolsa, mas deixou a maior parte das coisas no apartamento. E assim que atravessou a rua, sinalizou para um táxi, dando passadas longas e rápidas, quase correndo.

— Aguarde — ela ordenou ao motorista do táxi. — Eu pago, não se preocupe.

A adrenalina havia assumido o controle, sua mente estava quase que totalmente focada no tigre. Mas ela precisava ver Sylvain. Precisava... Para levá-lo com ela.

Mas ela não podia fazer isso. Não podia comprá-lo como se fosse uma mesa elegante, embalá-lo e levá-lo para casa com ela. Pois, se ela o afastasse da *chocolaterie* e de sua cidade, seria como pegar um machado e cortar todos os seus membros.

— *Você pode ser parte de algo sem possuí-lo, você sabe disso. Você pode fazer parte da minha vida quando quiser.*

— Gostaria de... Dez caixas — ela disse ao atendente mais próximo. Ela conhecia o seu mundo e como seria nas próximas semanas. Eles não iam dormir nem comer; receberiam comida e café, enquanto continuavam. Ela tinha vinte caixas de chocolate de outros *chocolatiers* na geladeira. Mas não havia colocado nenhuma na bolsa. Ela queria um pouco de Sylvain Marquis com ela todos os dias. Ou muito, dependendo de como seriam as coisas quando voltasse para casa.

Passada toda a adrenalina, seu estômago começou a apertar de angústia.

Eles nem sequer... Sabiam em que pé estava sua relação. Será que ele se importava? Será que ligariam um para o outro e trocariam beijos ao telefone? É provável que não. *Ah, Deus*. Será que ele... Bem, em que pé, de fato, estava a relação entre ambos? Ele apresentou-a à família, mas, aparentemente, ele apresentava todas as mulheres à família.

Será que ele daria de ombros e depois seguiria em frente? Muitas outras mulheres, que gostavam de chocolate e de homens sensuais, poderiam se atirar contra ele com o mesmo apego desesperado que ela havia demonstrado. Havia duas parisienses lindas e extremamente elegantes na loja dele naquele momento.

Cade olhou para elas e estampou uma expressão séria e firme junto à boca.

Elas retribuíram com um olhar frio e orgulhoso.

Você pode fazer parte da minha vida sempre que quiser. Será que isso era uma declaração de liberdade — ela podia sair com ele, mas sem achar que era sua dona, e que ele não estava saindo com mais alguém?

Ela examinou o *laboratoire*, incapaz de encontrar os cabelos negros que estava procurando. Seu estômago estava dando um nó bem apertado, a luta do corpo entre isso e a adrenalina estava começando a deixá-la enjoada e instável, como se tivesse tomado uma overdose de bebidas energéticas.

— *Sylvain n'est pas là* — disse Pascal, pausando sua tarefa de organizar panelas de banho-maria. — Ele está em uma reunião, com o prefeito e alguns dos outros *chocolatiers* da cidade, discutindo a ideia de planejar um *journée du chocolat* com alunos de escolas públicas, uma espécie de exposição de diferentes profissões no ramo alimentício.

Ela olhou para o relógio. — Quando...?

— Provavelmente na parte da tarde.

Se havia alguma coisa pior do que ficar imaginando como ele reagiria com o sumiço dela por algumas semanas era o fato de não ser capaz de vê-lo pela última vez. Será que ele a beijaria com paixão, pediria que ela não fosse embora ou simplesmente diria "Ciao"?

Ela foi até o escritório dele e pegou um de seus cartões pessoais, em vez de um papel de carta, tentando pensar o que dizer. Bom Deus, o que ela deveria escrever naquele papel?

Ela não podia ligar para ele e interromper sua reunião com o prefeito. Isso não seria legal. Ela não gostaria de ser interrompida se estivesse em uma reunião com acionistas da Devon Candy.

— Você vai embora? — Pascal perguntou da porta, lançando um olhar direto e calmo.

— Aconteceu uma... — Como ela iria dizer *aquisição agressiva* em francês? — *Acquisition hostile?* — Ela tentou. Com o idioma francês, nunca se sabe. Às vezes, palavras em inglês funcionam muito bem se você acerta na pronúncia.

Pascal olhou como se dois chifres tivessem crescido na cabeça dela e ela estivesse falando o idioma dos demônios. O olhar dele era de quem não havia entendido coisa nenhuma. Nada mesmo.

Ela virou-se e escreveu "*Je t'appellerai*" no cartão. *Ligo para você mais tarde*. Depois, assinou com suas iniciais, CC. Se ele não reconhecesse suas iniciais, ela voltaria só pelo prazer de esbofeteá-lo.

Ela desejou que pudesse deixar-lhe algo, algo poderoso, rico e simbólico como o chocolate escuro e amargo que ele havia deixado pendurado na maçaneta de sua porta no outro dia. Mas ela não tinha nada.

Ela hesitou, sua mão envolvendo a Barra Corey dentro da bolsa. As Barras Corey não tinham valor para ele. Mas ela acabou puxando-a e colocando-a embaixo do cartão, sem pensar no que ele faria com aquilo. Provavelmente nada.

Ela virou-se, com a bolsa girando suavemente atrás dela, e voltou para a loja.

— *Mademoiselle* Co-ree — disse o jovem e elegante atendente que uma vez esnobou seu olhar angustiado. — Eu não sei se o senhor Marquis permitiria que a senhorita pagasse por isso.

— Não faz mal — Cade entregou um cartão de crédito. — Cobre por mais dez e prometa dar uma por dia ao morador de rua de jaqueta nova nos jardins até eu voltar, ok?

O inverno estava chegando e certamente apenas o melhor chocolate ajudaria aquele homem a sobreviver. Isso, as meias de lã e a cueca térmica de seda que ela comprou para ele no outro dia. Ela ficou se perguntando o que poderia convencer aquele homem a ir para um abrigo.

— O senhor Marquis já me pediu para fazer isso, *mademoiselle*. Não posso cobrá-la por isso.

É mesmo? Um sorriso iluminou seu rosto. Quando retornasse, teria de falar com ele. Ela tinha a ideia de angariar e distribuir chocolates no dia dos Moradores de Rua; e se ele tinha tempo de sobra para alunos de escolas públicas, certamente poderia ser um parceiro perfeito.

Quando voltasse. Ela ia ficar repetindo essas duas palavras na mente.

Ela enfiou as caixas na bolsa quase vazia e entrou no táxi.

Duas horas depois, ela estava de volta. *Merda, merda, merda*. Onde será que foi colocar o passaporte logo agora? Esteve sempre com ela. Será que esqueceu em outra bolsa? Não. Será que guardou dentro de uma das malas? Não. Onde será que foi parar?

Ela procurou, procurou por todo o apartamento, enquanto contava para sua assistente, ao telefone, que havia perdido o primeiro voo, e que precisava que ela reservasse outro para dali a duas horas. Enquanto continuava procurando, também conversou com o pai e com o animado avô, e ficou sabendo de todos os detalhes da oferta de compra da Total Foods.

Finalmente, uma suspeita recaiu sobre ela. Na verdade, foi apenas uma leve suspeita. Ela... Havia procurado o passaporte em todos os lugares possíveis e impossíveis. Ou seja, ou havia sido roubado e ela nunca percebeu, e agora precisaria tirar outro com urgência na embaixada; ou... Bem, talvez tivesse deixado em certo local.

Então, ela voltou à *chocolaterie*, pouco consciente dos muitos olhares de reprovação que recebeu de todos os presentes.

Sylvain estava no balcão de mármore. Pascal pode ter mentido em relação ao tempo que ele iria demorar, ou a reunião com o prefeito acabou mais cedo do que previsto. Tudo era possível. O mais importante era que ele estava de volta.

Sylvain estava de pé, com as palmas das mãos espalhadas sobre o mármore e a cabeça inclinada, olhando para baixo. Não parecia estar se movendo ou fazendo alguma outra coisa. Ele ainda não havia colocado a jaleco branco de *chef*, nem gorro ou avental; e ela nunca havia presenciado nenhuma falta de profissionalismo da parte dele em seu próprio *laboratoire*.

Subitamente uma enorme onda de alívio dominou seu corpo, deixando-a com o desejo de abraçá-lo o mais forte possível.

Então, ele ergueu a cabeça e seus olhos se encontraram.

Ele estava furioso.

Ele estava tão furioso que fez sua indignação sobre ter o nome em barras Corey parecer uma expressão casual de aborrecimento por uma questão menor. Talvez, em perspectiva, fosse isso que a indignação tinha sido.

— Perdeu alguma coisa? — Ele perguntou, cada palavra pura e precisa, como se a fúria pudesse ser cristalizada em algum tipo de diamante intelectual. Que em francês, provavelmente pudesse.

— Meu... Passaporte — ela disse. Procurar por ele ali já não parecia uma ideia ridícula.

Ele enfiou a mão no bolso de trás da calça jeans, puxou o passaporte dela e o jogou para cima do mármore. Na quietude do *laboratoire*, o barulho do passaporte sobre o mármore ressoou alto.

— Eu sabia que você ia fazer isso — ele disse baixinho, para que sua voz não ecoasse no silêncio e acabasse nos ouvidos atentos do *laboratoire*. — Eu sabia que você pegaria um avião no momento em que o seu humor mudasse. Pelo menos, dessa maneira, você teria de me dizer pessoalmente.

— Eu ia ligar para você — ela começou, mas parou antes que suas palavras provocassem uma onda de fúria. Uma de suas mãos levantou do mármore e caiu no vazio, revelando o cartão de visitas dela com a mesma promessa.

— *Merci* — ele disse, com o *ci* final cortando como uma espada. A maldição veio em seguida como um foguete: — *Va te faire foutre*.

— Não, você não entende — ela aproximou-se, tentando tocar no braço dele.

Mas ele puxou-o para longe dela como se estivesse com uma doença contagiosa.

Tudo bem, isso provou que ele se importava. Por outro lado, tudo tinha ido do céu ao inferno em minutos.

— É uma emergência. A Total Foods acaba de fazer uma oferta de aquisição pela Devon Candy. Sabe o que isso significa?

Ele apenas olhou para ela, sério. — Não.

O que não surpreendeu, uma vez que ela ainda não sabia como dizer aquilo em francês. — Não podemos permitir que a Total Foods fique com a Devon Candy. Simplesmente não podemos. Temos de fazer alguma coisa para impedir que isso aconteça — assim que disse aquilo, uma parte de seu cérebro estava trabalhando: Eles tinham 3 bilhões reservados em caixa. A oferta de aquisição da Total Foods foi de 17,6 bilhões, e provavelmente não era sua oferta final. Podíamos conseguir um financiamento...

— Então, isso é mais importante para você do que... — Sylvain conteve-se, calando a boca e fazendo um gesto de corte com a mão.

Ela hesitou, tentando pensar com calma, tentando descobrir as implicações do que ia dizer antes mesmo que dissesse. Ele havia ficado em silêncio. Mas havia chegado até a metade da pergunta antes que hesitasse e, portanto, não foi difícil para ela decifrar o resto. — Você está dizendo que eu tenho que escolher? Que posso ser a Cade Corey do Chocolate Corey ou posso ser a sua... — Sua o quê? — Aqui, com você, mas não posso ser ambas?

Ele estava supersério, a pureza de seu rosto era de cortar o coração, como uma obra de arte que ela havia acabado de despedaçar. — Eu estou aqui. Você está indo para os Estados Unidos. Colocando um grande oceano entre nós.

Ela esfregou os dedos entre as sobrancelhas, a adrenalina segurando as lágrimas, sentindo urgência e angústia. — Preciso ir *agora*. Não vá...?

Não vá pegar a primeira parisiense bonita que entrar na sua loja; você vai esperar por mim?

Como é que alguém tem o direito de pedir isso para uma pessoa que conheceu apenas há alguns dias? Será que ela havia enlouquecido? O que eles eram? Ela nem mesmo tinha certeza de que ele não estava saindo com Chantal. Mas se ela não sabia com certeza se ambos tinham ou não um relacionamento monogâmico — de duração inferior a duas semanas, no qual o foco da relação havia sido puramente sexual — então, como ela poderia pedir que ele esperasse por ela?

Ela própria acabou expressando seriedade. — Vou voltar — ela prometeu, olhando nos olhos dele. Ela podia não ter o direito de fazer pedidos, mas sabia muito bem como fazer promessas. E ela sabia como mantê-las. Ela tinha o controle parcial dos destinos de muito mais de 30 mil funcionários da Corey — ela havia parado de contar quando criança por causa da vertigem que podia causar. Ela sabia como garantir as próprias palavras.

Ela estendeu as mãos na direção dele. — Faça... O que achar melhor fazer. A decisão é só sua. Mas eu vou voltar.

Ele endireitou o corpo e deu uma olhada abrupta pelo quieto *laboratoire*. — *Ça vous derange?* — Ele perguntou aos seus empregados friamente. *Vocês se importam?!* Alguns se viraram, outros se moveram um pouco, mas todos continuaram focados neles.

Ele deu a volta no balcão, pegou o braço dela e a escoltou até o táxi que esperava do lado de fora. O vento agitava sua camisa fina de algodão. Ele deve ter sentido frio, mas não demonstrou. Olhou para ela, sem denotar nenhuma suavização perceptível na linha de seu rosto sério.

— *Je suis tombé amoureux de toi* — ele disse com raiva, como se estivesse tentando curar uma ferida que sempre soube estar lá. — Faça... O que achar melhor fazer. A decisão é só sua. Mas acho que eu amo você.

Cade olhou para ele, sentindo-se como se uma bomba tivesse explodido ao longe e sua onda chegado até ela, como se não pudesse ouvir, não pudesse ver, apenas se sentir atordoada. — Há algo entre você e Chantal? — Ela perguntou abruptamente.

Ele ficou olhando para ela. — Não — enquanto a pergunta ecoava na mente, sua boca foi se abrindo, ainda mais sombria. — Quer dizer que você pensou que houvesse e só agora resolveu perguntar?

Ela encolheu os ombros como que dizendo "sim", envergonhada.

Sua mão fechou-se sobre o teto do táxi. — As pessoas são apenas brinquedos para você pegar e apertar um pouco e depois jogar no chão?

Cade ficou boquiaberta com o choque daquelas palavras. Não era isso que ela estava fazendo, *longe disso*. Ela apenas queria — queria muito, não ter feito pergunta nenhuma. Não queria que nada — como as responsabilidades dele ou dela ou a possibilidade de ela acabar magoando ambos — ficasse em seu caminho. — Eu apenas... Tentei aproveitar o que pude — ela disse em voz baixa. Por que soou tão mal quando ela disse aquilo em voz alta?

O punho cerrado escorregou do teto do táxi. — Falando sério — ele disse, quase em tom de conversa, como se a raiva em seus olhos fosse muito intensa para arriscar em palavras — *Va te faire foutre*.

Ele virou-se e voltou para a loja.

Cade, entrando no táxi em meio ao desastre absoluto, parou no meio do caminho, segurando a porta. — Você não? — Ela gritou na direção dele. — Não tentou aproveitar o que podia?

O passo largo de Sylvain hesitou. Ele virou-se novamente e ficou observando enquanto o táxi se afastava.

Cade Corey foi direto para o aeroporto, sem pensar sequer uma vez sobre a Total Foods ou a Devon Candy.

Capítulo 27

Ela havia acabado de entregar o cartão de embarque, quando seu pai ligou novamente. — Temos um novo projeto — disse ele. — Estamos em conversações com os irmãos Firenze, sobre um contrato de colaboração para comprarmos a Devon. É ótimo que você esteja na Europa. Seu francês vai ser útil, querida. Vá para a Bélgica agora. Quero que você fale com os irmãos.

No terceiro dia fora, Cade e todos ao seu redor estavam sobrevivendo de café e, no caso de Cade, do chocolate de Sylvain. Ela não dividia. Os irmãos Firenze ofereceram-lhe potes de sua famosa pasta de chocolate e também chocolates belgas feitos de modo artesanal. A comitiva de Cade, composta por contadores, advogados e assistentes, todos tendo chegado de Maryland ou de pequenas representações da fábrica Corey em Bruxelas, dividiam batatas fritas belgas indiscriminadamente. Quando ela voou para Londres, todos da Devon Candy tentaram servir-lhe Devon Bars e peixe e batatas fritas.

Ela fez com que as secretárias lhe trouxessem frutas, saladas e cereais integrais e, na maior parte do tempo, ignorou aquelas coisas de baixo valor nutritivo. Em vez disso, mantinha uma caixa de chocolate de Sylvain consigo e, só de vez em quando, assim que precisasse sentir-se parte dele, comia um pedaço. A cada quinze minutos, mais ou menos.

Cada mordida lhe dava a sensação de uma explosão de doçura e esperança, como se aquele chocolate pudesse conduzi-la a um caminho. Com a aquisição feita em sociedade cooperativa, por meio da Total Foods, de suas próprias responsabilidades, e porque uma parte sua ficava estimulada com tantas tarefas, ela se pôs a pensar que desejava deixar aquela vida e voltar para ele.

Mas não sabia o que *dizer* a ele. Findas as discussões com os irmãos Firenze e a Devon Candy, ela olhou para o telefone, sem saber para quem ligar ou o que dizer ou escrever, sem saber se enviava uma mensagem de texto, um e-mail, ou qualquer coisa. *Sério?* Isso parecia um início um tanto quanto arriscado. *Você tem certeza?* Bem, como ele poderia ter *certeza* se eles só tinham se conhecido por alguns dias? Havia algo *garantido* nas palavras "Acho que amo você"? Talvez, em vez disso, *o que você quer dizer com isso?*

Parecia difícil fazer tal pergunta por telefone. E, é claro, havia sempre a possibilidade de que ele ainda estivesse bravo com ela. Ele lhe enviara uma palavra via mensagem de texto desde que ela partira, uma palavra que ela recebera na viagem pelo TGV, o trem de alta velocidade, até Bruxelas: *Oui.*

Ela assumiu que era uma resposta à última pergunta que lhe fizera: *Sim, também tentei aproveitar o que eu queria.*

Poderia ser um "oui" louco ou um "oui" que significasse não vamos cortar a comunicação durante a batalha, tenhamos boa vontade. Era difícil distinguir as coisas nas mensagens de texto.

Finalmente, ela *não podia deixa*r de ligar para ele; pois isso, com certeza, seria um erro daqueles. E então tentou uma introdução um pouco mais estranha, porém honrada. — Oi.

Ela o ouviu tomar fôlego. — Cade.

Ela se derreteu com a maneira como ele pronunciou seu nome, o preciso "a" francês, que parecia fazer com que seu nome soasse mais longo do que em inglês. Imediatamente, ela parou de temer que ele ainda estivesse zangado.

Colocou os pés sobre um travesseiro e afundou a cabeça para trás, em outro travesseiro. Seus pés doíam; seu cérebro estava exausto. Queria, desesperadamente, três coisas distintas: dormir, fazer uma longa caminhada, longa o bastante para arejar as ideias, e ficar ali, bem quentinha, falando com Sylvain.

— Estou comendo um de seus chocolates — era um daqueles em forma de cone, com lascas de cacau salpicadas na parte plana, que ele idealizara pensando no prazer de uma criança diante de um sorvete servido em casquinha. Contudo, não havia nada infantil no chocolate; as lascas de cacau substituíam o amendoim, o exterior espesso e escuro se rendia a um dos *ganaches* mais suaves, mais delicados, mais líquidos. Ela precisava comer com cuidado, morder o cone e chupar o interior ao mesmo tempo, para que o chocolate não se derretesse todo nas mãos. Exatamente como uma criança com um sorvete de casquinha.

— Ah — a voz de Sylvain era apenas um sopro, um sussurro no ouvido dela. Ela podia tê-lo acordado. Já era tarde. Ele poderia estar deitado em sua cama agora, nu, só de cueca, seus ombros sem brilho e musculosos em contato com os lençóis brancos. Teria ele deixado o telefone ao alcance, esperando que ela ligasse? Em caso afirmativo, teria também deixado de ficar bravo no instante em que ouviu sua voz? — Está tudo bem? — Ele murmurou, calor e sensualidade mexendo com os dois, apesar da distância.

— Tudo sempre está bem — ela sussurrou.

Um pouco de barulho junto a ele, como se fosse um sorriso. — Qual você está comendo?

— A *cornette de ganache*.

— Ah — ele apenas tomava fôlego. Mesmo por telefone, o som acariciava a pele de Cade. Ela sentia que ele estava imaginando, com precisão total e absoluta, todos os gostos e as sensações em sua língua. Ele conhecia a suavidade, a doçura. Conhecia a sucção suave de seus lábios para que o *ganache* não derramasse sobre seus dedos. Conhecia a marca de chocolate deixada em seu polegar e o jeito que ela tinha de lambê-lo.

E sabia que ele o havia colocado lá.

Bom Deus, ele era tão sexy. Como ele podia ser tão sexy por telefone?

— O que você está fazendo? — Ele indagou.

Ela gemeu. — Estou prestes a cair de sono. Alguém ficou encarregado de me puxar para fora da cama exatamente daqui a seis horas. Temos essa teoria de que, no terceiro dia, todos precisam de pelo menos um sono REM completo, aquele sono que implica movimento rápido dos olhos.

— Então, você já possui o mundo? Li as notícias, mas não vi nada a respeito.

— Não podemos deixar que a Total Foods compre a Devon Candy. Não é exatamente uma questão de possuir o mundo — na verdade, é mais uma questão de não deixar de ser reconhecido — talvez eles não devessem abordar esse assunto agora, por telefone. — E não, não possuímos o mundo. Mas e você, o que está fazendo?

— Estava dormindo, mas bem leve. Duvido que eu esteja tão cansado quanto você. Mas estamos a cinco semanas do Natal, então é melhor que comecemos a produzir nossos chocolates na próxima semana — Sylvain Marquis não vendia chocolate *velho* em sua loja. Certamente não de quatro semanas e nem mesmo de duas semanas. Mas as pessoas começam a comprar e oferecer presentes no início de dezembro. — E tenho trabalhado na decoração de Natal da loja.

Cinco semanas antes do Natal. Ela, provavelmente, passaria o dia de Ação de Graças trancada em reuniões com a Devon e os irmãos Firenze. Seria uma ironia?

Os olhos de Cade brilharam quando ela tentou imaginar o que ele poderia inventar de chocolates para suas vitrines e balcões. — Será que já estarão prontos quando eu voltar?

Um silêncio curto. — Depende de quando você voltar.

Ela rolou na cama, enterrando o rosto no travesseiro que seria o dele. Não tinha ideia de quando voltaria. E estava tão exausta! Mas a voz de Sylvain em seu ouvido era perfeita.

— Está gostando dos irmãos Firenze? — Ele questionou.

— Não estou tentada a invadir o *laboratoire* deles, se é o que você quer saber.

A risada dele em voz baixa a fez sentir como se fosse uma gata que acabasse de receber um carinho nas costas. — É exatamente isso que estou perguntando. Coma mais um dos meus chocolates, Cade.

Ela fechou os olhos por um momento, respirando apenas em pensamento, sentindo-o por completo, apesar das centenas de quilômetros de distância.

Uma caixa de seus chocolates estava no criado-mudo, perto do seu rosto, perto da cama. Em sua mente passavam rapidamente perguntas como: Quantas vezes ele se apaixonou? Quantas vezes ele caiu fora de um relacionamento? Quando ele disse "pense", sua hipótese era baseada em qual das experiências de amor? Em vez de verbalizar qualquer dessas perguntas, ela abriu os olhos e estudou o conjunto de mordidas brilhantes e marrons, cada uma sinalizando seu conteúdo com alguma diferença sutil na marcação, e então perguntou: — Qual deles?

Sua voz acariciou-a, apesar de ela sentir a mão calejada. — Qualquer um que você quiser.

Ela estava cansada, muito cansada, e ainda tão excitada que tudo parecia acariciá-la, como se ela pudesse pegar no sono em uma cama feita de chocolate. — Qual você quer que eu coma? — Ela sussurrou.

Ele emitiu um som, como se ela tivesse estendido a mão e agarrado a parte mais sensível dele. Mas não tinha. Era como se o fantasma natural daquela mão fosse um tormento puro. — Cade, onde você está? Em Bruxelas? Eu poderia pegar um trem até aí.

— Londres — disse ela com relutância. — Amanhã volto para Bruxelas.

— À noite? Amanhã à noite?

Ah, Deus. Cade se enrolou na excitação que ele estava criando nela, o desejo frustrado. — Não terei um segundo para dar atenção a você. E provavelmente estarei exausta.

— Posso me manter entretido, Cade. Conheço gente em Bruxelas — ele riu. — Um monte de pessoas, *en fait*, ou já se esqueceu de que aquele país equivocado *acha* que tem o melhor chocolate? É apenas uma hora e meia de distância. Vou ver se consigo ficar longe dessa floresta de gelo que estou criando — um momento, uma pulsação de silêncio. — Ou você prefere que eu não vá?

— Não — ela disse. — Ah, não — mas dependia de como a fantasia terminasse. Todos os seus encontros tinham sido bem quentes até agora, e muito lindos também... Cade não queria que ele ficasse desapontado se ela não fizesse nada; queria adormecer sobre ele, ficar enrugada e envelhecer com ele, no final de cada longo dia.

Ele mudou de assunto. — Então, o que você está vestindo?

— Minhas roupas — ela admitiu com tristeza. E caiu sobre elas na cama. Teria sido muito melhor estar em algo sexy ou ter a presença de espírito para fingir que estava.

Sylvain riu. — Ei, este é um desafio interessante. Como conseguir tirar suas roupas a 500 quilômetros de distância.

O calor dominou o rosto de Cade. E algumas outras partes de seu corpo. Ela balançou-se por um segundo, deixando que suas botas caíssem no chão. — Tirei meus sapatos — ela contou.

— *Ma chérie* — ele suspirou. — Gosto da sua vontade de cooperar. Mas acho que se você está tão cansada, a ponto de só tirar os sapatos agora, seria melhor que eu a deixasse dormir.

— Eu sei, mas... Estou ansiosa para descobrir como você vai tirar o restante.

— Ah... — houve um longo silêncio.

Quando ele voltou a falar, sua voz estava baixa, profunda, áspera; sua respiração era uma tentação para ela, que agora imaginava um quarto escuro e quente, com uma tranca na porta. — Você promete fazer tudo o que eu lhe disser?

Ela apagou a luz e mergulhou debaixo das cobertas. Tudo no mais absoluto breu. Nada, exceto a voz de Sylvain, a sensação dura do telefone em seu ouvido, a suavidade e o peso do edredom. — Sim — ela sussurrou.

— Tudo? — Aquela voz misteriosa insistiu, dominando-a, como sempre fizera.

E a voz dela era apenas um som quase imperceptível: — *Oui.*

Capítulo 28

— Por favor, não me diga que você vai pegar o trem até lá, para ser gigolô dela à noite — Chantal disse categoricamente.

Sylvain olhou para ela. Como de costume, Chantal estava linda e elegante. Muito elegante para acusá-lo de ser gigolô, mas eles eram amigos havia muito tempo, o suficiente para que ela falasse o que estava em sua mente quando achava que devia.

— Não acredito ter pensado nisso exatamente nesses termos. Não.

Eles estavam em um de seus locais favoritos para o almoço: um pequeno restaurante vietnamita que as pessoas encontravam somente por indicação ou, mais ainda, por uma curiosidade imensa, já que não parecia nada especial por fora: veludo vermelho escuro, mal iluminado. Por parte de Sylvain, fora a curiosidade quando o lugar inaugurou; e tanto ele quanto Chantal haviam iniciado a divulgação, que agora o tornara tão popular.

Uma das proprietárias caladas colocou saquê na frente deles, por conta da casa, como fazia havia anos. Os pequenos copos de porcelana mostravam imagens pornográficas minúsculas e terrivelmente ruins, como se vistas por um nevoeiro causado pelo álcool. O gênero era específico, também; o de Chantal seria o de um homem.

— Sylvain. Você não consegue ver que está fazendo tudo de novo? Pensei que você tivesse superado essa história de deixar que as mulheres façam gato e sapato de você para, no final das contas, ficar decepcionado.

Ele já estava cansado demais daquele assunto. — Você tem certeza de que Cade está me usando? — Pensou em sua respiração na noite anterior ao telefone, e o que aquilo tinha feito com ele ao ouvir a reação de Cade a sua voz. Pensou nela contemplando-o e dizendo: *eu vou voltar*.

— *Absolument* — Chantal disse com firmeza.

— Você não acha que existe alguma possibilidade de que ela esteja um pouco apaixonada por mim? *Merci*, Chantal — as pessoas que conhecemos no ensino médio nunca aprendem a nos respeitar, não é?

— É claro que acho que há uma possibilidade de que ela possa estar apaixonada por você — disse Chantal, ruborizando sem qualquer motivo que Sylvain conseguisse decifrar. Quem não gostaria de estar apaixonada por você?

O quê? Lá no fundo, Sylvain começou a pensar.

— Mas você pode estar apaixonado por alguém e, ao mesmo tempo, usá-lo.

— Você saberia — Sylvain disse de maneira seca.

Ela era linda, e tinha uma longa história de, por um lado, permitir que idiotas a usassem e, depois, dessem meia-volta e, por outro lado, usar caras legais para fazê-la se sentir melhor... Ela havia sido, de fato, uma dessas amigas com quem ele havia fantasiado na escola e que, certa vez, ele havia seduzido com sucesso, com chocolate; isso quando ele tinha 16 anos e ela, 18.

Na manhã seguinte, ela havia processado a sedução como uma mancha na sua amizade, agindo de maneira gentil e, especialmente, bastante condescendente a respeito. Ele a perdoara, porque era louco por ela; estava ferido, mas louco por ela; e ela tinha seguido a vida com um dos idiotas com os quais gostava de sair na época.

Chantal enrijeceu. — Sabe, Sylvain, estou... Quase uma década mais velha agora...

Ele estava quatorze anos mais velho, porém o tempo corria um pouco diferente para Chantal, que resistia admitir já estar na casa dos 30 anos.

Com as pontas dos dedos, ela delicadamente tocou a palma da mão dele. — Você não acha que eu poderia ter aprendido a gostar de você?

Chantal sempre tivera um sentimento de posse quando ele saía com outras mulheres. Ela se sentia bem como amiga quando ele não estava namorando ninguém, mas sempre o queria de volta quando ele estava. Ela precisava de um cara legal em sua vida; só não sabia como se comprometer com alguém. Quando adolescente, a vida de Chantal fora um verdadeiro fracasso. Ele gostava dela e compreendia esses aspectos todos, daí sua tolerância em relação a alguns assuntos. Mas havia limites.

— Ela sabe o que quer — ele falou de repente.

— O quê? — Chantal olhou desconfiada.

— Ela merece um crédito. Ela pode querer me usar, mas ela quer *me* usar — e ele queria usá-la. Usá-la cada vez mais, de todas as formas possíveis. Mas também queria fazê-la sorrir. Queria que ela se enrolasse no abrigo de seu corpo quando o vento estivesse frio. Queria colocá-la sobre o balcão de sua loja e alimentá-la e aquecê-la com seu chocolate. — No início, ela queria o meu chocolate ou queria a mim, e foi buscar, e jamais pensou que pudesse querer outra pessoa.

— E Dominique Richard? — Chantal perguntou defensivamente. — Ela me disse que gostava mais do Dominique Richard.

— Estava mentindo. Ela é uma mentirosa convincente — na verdade, Cade era uma mentirosa muito erótica, isso sim! Fazia com que ele desejasse capturá-la... Hum, empurrá-la contra a parede molhada do boxe do banheiro dele, coisa que eles ainda não haviam tentado, e fazê-la admitir a mentira.

— Como você pode ter tanta certeza?

— Chantal — Sylvain olhou para ela e apenas balançou a cabeça. — Estou certo de que ela estava mentindo sobre Dominique Richard. Certo. Mas certo de que não vou me decepcionar, certo de que isso vai terminar bem? Acho que as chances são uma em cem.

— Você acha isso e, ainda assim, vai correndo atrás dela? — Chantal perguntou furiosa.

— É claro.

O segurança na sede da Firenze, em Bruxelas, não podia ligar para Cade para perguntar se poderia deixá-lo entrar ou não, mas era romântico demais para mandá-lo embora. Os românticos na vida tinham de ficar sempre juntos, lutar um pelo outro. Assim, aquele segurança finalmente decidiu escoltar Sylvain até ela, mantendo um olho bem aberto para ter certeza de que ele era quem dizia ser, e não algum fanático contra a globalização querendo jogar uma bomba.

Dessa forma, Cade não recebeu nenhum aviso sobre a chegada de Sylvain ao seu mundo. Ele sentiu os músculos do estômago apertarem quando se aproximou da porta, preparando-se para proteger-se de um golpe, proteger suas entranhas suaves como *marshmallow*.

Cade estava ao lado de uma mesa oval, perto de uma janela, virada para a velha cidade. A noite caía, fazendo com que a janela parecesse um pano de fundo escuro em relação à sala enorme e bem iluminada. No centro da mesa estavam os restos de uma espécie de torta de laranja, que parecia ter sido compartilhada entre várias pessoas em algum momento. O estilo de Cade era muito profissional: calças pretas, botas, uma camisa azul-clara, cabelo que, no final de um longo dia, podia ter perdido alguns fios do coque para emoldurar seu rosto, que, apesar de tudo, ainda se apresentava extremamente suave. Nada daquele batom brilhante que ela preferia restava em seus lábios. Um *blazer* preto, que ele suspeitava ser dela, estava pendurado em uma cadeira próxima. Ela estava conversando com um dos Firenze, gesticulando intensamente com uma das mãos e olhando frustrada e enérgica, quando o movimento na porta chamou sua atenção e ela olhou para Sylvain.

Ela ficou paralisada, seus lábios chegaram a se abrir para continuar a conversa que acontecia e sua mão parou no ar, na metade de um gesto.

Em seguida, seu rosto se iluminou. A intensa energia profissional fragmentou-se sob uma explosão de felicidade. — Sylvain.

A alegria tirou o fôlego do *chocolatier* francês. Ela se afastou do grupo como se as outras pessoas tivessem deixado de existir, levantando os braços para Sylvain ao caminhar em sua direção. Estava tão feliz e distraída que o segurança parou de tentar bloqueá-lo.

A mulher que um dia o havia enfurecido, tornando-o profundamente desconfiado por sua recusa a cumprimentá-lo, mesmo com os bises *de um conhecido casual, jogou os braços ao redor dele e o beijou com muita alegria* — ele pensou... Bem, na verdade ele pensou em todos os tipos de coisa.

Mas agora, ele só queria beijá-la também.

— Você veio! — Ela exclamou quando finalmente se endireitou. E em total contradição com as diferentes mensagens que enviara, vez por outra, disse: — Você não deveria ter vindo. Vai ficar entediado.

Ele deu uma risada baixa, incrédulo. Ele teria voado pelo mundo inteiro para saber o que havia acabado de saber. Ele mesmo teria feito isso duas semanas antes do Natal ou da Páscoa, quando não pudesse dispensar um único segundo do próprio trabalho.

— Por que você veio? — Ela reprovou sua escolha, mesmo enquanto pressionava seu corpo no dele, como se nunca pudesse chegar perto o bastante.

Porque ele tinha uma chance em cem, e não era nem um pouco burro para não aproveitá-la.

Sylvain abaixou-se com um sorriso para sussurrar no ouvido de Cade:

— Para tirar seus sapatos — a noite anterior o havia deixado louco de desejo. E ele queria ter certeza de que ela ainda era real. Queria ver um pouco do mundo dela. E ver a reação dela quando ele a visitasse em seu mundo.

Sa réaction était magnifique.

Ela ainda estava olhando para ele com os olhos brilhando como a maldita e tonta Torre Eiffel.

Ela ruborizou de repente. Porque ela havia, na realidade, feito tudo o que ele lhe dissera na noite anterior. Sylvain lançou-lhe um sorriso lento, muito lento, e seu rubor ficou maior ainda. Ele puxou-a com força contra si, sentindo-se instantaneamente muito excitado.

Não é algo que devesse acontecer em uma sala cheia de sócios de seus negócios. Ele a empurrou para longe, de maneira que ela não conseguisse mais tocá-lo, mas continuou segurando-a na cintura, para que ele não perdesse o escudo humano antes que sua excitação diminuísse por completo.

Quando ele estava seguro para mostrar-se publicamente, apertou as mãos dos irmãos Firenze, que já conhecera em outra ocasião, e de algumas outras pessoas que, de repente, queriam ser apresentadas. No início, foi divertido, pois ficava evidente que os bons alpinistas corporativos queriam conhecer a pessoa que alguém da família Corey estava beijando em público. Então, tardiamente, o alarme soou no meio da diversão. Nunca lhe ocorrera que uma consequência de namorar Cade era a de que ele poderia ganhar poder no mundo dela e ter de aprender a usá-lo com sabedoria.

Era um pensamento preocupante. Dava-lhe um diminuto vislumbre de como ela se sentia com todo aquele poder, quanta preocupação devia ser ignorar tal poder e focar, pelo menos por um tempo, no que *ela* queria, e não no número infinito de coisas que ela poderia ou deveria fazer com seu poder. Era uma maravilha ver que o lado pessoal dela não se fragmentara. Lembrou-se novamente de que pesquisara o nome de Cade no Google, bem como todas as referências que surgiam: artigos sobre negócios, instituições de caridade etc.

Ela não sabia como se livrar de tudo que poderia ou deveria fazer. Quando ele saiu da sala para deixá-la terminar a reunião, sentiu quase como se estivesse abandonando-a na areia movediça, sem mesmo jogar-lhe uma corda.

Ele se encontrou com uma amiga para uma cerveja belga em um *pub* na Place St. Catherine, mas ficou lá o tempo todo desconfortável, incomodado por aquele sentimento ilógico de que deveria voltar e resgatá-la. E sabia que ela ficaria indignada se ele tentasse mesmo.

Cade juntou-se a eles depois de uma hora ou um pouco mais, para o alívio de Sylvain. Pelo menos ele podia sacudir aquela imagem estúpida de areia movediça.

À noite, os cafés e restaurantes enchiam a Place St. Catherine com luzes e ação, e a igreja St. Catherine brilhava contra o belo céu escuro. Os chalés para a feira de Natal estavam começando a ser erguidos, mas ainda não preenchiam o espaço. Sylvain e Cade fizeram uma lenta caminhada pela praça depois que a amiga dele foi para casa.

— Então, é ela? — Cade perguntou abruptamente.

Como o pronome inglês "ela" pode significar qualquer coisa em francês, desde um lugar até uma pessoa, ele ficou confuso. — Ela é o quê? Quem?

— Uma namorada? Você dorme com ela? — Um de seus saltos balançou nos paralelepípedos irregulares. Ele pegou o braço dela com mais força para ajudá-la a recuperar o equilíbrio.

— Chantal? — Ele finalmente adivinhou em pensamento. Aquela era a única outra mulher que Cade já tinha visto com ele. *Enfin*. Pelo menos era o que ele imaginava. Ela poderia ter contratado algum detetive particular para tirar fotos dele durante todo o ano anterior.

A boca de Cade estava imóvel. Ele queria abaixar-se e tragar toda aquela teimosia que trazia consigo. Ela assentiu com a cabeça.

— Não. Saí com ela umas duas vezes quando estávamos na escola.

E aquela boca deixou sair uma pergunta fria. — Por que somente duas vezes?

Porque ela o havia abandonado, é claro. Agora, como admitir isso a uma mulher que ele queria impressionar? — Bem... — Ele arriscou um sorriso arrogante. — Você pode se surpreender ao saber que nem sempre fui tão gostoso como sou agora.

Isso não deve tê-la surpreendido, graças ao álbum de fotos montado pela mãe. No entanto, ela parecia ver aquele adolescente desajeitado por uma névoa lisonjeira.

Eles chegaram a Grand Place, e Cade estava ali à luz da Prefeitura de Bruxelas, com a boca lentamente formando um perfeito "o" de descrença conforme decifrava o que ele queria dizer. — Você quer dizer que ela *o* abandonou?

Cade era realmente muito, mas muito boa mesmo para o ego dele.

— Acho que ela era jovem e burra — Sylvain fingiu arrogância e simulou não se importar com o fora que levou da namorada no colégio.

— Também acho que ela era jovem e burra — disse Cade, sem rodeios, sem nenhuma pretensão em absoluto. — E acho que hoje ela percebe *quanto* foi burra.

Isso... Podia ser verdade. Mas se a amizade deles havia sobrevivido àqueles tempos, poderia sobreviver à paixão atual de Chantal por ele. Chantal estava novamente perdida, voltando-se para ele da maneira como sempre fazia quando estava preocupada por estar perdida. Um dia ela equacionaria sua vida amorosa e encontraria a pessoa certa. Na verdade, ele tinha uma ideia: a de talvez apresentá-la a Christophe Le Gourmand e matar dois coelhos com uma só cajadada. Ultimamente, era frequente ele fantasiar que estava batendo na cabeça de Christophe com uma pedra.

— E então, nada de amantes? — Cade inquiriu. Um verdadeiro buldogue, Sylvain lembrou-se.

— Eu não diria *nada* de amantes.

Parecia que ela havia acabado de ser golpeada. Por ele.

Sylvain queria estrangulá-la. Ele estendeu um dedo e bateu meio que forte no peito. — O que você pensa que é?

— Nada de outras amantes — disse ela, impaciente.

— *Neste exato momento?* É algum tipo de estereótipo francês? Aliás, essa ideia toda sobre nossa infidelidade espontânea *não* é verdadeira.

Ela soltou um suspiro irritado. — Não tem nada a ver com o fato de você ser francês. Você deve ter mulheres se oferecendo para você o tempo todo.

Ele deu uma risada. Aquilo fazia muito bem para seu ego. — Pensei que você tivesse percebido isso a meu respeito, Cade. Só coloco o que há de melhor em minha boca.

Agora ela se calou e ficou bem corada.

Ele apertou sua mão, satisfeito com o efeito. — *Alors, comment ça va?*

Ela ficou em silêncio por muito tempo. — Sabe quando, às vezes, você tem de trabalhar duro por alguma coisa, e não quer isso, mas precisa fazê-lo de qualquer jeito?

— Não — ele disse, sem rodeios. Ele trabalhava pelo que queria. Não perdia tempo no que não queria.

— Ah — e de novo ela ficou em silêncio por um bom tempo. — Bem, tem sido assim comigo. Não sei se vamos ganhar isso ou não. Estou trabalhando em um acordo com os irmãos Firenze, mas o problema é que queremos, ambos, as mesmas partes da Devon Candy, e igualmente não queremos as outras mesmas partes. Portanto, pode ser que não sejamos capazes de consolidar essa fusão. E não importa o que viermos a oferecer juntos. A Total Foods provavelmente vai aceitar a primeira oferta e bater o martelo. Vai ser uma guerra de lances, e não sei até quanto poderemos oferecer. Meu pai está trabalhando até com a possibilidade de um financiamento.

— Vamos voltar ao que você começou a dizer, sobre trabalhar por algo que você não quer. Isso é mais interessante. Eu quero saber como *você* está se saindo.

Cade lançou-lhe um olhar perplexo, como se seu francês, de repente, tivesse falhado, ou como se ele tivesse começado a falar com ela em flamengo, o idioma típico da região de Flandres. Isso acontecia muito com ela, mas quando as pessoas lhe perguntavam como ela estava se saindo, elas queriam dizer o que a empresa estava fazendo para vencer.

— Porque pensei que você disse... Que estava procurando algo diferente. Que você não queria que sua vida continuasse assim.

Ela queria que sua vida fosse a vida dele, o caminho dele. O que ele tivesse a oferecer.

Ela parou em frente à Maison du Roi, ou Casa do Pão, como os flamengos preferiam chamá-la, e ficou com a cabeça inclinada para trás, olhando para a Renascença simétrica e ornamentada a sua frente. Risos e uma conversa descontraída fluíam entre eles, e grupos passavam ao lado. Mais belgas do que turistas estavam cruzando o local naquela época do ano, a maioria de grupos de amigos descontraídos, saindo dos *pubs*.

Ela ficou em silêncio por um longo tempo, antes de finalmente falar, em voz baixa e de maneira cruel:

— Se eu ganhar isso, posso ficar aqui. Vamos precisar de alguém para gerenciar a fusão das empresas, a venda das partes, o novo Chocolate Corey na Europa.

— Cade, por que você faria isso? Por que isso, quando você não quer administrar a Corey Europa? Você quer muito fazer outra coisa.

Ela mordeu o lábio, mas manteve os olhos nos dele. — Porque eu poderia ficar aqui — ela sussurrou.

— O que significa ficar aqui, se você traz consigo o mundo do qual queria fugir?

Ela fechou e abriu os punhos, apertando as unhas nas palmas das mãos. — Sylvain — ela disse baixinho, como se machucada. — Por que você não percebe?

Era como se ele tivesse levado um golpe. — Por... Mim? Você faria o que não quer fazer por mim?

— É um compromisso. Fico aqui. Continuo uma Corey.

— E você?

— Como?

— Não entenda mal. Eu quero você aqui. Mas onde você fica em tudo isso? Você fica aqui por mim, continua uma Corey para o seu pai e para a Chocolate Corey. O que você faz por si mesma?

— Fico aqui — disse ela baixo. — Com você.

Ele puxou-a em direção aos seus braços e segurou-a com força, o coração disparando, quase levantando voo. — Além disso, se você quer ficar em *chocolateries*, então você deve saber produzir.

Ela afastou-se dele e enfiou as mãos nos bolsos de sua jaqueta, arqueando os ombros. — Sou boa nesse tipo de coisa. É uma empresa familiar, e tenho muita responsabilidade em relação a um monte de gente. Talvez eu devesse ter escolhido o caminho da minha irmã e recusado qualquer responsabilidade desde o início. Mas agora eu tenho, e... Eu não consigo ver de outra maneira.

— Por que não? Se você sabe traçar planos de cinco anos, e sabe como negociar uma contraproposta conjunta para outra empresa de vários bilhões de euros, parece que é capaz de traçar qualquer estratégia de saída pessoal que desejar. Você não vai me dizer que não tem inteligência para encontrar uma solução.

Cade franziu bem as sobrancelhas e lançou-lhe um olhar longo e pensativo, como se estivesse tentando ver-se refletida nos olhos dele.

Bom. Até onde sabia, ele tinha uma ideia precisa de seu caráter, bem como de sua inteligência e paixão. Assim, podia fazer bem a ela tomar um segundo para olhar a si mesma pelos olhos dele.

Ele a olhou por um longo momento enquanto estava naquela bonita Grand Place, cercada pela prefeitura e por órgãos públicos. Suas botas de salto levavam-na até o queixo dele, em vez de até o ombro, mas ele duvidava que ela as usasse porque tivesse necessidade de mais altura. Como as pessoas que haviam construído as entradas dos edifícios daquele lugar, ela parecia bastante confiante em relação ao seu direito de dominar qualquer situação.

Ela provavelmente conseguiria dominá-lo usando jeans, mas fazia questão de se vestir bem para tratar de negócios. Talvez fosse uma expressão do próprio orgulho. Talvez fosse um pouco como a insistência de Sylvain quanto a usar trajes profissionais mesmo no próprio *laboratoire*, e mesmo quando vinha tarde da noite.

Além disso, ela gostava de apresentar-se com um bom visual, ele pensou com um sorriso, lembrando-se de algumas de suas roupas mais sensuais. Ela gostava de roupas.

Em qualquer desses dias, ela provavelmente caminharia de uma loja a outra para encontrar os *designers* da rua Faubourg St-Honoré, como a maioria das mulheres ricas fazia. Sylvain ficava encantado sobre como Cade fazia a compra de roupas ficar em segundo plano, assumindo outras coisas, como o chocolate, como prioridade. Mas um dia ela iria percorrer a rua famosa, e ele estava ansioso para ver o que ela traria para casa.

Ele cerrou o punho dentro do bolso do casaco, educando-se a ter cautela com tal visão, porque isso envolvia a ida dela a seu apartamento, passando pela porta nos braços dele; já os braços dela estariam carregados de futilidade, que ela despejaria no chão da sala do apartamento, para mostrar-lhe. A casa a que ela viria, em outras palavras, era dele.

O problema é que sempre que ele a imaginava fazendo algo no futuro, ele queria, de algum modo, ser parte do que ela estivesse fazendo, fosse ouvindo um relato ao final do dia ou acompanhando-a em plena ação. Em sua visão favorita do futuro, ela estava lá com ele.

Em sua visão do que ele queria do mundo, havia uma infinidade de momentos belos, assim como aquele, com a luz da prefeitura dourando o queixo e brilhando no cabelo de sua amada, na noite fria do hemisfério norte, que o fazia querer puxá-la e aquecer a ambos.

— E você sabe o que mais? — Ela indagou com a voz levemente hesitante, como se aquela fosse a última gota de água. — Hoje é dia de Ação de Graças. E os irmãos Firenze nem mesmo sabem o que vem a ser uma simples torta de abóbora.

— A-ção-de-gra-ças. Deve ser um dia importante para você, certo? O único dia do ano em que os americanos comem uma refeição de verdade, ou algo assim...

— Sylvain. Você não está ajudando — mas ela soava como se ele estivesse ajudando, acrescentando certo humor frustrado para compensar a hesitação.

Ele passou um braço ao redor de seus ombros. — Em que hotel você está?

— Vou cair na cama e desmaiar — ela o alertou com tristeza.

— Uma vítima vulnerável. É assim que eu gosto.

Ela realmente estava muito cansada e sonolenta, sorridente e dócil, como se cada toque da mão de Sylvain retirasse o último fio de tensão para fora dela e, retirando a tensão, também retirasse toda a sua energia. Ela praticamente se transformara em uma boneca sua, porém mais humana, mais quente, cedendo com sons suaves a cada toque.

Aquilo, também, era erótico. Quando ela atingiu o prazer, foi como se as ondas do próprio orgasmo a embalassem para dormir. No momento em que ele atingiu o orgasmo, apenas alguns segundos depois, pensou que ela já pudesse estar dormindo, recebendo-o em seus sonhos.

Ele virou-se para o lado, ainda dentro dela, apoiado no cotovelo, observando-a, uma das mãos acariciando suas costas e seu traseiro.

Sentia o pequeno corpo contra o seu, frágil, embora soubesse que ela não era; mas o corpo era suave e muito, muito bonito. Seu cabelo castanho liso, agora livre do coque, deslizava e acariciava a pele de ambos a cada movimento respiratório. Naquele momento, ela era toda sua, mas já o estava deixando, pois seus sonhos levavam-na para lugares sobre os quais ele não tinha nenhuma ideia.

Uma vez ela lhe perguntara se ele já havia tentado chegar ao coração de uma mulher. Ele supunha que, assim como na porção final de seus chocolates suaves, era bom que ela não pudesse ver o esforço por trás de tudo.

Capítulo 29

Três semanas depois...

Nas vitrines de Sylvain Marquis, *Chocolatier*, cresceram enormes e rústicas árvores de Natal feitas de chocolate, galhos toscos como que esculpidos a partir de um bloco sólido, polvilhado com branco. O primitivismo da maneira com que tais galhos tinham sido esculpidos, a profundidade de campo, a quantidade e a iluminação tornavam-nos dramáticos, misteriosos, como se o espectador pairasse à beira de alguma floresta vasta, antiga e plena da quietude da neve. Era algo bonito, cheio de encanto, e apenas um pouco perigoso, como uma noite coberta de neve; convidava a avançar e perder-se entre as árvores. Escondida na floresta estava uma cabana, sendo o chocolate moldado para dar a impressão de algo velho, gasto, um pouco torto, uma forma cujo pico poderia ser uma estrela. A cena poderia ser a de um lugar para que *le Père Noël* parasse, ou um aceno sutil para um estábulo estrelado, ou poderia ser apenas uma cabana na floresta em uma noite de neve. Apesar de sua aparência primitiva, o detalhe, visto de perto, era primorosamente belo: uma vela, as pegadas de um pássaro no peitoril da janela etc.

E em todos os lugares, todos mesmo, estavam sinais de passagem, sinais que podiam significar um presente ou um roubo. Alguém havia deixado uma pegada na "neve" polvilhada de açúcar. Uma noz de chocolate havia rolado a partir da cavidade oca de uma árvore, como se alguém tivesse dado uma espiada em um ninho de esquilos para se esconder. Havia marcas de um trenó que teria passado pelo telhado da cabana escondida dentre as árvores. Em miniatura extraordinária havia, na mesa da cabana, uma caixa de chocolates Sylvain Marquis: a pequena caixa em si era feita de chocolate branco colorido. A caixa estava aberta, porém vazia; alguém já havia comido ou levado o chocolate.

Os olhos paravam e examinavam a cena, tentando achar a pessoa ou criatura que havia passado, cujo rastro fora deixado. Mas ela ou ele não estava ali; havia só um mistério.

Cade ficou muito tempo na frente da vitrine, com uma das mãos apertando levemente a alça de sua mala de rodinhas. Tinha sido uma semana difícil. Um mês difícil. Eles haviam falhado. A Total Foods havia superado a oferta da Corey, e eles, então, haviam perdido a Devon Candy.

Perdido a Europa. Perdido o direito de Cade a estabelecer-se na Europa.

Justificativas à parte, ela tivera uma longa conversa com o pai, que ainda estava às voltas com a perda adicional que a filha despejara sobre ele.

Ela não tinha visto Sylvain uma única vez naquela semana. Com as exigências de chocolate na época do Natal sobre ele, e a proposta da Devon Candy sobre ela, as viagens de Paris a Bruxelas haviam ficado cada vez mais esporádicas e de difícil gerenciamento. Ela sempre sabia quando Sylvain acordava, porque a primeira coisa que o *chocolatier* fazia pela manhã era enviar-lhe uma mensagem de texto, algo engraçado ou sexy ou apenas *tu me manques*,[24] e a última coisa à noite era ele ligar para ela ou ela para ele. No entanto, ela não lhe havia contado que estava voltando para Paris naquela noite. Ela não tinha feito nada nem falado com ninguém, exceto com o pai e a família desde a consolidação do fracasso em relação à compra da Devon Candy.

Ela precisava envolver-se nos aromas e sabores da *chocolaterie* de Sylvain. Invadiu o *laboratoire* com a cópia da chave que Sylvain nunca pedira de volta e do código que ele nunca mudara. Dentro do *laboratoire*, os aromas causaram um formigamento nos cabelos em sua nuca e no pescoço, bem como um arrepio de liberação em todo o seu corpo, como o primeiro toque de calor que se sente ao vir do frio para um lugar quente. Ela ficou quieta por um momento, fechou os olhos e apenas respirou. Então, atravessou o *laboratoire* vazio e foi para a loja, estudando as vitrines por outro ângulo. Os sinais do passeio pela floresta também podiam ser vistos do lado de cá. Dentro da loja, ela ficou imersa na floresta do inverno; os clientes seriam tocados por algo cheio de magia que, agora, já havia passado, ou seja, que eles não mais podiam encontrar. Nas vitrines, o chocolate "dela" estava à venda; era aquele amargo e escuro, que ele havia feito chegar até sua porta.

24. Sinto sua falta. (N.T.)

Ele o havia denominado *Amour*.

Ah. Ela sentiu o nome como um golpe contra seu plexo solar, e foi perdendo o fôlego. Escuro, rico, amargo, amor que se derrete silencioso.

No escritório, o laptop estava fechado e a mesa limpa, tudo ordenadamente arquivado. Mas havia uma Barra de Corey na frente dele, como se tivesse sido a última coisa tocada antes que a pessoa que ocupava aquela mesa tivesse se levantado.

Ela estendeu a mão e, com os dedos, percorreu a embalagem para delinear as letras de seu nome.

— Então, você está de volta — disse uma voz atrás dela.

Cade sentiu um arrepio nos pelinhos dos braços, na nuca e no pescoço. A maneira habitual como o feiticeiro a surpreendia no escuro. — Você sabe que eu não podia ficar longe.

Ele veio por trás dela, até que o corpo de sua amada ficasse preso entre as pernas dele e a mesa. A nuca se sentia muito exposta. — Não sei se eu já lhe disse, mas estou procurando um novo aprendiz.

Aprendiz de feiticeiro. Sua voz, rica e misteriosa como a noite e sua arte, soou como se estivesse trocando de corpo e alma. O cheiro do chocolate de Sylvain estava por toda parte, inundando seu escritório desde o *laboratoire*.

— Você está precisando de um... *Maître?* — Decididamente, ele desenhou pausas e sombras em torno da última palavra. Mas, decididamente, ele não disse *maître chocolatier*. Apenas *maître*.

O corpo de Cade arqueou-se involuntariamente. Sua cabeça caiu para trás para tocar o peito de Sylvain. Ele a pegou pelos quadris, recusando-se a deixar que seu peso ficasse totalmente contra o dele.

— *Tu es cruel*, Sylvain — ela sussurrou. — Não o vejo há semanas.

— Eu sei — disse ele. — Já não aguento mais. Ele enrolou os cabelos dela em sua mão e puxou a cabeça mais para trás, inclinando o corpo dela como um arco. Um arco para a sua flecha. Sua outra mão correu pelo corpo que estava junto ao seu, desde as coxas até o peito. — Venha, permita-me ser cruel com você — o fogo se fez em todos os lugares diante do toque de sua mão. — Ah, Deus — ela sussurrou, quase que inaudível. — Adoro quando você é cruel comigo.

— E eu adoro ter você *à mon merci* — ele sussurrou em seu ouvido. Ainda mantendo a cabeça de Cade inclinada, com a mão em seu cabelo, ele puxou seus quadris para trás, inclinando ainda mais o arco que formava com o corpo dela. Usou a pressão da mão entre as pernas dela para forçar seu corpo em seu sexo. Sua respiração mal formava um som no ouvido da amada. — Porque estou em você.

Ela tremia de desejo. O desastre de ter perdido para a Total Foods, sua última conversa com o pai antes de voltar a Paris... Tudo aquilo ficou longe, fugindo das sombras profundas e do brilho daquele momento. — Uma aprendiz não deve satisfazer o mestre? — Ela indagou sussurrando. O corpo de Sylvain movimentava-se com força para a frente e para trás contra o corpo de Cade, sendo que a palma da mão dele pressionava sua prisioneira contra o sexo dela. Ela estremeceu inteiramente. — Você já me satisfaz — falou ele, em voz baixa e gutural. — Já.

Ela girou o corpo e empurrou Sylvain sobre a mesa.

Ele agarrou a beirada da mesa e pôs-se a observá-la, com seus olhos negros ardendo.

Ela pegou os jeans dele.

Com as mãos, Sylvain apertou a borda da mesa. — Cade, não faça isso comigo. Você sabe quanto tempo *dura* um verdadeiro aprendizado? Não brinque com a ideia, a menos que você esteja planejando ficar, pelo menos, durante todo esse tempo.

— Vou fazer o que quero com você — ela livrou-o das calças jeans. A cabeça dele inclinou-se para trás até que ela pudesse ver todos os músculos fortes de sua garganta. — Você faz comigo.

Ele fechou os olhos. — Cade. *Ne me touche pas. Bordel.* Cade. *Arrête.* Mas ele não a agarrou nem a impediu. — Se você não pode prometer que vai ficar, é melhor desistirmos *agora. Putain* — movimentando o corpo sem defesa. Era tão estranho ver todos os músculos do seu corpo tensos, para saber exatamente a força que tinha e, no entanto, ainda sentir tanto poder.

— Você não está acostumado com isso — ela disse admirada. As outras mulheres eram loucas? Ele deixou um som escapar. Tal som não podia realmente ser entendido como uma palavra completa.

— Você não está acostumado que alguém o seduza.

— Mais sutilmente — ele conseguiu falar com a voz rouca. — Muito mais sutilmente. Mais como... Lábios sutilmente carnudos. *Você realmente vai ficar?*

— Posso ficar com os lábios carnudos — Cade declarou, ficando de joelhos.

— *Ah, putain* — a respiração de Sylvain estava bem forte. Ele se sentia tão impotente com ela... Ela estava eufórica com sua sensação de poder.

— *Sei* que o amo — ela afirmou e o lambeu.

— Ca-ade.

— Você quer que eu fique? — Ela reconhecia que se tratava de uma pergunta capciosa, questioná-lo bem naquele momento.

Ele agarrou seus ombros com tanta força que chegou a machucá-la, finalmente refreando-a. Seus olhos estavam abertos novamente, brilhando com muito mais ardor do que o chocolate. — Cade, cada sonho que tenho é com você no meu apartamento, com você no meu *laboratoire*, com você com nossos bebês, com você fazendo o jantar para nós em uma noite fria... E rimos muito, dançamos e... Sempre juntos. Cada chocolate que fiz desde que a conheci, eu fiz para você. Via o seu olhar nas minhas mãos enquanto eu fazia chocolate; pensava na maneira como o chocolate derreteria na sua língua. Não... Brinque... Comigo... Não vou aguentar isso.

Ela olhou para ele, não mais eufórica com o próprio poder, mas impotente e espantada. — Sério? Você também quer isso?

De repente ele deu uma gargalhada de alegria e puxou o corpo de Cade para cima do seu, sem precisar de muita força. — Você pode inclusive ter o meu nome — disse ele em sua boca, entre beijos e mais beijos, enroscando suas pernas nas dela, arrancando suas roupas. — Mas, por favor, não o coloque nas Barras Corey.

— Ah! — Mesmo naqueles segundos, quando ele tirava as calças jeans dela, Cade teve uma ideia bonita e repentina. — Barras *Cade Marquis*!

Ele dirigiu-lhe um olhar duro e vingativo diante da ideia mesclada com o desejo. — *Non* — disse ele com a voz rouca e firme.

— *Mon Dieu, qu'est-ce que je t'aime.*

— *Moi, aussi* — ela colocou seus braços ao redor dos músculos magros e firmes das costas de Sylvain. — *Moi, aussi.*

Capítulo 30

Se Cade continuasse a ficar excitada com a *chocolaterie*, talvez ele devesse procurar um apartamento mais próximo, pensou Sylvain um pouco mais tarde. Ou talvez colocar uma cama no escritório. A distância de duas quadras do apartamento até o *laboratoire* era ótima quando ele apenas precisava caminhar de um para outro, mas em uma meia-noite fria de dezembro, pareceu uma longa caminhada para algumas carícias após o sexo.

E o apartamento que Cade havia alugado para espioná-lo não era nada confortável nem tinha uma cama aconchegante, ele pensou, espremendo-se sobre o colchão duro ao lado dela. Mas, por enquanto, estava bom. Tinha uma escada memorável e um delicioso e apertado elevador que ele havia acabado de descobrir.

Talvez Cade pudesse comprar o andar superior e transformá-lo em uma cobertura, ou algo parecido. Ele projetaria a cozinha.

A luz que haviam ligado quando abriram a porta agora brilhava intensamente para dentro do quarto. Ele puxou o edredom sobre eles feito uma tenda, como se fossem crianças brincando. Sentiu-se tão animado quanto uma criança, mas foi a primeira vez como adulto que sentiu tamanha intensidade e alegria.

Seu dedo traçou um caminho pelo ombro dela até chegar ao braço. — Meu nome em *você* — ele disse pensativo. — Sério? Você disse isso mesmo?

Ela também parecia pensativa e intrigada. — Você se esqueceu de que nos conhecemos faz menos de dois meses? E eu não namoro alguém por tanto tempo assim desde o ensino médio.

O coração dele afundou como uma pedra. — Ou seja, você quer esperar, testar um pouco mais a nossa relação — *putain de bordel de merde*. Por que ela não conseguia sentir a mesma certeza absoluta que ele sentia?

— Não — os olhos azuis dela encontraram os dele, um olhar direto que descarregou eletricidade. — Já testei tudo o que precisa ser testado. Sei muito bem o que quero.

Sylvain encarou aqueles olhos azuis, tão largos e dilatados nas sombras sob as cobertas. — E eu sou assim.

Ela estendeu a mão apenas para tocar as pontas dos dedos em seu peito nu. Ele podia sentir seu coração batendo forte contra eles. Pode ser possível morrer de orgulho com a reivindicação daquela mulher sobre ele. — E você é assim.

— *Dieu* — ele puxou-a com força em seus braços. — Como pode alguém ter tanta sorte?

— Sorte não teve nada a ver com isso.

— De todas as *chocolateries* em Paris, você entrou logo na minha.

— A última coisa que eu poderia imaginar é que você, dentre todas as pessoas, creditaria à sorte o fato de eu ter entrado em sua *chocolaterie*. Na de quem mais eu entraria?

Ele pressionou a testa contra a dela. — Você entendeu mal. Eu sei do meu mérito, Cade. Eu sei por que você entrou na minha *chocolaterie*. E também sei exatamente quanto esforço precisei empregar para você querer algo além do meu chocolate.

— Ótimo. Ficaria confusa se você subitamente começasse a bancar o humilde.

No entanto, ele sentia-se humilde. Não sobre suas realizações, muito pelo contrário, mas humilde em relação a Deus, à sorte, ao destino, qualquer que fosse a força que a tivesse atraído para ele. — Para a minha sorte, dentre todas as pessoas, foi você ter entrado em minha *chocolaterie*. Você.

O sorriso dela floresceu. — Então, sou especial?

— Cade — ele a abraçou com intensidade. O coração das mulheres sempre foi algo inexplicável. — Como você pode não saber disso?

Ela não respondeu, moveu os dedos lentamente, acariciando os pelos do peito dele.

— Você quer mesmo se tornar minha aprendiz?

Ela abriu um breve e insolente sorriso, aparentemente focada em seu peito.

— Minha aprendiz de chocolate — Sylvain esclareceu. — No *laboratoire*.

Os olhos dela brilharam. — Você me aceita?

Aquele terreno era muito mais complicado do que o do próprio casamento. Ele sentia-se absolutamente certo sobre o casamento. — Você assinaria um contrato, concordando em nunca usar o que aprender comigo na Corey Chocolate?

— Sim. De qualquer forma, não trabalho mais lá.

Ele ficou olhando para ela. Mudo, pego completamente de surpresa.

— Entretanto, ficarei disponível para consultas, algo que meu pai ainda espera aproveitar muito, e permanecerei com a mesma quantidade de ações, o que me deixa uma parte muito interessada, apenas vamos ter de contratar alguém para assumir minhas tarefas. É um duro golpe para o meu pai — seu rosto estampava tristeza. O golpe não foi só duro para o pai, mas para ela também. Ele sentiu-se lisonjeado com a escolha que ela fez. — E para o meu avô. Mas a concorrência para cargos executivos é bastante acirrada. Tenho certeza de que vamos encontrar alguém perfeito para o trabalho.

Ele continuou olhando fixamente para ela. — Você teve uma semana difícil.

— Sim, um pouco — ele sentiu com toda a intensidade o longo suspiro dela contra seu corpo. — Mas — ela abriu a mão com uma simples finalidade —, sempre soube o que eu queria.

Ele emoldurou o rosto dela com as duas mãos e a encarou com espanto. Ela sabia, sem sombra de dúvida, o que queria: "ele".

— O que eu mais queria — corrigiu-se depois de um momento. — Eu sempre soube o que eu mais queria.

— Então você *vai* ser minha aprendiz de chocolate — ele disse, completamente encantado com a ideia.

— *Meio período* — ela concordou. — Eu poderia iniciar um pequeno trabalho de capital de risco. Trabalhar com pessoas que querem fazer sucesso com seus próprios *chocolateries*, com suas próprias *pâtisseries*.

Ele puxou uma mecha de cabelo como um gesto de repreensão. — Você simplesmente não consegue abandonar todo o senso de responsabilidade em relação ao resto do mundo, não é?

— Culpa existencial — ela encolheu os ombros com descaso.

Ele ficou de barriga para cima, puxando a cabeça dela para cima do peito, acariciando seus cabelos, sonhando com uma vida assim. — Nunca se sabe, posso até fazer uma barra de chocolate "Cade Marquis". Podemos considerá-la um presente de noivado. Uma barra especial e *artesanal* "Cade Marquis" que venderíamos apenas na minha loja.

Subitamente, os abraços dela o apertaram com intensidade, ele mal conseguia respirar, deixando-o orgulhoso com o sucesso do presente. Mas tudo o que ela disse, dentro do peito dele, parecia mais um murmúrio provocante: — Quando a demanda ficar muito alta, e você quiser vendê-lo por uma fortuna para uma empresa que possa lidar com sua produção em massa, me avise.

Ele riu, e usou o dedo para escrever uma palavra invisível nas costas dela, delicadamente, como se estivesse escrevendo em um chocolate: *Je t'aime.*

Epílogo

Dois dias depois, Sylvain estava esculpindo uma árvore de Natal, que em breve seria decorada com ornamentos cheios de *ganache* para as festividades natalinas do Palácio do Eliseu, quando dois homens invadiram seu *laboratoire*. Inicialmente, ele nem sequer olhou para cima. Ele era considerado o melhor *chocolatier* de Paris, e aquela era a época de Natal. As pessoas precisavam ficar fora do seu espaço de trabalho. Mas Cade, que estivera rondando sua escultura, observando-o, totalmente concentrado a usar o cinzel, o que o fazia apalpar e ficar desajeitado, enrijeceu.

Sylvain olhou de lado para ela, imediatamente ficando nervoso. Nem mesmo sua mãe tinha conseguido deixar Cade visivelmente nervosa. Ele se endireitou e prestou atenção.

Nenhum dos homens era alto, embora o homem na casa dos 50 anos exercesse certa impressão sobre ele. Ambos se comportavam da mesma maneira que Cade, como se fossem donos do mundo inteiro.

— Sylvain Marquis — disse o homem de 50 e poucos anos, de cabelo grisalho bem cortado e a voz firme. — Sou Mack Corey. Então você é o homem que está tentando roubar minha filha.

Sylvain encolheu os ombros e disse: — Ela queria roubar o melhor. E eu também.

A rigidez de Cade desapareceu.

— E não estou tentando roubar sua filha. Eu já fiz isso. Então se você veio aqui para tentar desfazer o que está consumado, terá de sair do meu *laboratoire*.

Cade ficou sem saber o que fazer, olhando para Sylvain e tomada por um terrível choque. Talvez ela estivesse acostumada com as pessoas tendo muito mais cuidado em relação a seu pai.

Mack Corey estudou-o por um longo momento e, finalmente, resmungou. — Bem, pelo menos gosto de você. Isso já é alguma coisa.

O homem que devia ser o avô de Cade, James Corey, estava analisando todo o *laboratoire* com ambição nos olhos. Ele parecia incrivelmente ágil para um homem de 82 anos, com muitas rugas e o cabelo totalmente branco, porém ereto e orgulhoso. Sylvain não havia percebido que o chocolate ao leite era tão saudável. Devem ser os ácidos esteáricos.

— Um francês de verdade, honesto, bom e consagrado, um esnobe *chocolatier* — falou o patriarca dos Corey com satisfação, olhando Sylvain de cima a baixo, como se Sylvain fosse uma pintura a ser comprada e adicionada à sua coleção. A família tinha um talento realmente irritante naquele modo de olhar. — Tenho de admitir, Cade. Nunca pensei que alguém conseguiria trazer um desses para a família. Como conseguiu fazer com que ele deixasse de ser educado com você?

— Pela família? — Mack Corey ficou alerta. — Vocês dois já estão conversando sobre família? — Ele lançou a Sylvain um olhar especulativo, como se estivesse analisando seus genes quanto à capacidade de produzir futuros CEOs.

— Tenho certeza de que estão — disse o ancião Corey. — Ela não perde a cabeça com facilidade, mas quando a perde, fica parecida com uma de suas guilhotinas — ele fez um gesto que imitava o corte do pescoço, junto com um som que provavelmente devia representar o ruído de uma lâmina. — Já era.

— Do que você está falando? — Cade exigiu saber indignada. — Quando foi que perdi a cabeça antes?

Sylvain sorriu. Ele não conseguia se conter.

— Nunca — James Corey admitiu. — Geralmente você é muito serena e controlada.

— Ela é *o quê?* — Sylvain interrompeu. Cade vinha agindo sem nenhum controle desde o momento em que ele a conhecera. Teria ela ficado assim *só por causa dele?*

— Eu estava começando a me preocupar, achando que ela acabaria assim como o pai — James Corey confidenciou.

Mack Corey lançou um olhar frustrado ao pai. Cade deve ter concluído que seu pai havia levado mais coices naquela semana do qualquer homem conseguiria suportar. Ela saiu do lado de Sylvain para abraçar o pai.

Quando os braços do pai a envolveram, Sylvain endureceu, com um medo irracional de que o outro homem fosse levá-la em sua limusine e desaparecer com ela.

— Você veio a Paris para tentar me convencer de que mesmo? — Ela perguntou ao pai.

— Não. Vim para encontrar um apartamento. Seu avô e eu estávamos pensando que é hora de termos um *pied à terre* aqui.

Até ver a felicidade crescer no rosto incrédulo de Cade, Sylvain percebeu que não tinha de fato entendido quanto deixar a família havia custado à amada. — Além disso, tivemos um dia de Ação de Graças terrível, então pensei que seria bom que a família inteira se reunisse em Paris para o Natal. E começasse a conhecer a nova família. Agora estamos mais próximos da Costa do Marfim, de maneira que podemos conseguir que Jaime chegue aqui para o feriado.

— Tenho 82 anos e nunca passei o Natal em Paris — James Corey contou. — Você consegue imaginar isso?

A mãe de Sylvain tinha 53 anos e nunca havia hospedado quatro bilionários para o Natal. Ou seja, ela ia ter de se acostumar com a ideia rapidamente. — Vocês não vão tentar me convencer do contrário? — Cade perguntou admirada.

— Já tentei isso — Mack Corey respondeu com certa amargura. — E não funcionou. — Não se culpe por isso, filho — seu pai lhe disse de modo simpático. — Não funcionou nem comigo! Assim, não se culpe, estamos no mesmo barco.

Mack Corey lançou ao pai um olhar que denotava muita paciência e recusou-se morder a isca. — Além disso, você passou todo o tempo mentindo para mim a esse respeito, Cade, e isso não ajudou em nada. Você poderia ter falado sobre isso em outros termos, e não como se fosse uma decisão comercial de vez em quando.

Cade parecia completamente atônita.

— Então, viremos para visitar. Você já encontrou um bom corretor de imóveis aqui? — Cade se controlou, piscando lentamente, piscando satisfeita. Pai e filha podiam ter trabalhado juntos a vida toda, mas seu pai, com trinta anos de experiência a mais do que ela, claramente havia conseguido pegá-la de surpresa.

Sylvain começou a sorrir. — Então, só por curiosidade, o que você quer da vida? — Ele indagou ao seu novo *beau-père*.[25]

25. Sogro. (N.T.)

— Que minhas filhas sejam felizes, que a Corey domine o mercado de chocolate e que minha família possa herdar a Terra — respondeu Mack Corey prontamente. — Não acho que isso seja pedir demais, não é mesmo? Não adianta muito ter dinheiro se seus próprios filhos se sentem infelizes com ele. *Certo, pai?* — Acrescentou com amargura. — Entretanto, se vocês dois puderem começar a trabalhar no negócio da família, então não terei de esperar até os meus 95 anos para me aposentar. Seria ótimo se vocês aceitassem.

Sylvain enrijeceu. — Espere! Por quê? Você não acha que um dos *meus* filhos vai administrar a Corey Chocolate... Ou acha?

— Filhos? — Disse uma voz vinda da porta da loja. Sylvain olhou sobre os ombros dos homens da família Corey e viu sua mãe e Natalie avançando, com sacolas de compras de Natal penduradas em cada braço. Atrás delas, Chantal, igualmente carregando sacolas de compras, havia parado ainda na entrada. As três mulheres tinham em comum o fato de adorarem fazer compras. — Vocês dois estão falando sobre *filhos?* — Marguerite estudou Cade, como que analisando seus genes. Toda a hostilidade desabou de seu olhar para ser substituída pelo mais absoluto prazer.

— Seu filho, presumo, quer se casar com a minha filha — contou-lhe Mack Corey, estendendo a mão.

Marguerite olhou para a mão dele de maneira totalmente confusa, ignorando-a, e partiu diretamente para *bises* entusiasmados nas bochechas de Mack Corey. Quatro *bises* entusiasmados por causa da sua excitação. — *Mariage? Sylvain, tu veux te marier? Enfin! Enfin!*

Além da alegria, ela se virou e encheu o rosto de Cade de *bises*. — Ninguém na sua geração se casa! Sylvain, nunca pensei que você se casaria! Você vai usar branco? — Ela perguntou a Cade, demonstrando grande ansiedade. Novamente apertando as mãos da moça, ela olhou para o céu, fazendo Sylvain suspeitar de que sua mãe estivesse orando por ele: — *Un mariage.*

— *Vraiment?* — Natalie parecia animada. — Isso vai ser divertido. Posso ser uma *demoiselle d'honneur?*

— *Un mariage?* — Uma das vozes menos favoritas de Sylvain inquiriu. Christophe. Sério, ele nunca mais permitiria a entrada de outro blogueiro de culinária em sua loja enquanto vivesse. O cara era pior do que pulgas. Ele só ficava pulando em volta do *laboratoire* de Sylvain. Christophe parou ao lado de Chantal na entrada e achou Cade um pouco melancólica. — Acho que eu deveria ter esperado por isso — comentou com Chantal, de quem estava bem próximo. — Os dois são por demais melodramáticos a respeito de tudo.

— Sim — concordou Chantal resignada. — Acho que eu também deveria ter esperado por isso. Mas não o fiz.

— Bem, quem vai se casar? Isso está tão fora de moda...

— Ele é romântico — ponderou Chantal. — E ninguém pode convencê-lo a deixar de ser.

Christophe virou a cabeça para realmente olhar para Chantal pela primeira vez. Ele piscou. Então, de repente, ele se abaixou para *bises* de apresentação. — Sou Christophe. Um amigo de Sylvain. Você gosta dos românticos?

Um amigo? — Sylvain pensou, indignado até que se distraiu. Cade o abraçou e olhava para ele, parecendo tão plena, tão feliz. Ele desejou que pudesse eternizar aquele momento, colocando-o em uma garrafa e levando-a consigo para mostrar a Cade sempre que ela estivesse triste, até o resto de suas vidas. — Ei, é verdade que ninguém se casa aqui? — Ela murmurou.

— Não é muito comum — ele admitiu. — A maioria das pessoas só vive junto por toda a vida. Mas você já prometeu, por isso não vá recuar agora.

— Não ouse! — Marguerite exclamou, indignada. Seus punhos estavam cerrados, tamanha a alegria. Ela praticamente estava pulando na ponta dos pés. — *Un mariage*. Esperem até que eu conte aos meus amigos. Nenhum de *seus* filhos se casou. Posso ajudá-la a escolher e comprar o vestido de casamento? — Ela ofereceu à amada do filho.

Cade lançou um olhar rápido e analítico sobre a superabundância de sacolas de compras. — Sim — ela aceitou com firmeza. Ao que tudo indicava, ela já sabia exatamente como ficar amiga de sua *belle-mère*.[26] — Na verdade, na Faubourg St-Honoré — mencionou a mais badalada rua parisiense, repleta de lojas e ateliês dos mais caros *designers*.

A mãe de Sylvain teve de se sentar. A qualquer momento, ela ia ter de colocar a cabeça entre os joelhos para não desmaiar de fato. Chantal pegou o braço de Christophe e ambos fugiram da conversa sobre casamentos, para juntos apreciarem a vitrine na frente da loja.

— Meu bom Deus! — Cade murmurou em inglês, depois fitando Marguerite. — Acredito que finalmente o dinheiro valha alguma coisa para mim nesta cidade.

26. Sogra. (N.T.)

— Também posso acompanhar vocês nas compras? — Natalie perguntou, emocionada. Mas ela não se deixou distrair por muito tempo. Estendeu a mão para o contato comercial mais poderoso no local, para um aperto de mão muito ao estilo americano. — E então, você é o pai da Cade? Sou Natalie Marquis. Estou pensando em trabalhar como estagiária na sua empresa neste verão.

Cade sorriu e olhou para Sylvain, que teve de admitir estar bastante orgulhoso de sua irmã. Como ser uma pessoa que não se reprime poderia ser uma excelente característica.

— Sabe o que mais eu gostaria de conseguir em minha vida? — A voz altiva de outra pessoa que não se reprimia anunciou no ouvido de Sylvain. — Invadir o local de trabalho de um *chocolatier* suíço, e Cade vai me ajudar, agora que você a treinou. E misturar espinafre com chocolate. Isso soa para mim como *sua* área de especialização, Sylvain, então... — atrás dele, os olhos de Cade, alarmados, se arregalaram. Ela levou a mão à boca, como se protegendo-a de um assalto gustativo, e começou a sacudir a cabeça para Sylvain em sinal de advertência. *Tarde demais.* O velho riu diabolicamente. — Tenho certeza de que você não vai se importar em ajudar seu novo avô com um pequeno projeto agora, vai?

— Penso que o projeto do espinafre seja uma boa ideia — disse Mack Corey, provando, de maneira conclusiva, que os CEOs das multinacionais não tinham moral nem consciência. — Especialmente em relação a fazê-lo aqui em Paris, no *laboratoire* de Marquis. Mas nada de invadir nem entrar sem permissão. Nada de ser pego espionando uma fábrica suíça. Meu Deus, se ambos ficarem expostos à mídia como ladrões de chocolate... — Ele flexionou as mãos grandes e perfeitas em movimentos indefesos de estrangulamento. — E, mais ou menos na mesma época, Jaime provavelmente será presa durante algum protesto contra o Banco Mundial — levou os punhos à testa e lamentou.

James Corey pendurou o braço sobre os ombros da neta. Ela rapidamente sorriu para ele, com os olhos iluminados ao contemplar o avô que ela tanto amava. — É muito difícil ser a ovelha branca da família — ele disse ao filho com simpatia. — Eu não sei como fazê-lo. Mas não se preocupe com Cade e comigo. Antes de mais nada, agora será o nome Marquis que ficará enlameado em toda a mídia como um ladrão de chocolate.

Sylvain teve uma visão súbita e horrível de seu nome ser associado a uma tentativa de roubar segredos de outro *chocolatier*.

O avô de Cade riu diabolicamente para ele. — Mas é bem provável que eu não encontre nenhum dono de uma fábrica suíça sexy, portanto não seremos pegos.

O Chocolate Favorito de Laura Florand

Vale uma viagem a Paris

Tudo bem, *Paris* já vale uma viagem para Paris. Mas, se essas lojas de chocolate estivessem na cidade mais feia do mundo e se ela estivesse sendo bombardeada por alienígenas, mesmo assim, valeriam o esforço de uma viagem.

Jacques Genin
133, rue de Turenne
75003 Paris, França
011 33 1 45 77 29 01

A primeira coisa que você percebe ao entrar nessa *chocolaterie* é o espaço maravilhoso que possui. Arcos ásperos com revestimento externo de pedra, com cortinas de veludo vermelho, paredes brancas em relevo e uma escadaria de metal em espiral criam um cenário de excepcional beleza. (Na verdade, servirá de inspiração para meu terceiro livro.)

Apesar de Jacques Genin fornecer, durante anos, chocolates para os melhores hotéis de Paris, ele é um tanto desconhecido entre o público em geral. Seu *Salon du Chocolat* foi inaugurado apenas em 2008. Considerado por muitos um dos melhores do mundo, seus chocolates são apresentados em caixas de metal plana que destacam praças lindamente estampadas com saborosos *ganaches* e infundidas com ervas e especiarias — *ganaches* que derretem na boca em êxtase sensual. Você deve saborear plenamente quando morder um pedaço dos chocolates dele pela primeira vez, porque a lembrança dessa mordida vai ficar com você para o resto de sua vida. Mas não pare com os chocolates. Se você tiver a felicidade de estar em Paris, sente-se em uma mesa para degustar seus famosos *millefeuilles* (que são feitos na hora, mas que valem a espera), seus *éclairs au chocolat* e todos os outros doces deliciosos. E se você nunca se considerou um amante de caramelo ou de *pâtes de fruit*, experimente um e se tornará um adepto na hora.

Para algumas cenas de bastidores do *laboratoire* de Jacques Genin, confira o meu site, www.lauraflorand.com, onde compartilho um pouco das minhas pesquisas para os livros da série Chocolate. Com entusiasmo generoso e verdadeira paixão pelo trabalho, Jacques Genin me recebeu em sua oficina de chocolate e respondeu a todas as minhas perguntas. E ele tem, sem dúvida, o mais bonito *laboratoire* de toda a Paris, que merece ser visitado.

Michel Chaudun
149, rue de Turenne
75007 Paris, França
011 33 1 47 53 74 40

A pequena loja de Michel Chaudun, no sétimo distrito de Paris, provoca aquele deleite vertiginoso de quando entramos em um museu repleto de artefatos de todo o mundo —nesse caso, porém, eles são todos feitos de chocolate: desde a escultura enorme de um guerreiro maia até o busto de um faraó egípcio, desde uma bolsa Hermès até cordas de linguiça tão absolutamente realistas que você poderia oferecê-las no jantar e ninguém iria perceber o truque até que tentassem cortá-las.

Além de ser um dos melhores *chocolatiers* do mundo, ele é famoso por suas esculturas de chocolate e também por sua extravagância. Em relação ao sabor... Experimente um de seus *pavés* famosos e você se derreterá aos pés daquele guerreiro maia. Pedaços sensuais de *ganache* delicadamente polvilhados com cacau chegam a ser simples, mas tão pecaminosos como quaisquer chocolates. Nem pense em armazená-los por meses, ou mesmo semanas. (Você vai acabar comendo tudo rapidinho!) Além disso, eles estão fresquinhos ao serem comprados e esse é o momento certo para sua apreciação.

O absolutamente encantador Michel Chaudun também me acolheu em seu mundo e contribuiu para minhas pesquisas. Dê uma olhada no site www.lauraflorand.com para conhecer um pouco mais de seu pequeno *laboratoire* e ver esse homem apaixonado e generoso em ação.

Como você já notou, os *chocolatiers* anteriores são tão bons, tão famosos (apenas pelo boca a boca) e tão focados na produção artesanal local que nem precisam ter site na internet. E como descrevi aqui, realmente não precisam. Para chocolates que você pode encomendar, leia a seguir.

Não dá para ir a Paris?

Quando não posso, encomendo meus chocolates daqui:

La Maison du Chocolat
www.lamaisonduchocolat.com

La Maison du Chocolat é uma lenda. Foi fundada em 1977 por Robert Linxe, que foi do País Basco até Paris em 1955 e mudou o sabor do chocolate parisiense, substituindo os recheios populares de amendoim e frutas com o puro e celestial *ganache* — e, ao fazer isso, tornou-se o meu herói pessoal. Ao trazer o *ganache* ao mundo francês da fabricação de chocolates, ele tornou o mundo infinitamente melhor.

Atualmente, La Maison du Chocolat tem lojas em todo o mundo — e essa é a nossa sorte, porque a qualidade é a mesma — sendo possível encomendar esses chocolates lendários diretamente para a nossa porta. (O preço?) Hmm... Talvez você tenha achado que exagerei um pouco na maneira como Sylvain avalia os próprios chocolates ao vendê-los por mais de 200 dólares o quilo? Não, não estou *diminuindo seu valor*. Michel Chaudun foi um *chocolatier chef* antes de começar a trabalhar por conta própria há mais de vinte anos. Jacques Genin trabalhou como *pâtissier chef* nos Estados Unidos, quando tinha 33 anos.

Atualmente, o diretor criativo é Gilles Marchal. Experimente seus intensos e tenros *ganaches* e sua opinião sobre chocolate nunca mais será a mesma. E se você estiver em Nova York? La Maison du Chocolat tem quatro lojas de chocolate maravilhosas para você escolher e aproveitar a própria e mágica experiência de Paris.

L.A. Burdick
www.burdickchocolate.com

Sempre que alguém nos Estados Unidos me faz muito, muito feliz, encomendo chocolates da L.A. Burdick. Nascido e criado em Boston, Larry Burdick passou um tempo na Suíça e na França antes de fundar a L.A. Burdick Chocolate em 1987. Seus cafés em Cambridge e New Hampshire já existem há algum tempo, mas recentemente foram abertos mais dois espaços: um em Back Bay, Boston, e outro no distrito de Flatiron em Nova York.

Para nós, o melhor de tudo é que eles aceitam pedidos pelo correio e você pode saborear chocolates que apenas meus heróis poderiam produzir (porque, você sabe, nada que outro *chocolatier* possa fazer será tão bom quanto o que *eles* podem produzir, nunca). Pequenos pedaços de chocolate amargo, misturados delicadamente com figo e vinho do Porto; caramelos salgados requintadamente delicados e cobertos com chocolate; trufas recheadas com limão, pimenta e rum... E se isso não for o suficiente, cada caixa vem com pelo menos um de seus graciosos ratinhos de chocolate. Se você tem criança em casa, pode desistir de provar o ratinho agora mesmo.

Os ratinhos clássicos podem variar segundo o período de festa com graciosos fantasmas de chocolate, perus, bonecos de neve, coelhinhos adoráveis ou abelhas, que são minhas favoritas.

Ou permita-me compartilhar um pequeno segredo... Miel Bombons
www.mielbonbons.com

A *chef* Bonnie Lau, treinada pela Ferrandi & Le Nôtre, abriu sua loja, Miel Bombons, alguns anos atrás, em uma esquina bem remota (para chocolates) de Carrboro, na Carolina do Norte. Desde então, ela tem atraído seguidores de todos os Estados Unidos. Há algo deliciosamente encantador e reconfortante sobre esses chocolates — apesar dos sabores exóticos como manga-hortelã e coco-curry — como se exotismo e qualidade tivessem sido sintetizados em um único chocolate que podemos apreciar no aconchego do lar. Eles são maiores do que os chocolates em miniatura e muito populares entre os *chocolatiers* parisienses; e você pode saborear dois ou três pedaços sem medo de que derretam em sua boca antes de ter apreciado completamente seu sabor.

Ganaches ricos e escuros com sabores extravagantes e sofisticados, dando à caixa de uma loja o apelo de se encontrar uma joia, o tesouro em *Amélie* de Jeunet. E, em meio a todos os *ganaches*, não deixe de experimentar os intensos chocolates caramelizados e amanteigados de Bonnie Lau. Todo *chocolatier* dá aos seus chocolates um pouco de sua personalidade, e a personalidade de Bonnie Lau é fantasiosa, calorosa, aventureira e reconfortante.

Confira o meu site www.lauraflorand.com, para mais passeios em lojas de chocolate, bastidores sobre a produção de chocolate e até mesmo brindes ocasionais dos melhores chocolates do mundo.